D0415773

JEAN-MARIE BEAUDET, L'HOMME-ORCHESTRE

DU MÊME AUTEUR

Josée Beaudet et Louise Lantagne, *Correspondance à quatre pattes*, Stanké, 2002.

Josée Beaudet

JEAN-MARIE BEAUDET
L'HOMME-ORCHESTRE

récit biographique
et
chronologie musicale

FIDES

En couverture : Jean-Marie Beaudet, dans les studios de Radio-Canada, vers 1946. Archives
    Pierre Beaudet.
Conception graphique de la couverture : Bruno Lamoureux
Mise en pages : Yolande Martel

Catalogage avant publication de Bibliothèque et Archives nationales du Québec
et Bibliothèque et Archives Canada

Beaudet, Josée

Jean-Marie Beaudet, l'homme-orchestre, récit biographique et chronologie musicale

ISBN 978-2-7621-3666-1 [édition imprimée]
ISBN 978-2-7621-3667-8 [édition numérique PDF]
ISBN 978-2-7621-3668-5 [édition numérique ePub]

1. Beaudet, Jean-Marie, 1908-1971. 2. Chefs d'orchestre – Canada – Biographies.
3. Pianistes – Canada – Biographies. 4. Administrateurs des arts – Canada – Biographies.
5. Canada – Vie intellectuelle – 20ᵉ siècle. I. Titre.

ML422.B42B42 2014   784.2092   C2013-941150-X

Dépôt légal : 1ᵉʳ trimestre 2014
Bibliothèque et Archives nationales du Québec

© Groupe Fides, 2014

Groupe Fides reconnaît l'aide financière du gouvernement du Canada par l'entremise du
Fonds du livre du Canada pour leurs activités d'édition et remercie de leur soutien financier
le Conseil des Arts du Canada et la Société de développement des entreprises culturelles du
Québec (SODEC). Groupe Fides bénéficie en outre du Programme de crédit d'impôt pour
l'édition de livres du Gouvernement du Québec, géré par la SODEC.

IMPRIMÉ AU CANADA FÉVRIER 2014

Une tranche de notre histoire culturelle

Apprendre qu'une étude biographique sera consacrée à Jean-Marie Beaudet est une nouvelle que j'ai accueillie avec joie.

Il faut dire que le travail énorme de ce grand artiste pour défendre la cause de la musique chez nous est, de nos jours, totalement oublié. Sa parente, Josée Beaudet, avec une obstination louable, a décidé de réparer les nombreuses années d'oubli qui ont oblitéré le souvenir de ce grand musicien dans notre mémoire collective.

Jean-Marie Beaudet était un pianiste et un organiste formé dans les grandes écoles qui ont précédé le Conservatoire de Québec. L'obtention du Prix d'Europe lui a permis d'aller perfectionner sa formation à Paris.

Monsieur Beaudet s'est peu à peu tourné vers la direction d'orchestre. C'est le chef d'orchestre que j'ai pu observer lors de concerts ou représentations d'opéra qu'il a dirigés.

J'ai surtout gardé un souvenir admiratif de certains moments privilégiés. Il dirigea au théâtre des Offenbach, Menotti et surtout, pour la télé de Radio-Canada, la première américaine de *Dialogues des Carmélites* de Poulenc. Un moment musical inoubliable. J'ai eu le privilège d'assister à la première lecture d'orchestre sous la direction du maître. Autorité tranquille, sens de l'équilibre, rythmique irréprochables. Je suis sorti de cette lecture avec l'orchestre (salle de l'Ermitage) en me demandant comment il se faisait qu'un tel musicien n'avait pas la renommée internationale qu'il méritait.

Jean-Marie Beaudet, musicien doué d'une compréhension exceptionnelle de la musique, serait sans doute devenu un chef de grande envergure, s'il avait consacré uniquement sa vie à la direction d'orchestre. Il en a décidé autrement, plaçant la diffusion de la musique, grâce aux moyens de communication exceptionnels que furent d'abord la radio, puis la télévision, au-delà de son succès personnel. Au service de la musique toute sa vie, il préféra la faire connaître au plus grand nombre possible, plutôt que de l'asservir à sa propre gloire.

Je ne me sens pas assez compétent en administration pour juger l'homme aux importantes responsabilités de gérance à Radio-Canada, au Centre National des Arts à Ottawa. Mais je ne peux que déplorer que les dons exceptionnels du musicien aient dû être mis sous le boisseau, pendant de nombreuses années. Une autre occasion manquée, une grande carrière internationale stoppée.

A-t-il eu tort ou raison? On pourrait en discuter longtemps après la lecture de l'ouvrage que lui a consacré Josée Beaudet. Cette biographie suit la carrière du musicien de ses tout débuts d'accompagnateur des Jobin, Alarie, Simoneau, Vallin jusqu'à sa fin, alors qu'il mit sur pied l'orchestre du Centre National des Arts à Ottawa. L'intérêt est entretenu par la présence continuelle du contexte historique, qu'il s'agisse de la vie au début du siècle dernier dans une petite ville de province, des débuts épiques de la radio ou de la télévision, des combats liés à la culture, à la langue, de la diffusion de la musique canadienne sur la scène internationale ou de la naissance d'organismes aussi importants que le Centre de Musique canadienne ou le Centre National des Arts.

L'intérêt est également soutenu par quelques courtes fictions qui viennent émailler le parcours de Jean-Marie Beaudet donnant à l'auteure, à travers des scènes imaginées, l'occasion de jeter des ponts entre les grandes étapes de la vie professionnelle du musicien. Des témoignages d'horizons divers, témoins de la multiplicité des talents de Jean-Marie Beaudet, viennent compléter cette biographie à laquelle est adjointe une chronologie musicale.

Une résurrection de cette vie si pleine nous donne l'occasion de renouer connaissance avec monsieur Beaudet.

Je travaille avec le public depuis de nombreuses années et je sais que la culture, pour peu qu'on la présente de façon attrayante, liée au plaisir, trouve preneur. Au-delà du lectorat tout désigné des professionnels de la musique, ce livre, d'une remarquable tenue littéraire par ailleurs, saura plaire également aux lecteurs et aux lectrices qui s'intéressent à la musique en amateurs et à ceux qui apprécient les biographies où passent la vie d'un personnage et celle de son époque.

Et il faut que j'ajoute que cette lecture qui m'a fortement impressionné par le sérieux de la recherche et la qualité de l'exposition des faits m'a intéressé au point que je voudrais, le livre publié, le conserver dans ma bibliothèque à des fins de consultation. C'est une tranche de notre histoire culturelle que représente ce livre.

EDGAR FRUITIER
homme de théâtre et de musique,
animateur à la radio de Radio-Canada.

Le 27 mars 2013

AVANT-PROPOS DE L'AUTEURE

Depuis longtemps je mûris ce projet d'écrire la biographie de Jean-Marie Beaudet, mon oncle, artiste que j'ai admiré et aimé de loin pendant de nombreuses années.

Nous avions trente ans d'écart, jour pour jour, tous deux nés un 20 février, à cheval sur le signe du Poisson et sur celui du Verseau, partageant, pour qui croit aux vertus de l'astrologie, un goût pour le rêve, les arts et l'organisation. Chez lui le rêve était vision, l'art était perfection. Il tenait sans doute son sens de l'organisation des autres composantes de sa personnalité astrale.

Musicien doué, précurseur infatigable, Jean-Marie Beaudet qui vécut de 1908 à 1971, c'est-à-dire à l'époque de tous les possibles pour les Canadiens français tenaces et inspirés, fut à la fois organiste pianiste de concert, accompagnateur, chef d'orchestre et professeur. Il joua un rôle important à la radio de la société d'État, Radio-Canada (SRC)/Canadian Broadcasting Corporation (CBC). De 1937 à 1947, il fut premier directeur des programmes pour le Québec, premier directeur du réseau français et premier directeur musical pancanadien. En 1953, au début de la télévision, on lui confia les commandes de la production et de l'élaboration des programmes, puis, en 1957, il eut la responsabilité d'ouvrir le premier bureau de Radio-Canada à Paris. Il quitta l'institution deux ans plus tard afin d'assumer le rôle de premier secrétaire exécutif du nouveau Centre de musique canadienne à Toronto. Après un troisième passage à Radio-Canada en tant que vice-président adjoint à la programmation, il devint le directeur musical responsable de la création de l'Orchestre du Centre national des Arts (OCNA) à Ottawa. Audacieux dans les choix de son répertoire, il fut reconnu également pour la diffusion, sur les ondes et en concert, de la musique française qu'il connaissait sur le bout de ses doigts, et pour la promotion de la musique canadienne, ici comme à l'étranger.

Jean-Marie Beaudet aurait eu cent ans en 2008. C'est dire qu'au moment où j'ai entrepris de colliger les renseignements recueillis sur sa vie et sa carrière, bien des personnes qui l'avaient connu avaient disparu. Toutefois, au cours des années 1990, son plus jeune frère, Pierre, musicien professionnel lui aussi et réalisateur d'émissions musicales à la radio de Radio-Canada, avait rédigé un manuscrit sur la carrière de son aîné. Son décès survint avant qu'il ait pu mener à terme son projet de publier une biographie de son frère. J'ai reçu en héritage le manuscrit, le cahier de recherches et sans doute aussi la mission d'achever le projet.

Cet ouvrage biographique, qui comprend le récit de la vie professionnelle de Jean-Marie Beaudet et une partie importante de sa musicographie, s'appuie sur les recherches archivistiques déjà entreprises par son frère. Les références recueillies par Pierre Beaudet comprennent des programmes de concerts, des coupures de presse, des rubans sonores, des lettres et des photographies. De plus, et ce fut essentiel pour la rédaction de cet ouvrage, Pierre Beaudet avait eu accès à de nombreuses notes de service internes de la SRC et à la liste des cinégrammes (enregistrements produits grâce au kinescope), des concerts télévisés à l'antenne de la société d'État, tous documents pour la plupart maintenant introuvables. J'ai également glané des renseignements dans les journaux, les périodiques de l'époque et dans les archives universitaires, provinciales ou fédérales[1]. J'ai pu interviewer quelques collaborateurs de Jean-Marie Beaudet ou leurs proches, j'ai rencontré des pionniers

---

1. Les références recueillies par Pierre Beaudet ou Josée Beaudet sont désignées sous l'acronyme : APJB.

de l'OCNA et la famille a été mise à contribution : lettres, récits et photographies.

Parmi les documents mis à ma disposition figurent plusieurs témoignages sollicités par Pierre auprès de contemporains de Jean-Marie, vers 1992-1993. Ces personnes avaient accepté de rédiger leurs souvenirs avec l'espoir que soit publiée une biographie de Jean-Marie Beaudet. Collègues, élèves, amis voulaient ainsi rendre hommage à un homme dont l'apport, selon eux, a été exceptionnel dans le domaine de la musique au Québec et au Canada. Plus le temps passe, plus ces documents se révèlent précieux, remplaçant une parole souvent devenue inaccessible.

Qu'il s'agisse des témoignages, des rapports de travail, des notes de service, des critiques, ou de la correspondance, j'ai opté pour une retranscription dans la langue originale du texte, Jean-Marie Beaudet n'ayant pas connu de limitations linguistiques dans ses différents emplois.

Pour compléter ou illustrer certaines parties de sa vie, j'ai rédigé quelques textes mettant en scène des personnages ayant existé. Cependant les faits rapportés sont totalement fictifs. Rêves, ou songes éveillés, ici appelés « fictions », sont clairement identifiés dans le texte, et le fruit de mon imagination.

Sans doute ai-je voulu, en utilisant ce subterfuge, pallier certains manques d'information sur la vie personnelle de Jean-Marie, donner un aperçu d'autres facettes de sa personnalité et relier divers moments d'une vie professionnelle prolifique ; peut-être aussi me suis-je permis une appropriation, bien incomplète, du héros de mon enfance.

J.B.

RÊVE I

Je fais souvent le même rêve. Je suis dans un train.

J'avance péniblement dans un wagon en sens contraire de la marche du train.

Le wagon est vide. À l'exception d'un monsieur dans la soixantaine assis à droite, au fond, du côté de l'allée. Il est vêtu de noir. Il porte un drôle de chapeau qui ressemble à un chapeau melon.

Je m'approche de lui sans qu'il lève le nez de l'ouvrage qu'il tient sur ses genoux. À ses côtés une serviette en cuir, aux initiales JMB.

Je l'entends maintenant fredonner. Il bat la mesure de l'index droit, les yeux toujours baissés. Une chevalière brille à son auriculaire replié.

Je m'arrête près de lui, troublée. Il lève la tête vers moi et me sourit.

« La musique est une maîtresse exigeante, n'est-ce pas ? me dit-il. Je lui ai toujours été fidèle. »

La voix de l'homme est un peu nasillarde, l'accent légèrement affecté, il prononce en faisant la liaison, sans insister : « toujours zété », comme on le faisait autrefois à la radio d'État.

Derrière ses lunettes à montures de corne, il me semble que ses yeux sont tristes.

J'ai des questions à lui poser, tellement de questions !

Le train s'engouffre dans un tunnel, tout devient noir.

Tout s'efface.

1650-1908

Origines de la famille : de l'arrivée de Jean à la naissance de Jean-Marie

L'ANCÊTRE DE LA FAMILLE Beaudet débarque en Nouvelle-France vers 1664. Il se prénomme Jean et, selon les travaux de l'Institut généalogique Drouin, est né à Blanzay, évêché de Poitiers. Il est donc natif du Poitou, ce coin de pays français dont l'emblème est un baudet, haut sur pattes, abondamment poilu et dur à l'ouvrage. Il existe un specimen empaillé, superbe et stoïque, dans la Grande Galerie de l'Évolution du Jardin des Plantes à Paris. Il n'y a qu'à voir l'attitude déterminée de cette noble bête pour comprendre la devise familiale : *Laborare et perseverentia*.

Le père de Jean, Sébastien, orthographiait d'ailleurs son nom « Baudet ». Il épousa Marie Baudonnier et de leur union naquit ce fils, Jean, dont on ne sait exactement pourquoi il quitta son pays natal pour les terres nouvelles. Selon le chercheur Gérard Lebel, rédemptoriste, il serait arrivé au Canada, seul, à l'âge de 14 ans, à bord d'un bateau appelé *Noir*, en provenance d'Amsterdam et commandé par Pierre Filly, de Dieppe. Se trouvaient à bord du même vaisseau Nicolas Fournier, André Gautron dit Larochelle, René Brisson, Pierre et Mathias Campagna[1].

Comment un jeune homme de 14 ans, habitant la Charente, a-t-il pu se rendre seul à La Rochelle afin de prendre un bateau en partance pour l'Amérique ? Mystère. L'adolescence se terminait tôt à cette époque. Le recensement de 1666 dans la région de Sillery note sa présence. Il a 16 ans et est employé comme domestique chez Nicolas Gaudry. Des documents paroissiaux subséquents nous indiquent qu'il épouse Marie Grandin à Québec en septembre 1670. Au moment de son mariage, il a donc 20 ans.

Sa femme était fille de feu Michel Grandin et de Marie Lejeune, tous deux originaires de Saint-Euverte, évêché d'Orléans. La même question devient plus pertinente encore quand il s'agit d'une jeune fille : pourquoi Marie, née en 1651, choisit-elle de traverser les mers dans des conditions aussi difficiles vers un inconnu imprévisible ? Il aurait été agréable de trouver une autre réponse que celle des « voyages organisés » que furent les traversées des Filles du Roy et d'imaginer plutôt un goût prononcé pour l'aventure et les défis impossibles, ou encore une histoire d'amours contrariées, hypothèses plus romantiques. Il semble pourtant que Marie arrive bien ici en tant « qu'orpheline protégée par le roy ». Quant elle se marie à l'âge de 19 ans devant le notaire Becquet à Québec, elle a dans ses bagages 50 livres en argent, dot du « roy », et 300 livres de biens personnels[2]. Même dans un voyage « obligé » et financé par le « roy », l'audace et l'inconscience sont sans aucun doute au rendez-vous.

Vers 1680, Jean déménage ses pénates et sa famille vers Lotbinière, seigneurie concédée en 1672 à Louis Chartier. Le recensement dans cette région en 1681 nous informe sur son compte : « Jean Baudet, 31, Marie Grandin, sa femme, 30 ; enfants : Marie 10, Simone 8, Charles 5, Louise 2, Jeanne 15 jours, 1 fusil, 1 vache, 3 arpents en valeur[3]. »

Saint-Jean Deschaillons, Sainte-Agathe, seigneurie de Sainte-Croix, Saint-Édouard-de-Lotbinière, Sainte-Emmélie, etc., sont des paroisses qui bordent le fleuve Saint-Laurent, sur la rive sud, ou encore s'enfoncent dans les Appalaches après avoir traversé un territoire de plaines. C'est un joli coin de pays où, au début de la colonie, l'agriculture et la pêche à l'anguille apporteront nourriture et revenus aux riverains. L'industrie y sera présente au tournant du XIXe siècle grâce aux moulins à scie et à une briqueterie établis par le renommé seigneur Joly de Lotbinière.

En 1870, deux cents ans après le mariage de Jean et de Marie en Nouvelle-France, naît Zéphirin Beaudet, fils de Modeste, le premier à orthographier son nom avec un « e » : Beaudet. Zéphirin, qui deviendra le grand-père de Jean-Marie, pratique plusieurs métiers : aubergiste, charron, cultivateur, huissier, maire, maquignon, maréchal-ferrant et menuisier ; on disait de lui qu'il était un *jack of all trades*. Ce petit homme à moustache engendre deux familles consécutives. Sa première femme, notre ancêtre, s'appelle Euphrasie Lemay. Zéphirin et Euphrasie s'épousent à Saint-Édouard-de-Lotbinière. Les Lemay sont originaires d'Anjou et bien des fois leurs destins et leurs gènes se sont croisés au cours des générations avec ceux des B(e)audet. Le plus célèbre Lemay fut sans doute Pamphile, le poète dont nous apprenions le nom à l'école et qui mourut à Deschaillons. La seconde femme de Zéphirin, qui lui donna également huit enfants, se nommait Emma Laliberté et était veuve de Robert de Chevigny de la Chevrotière.

Joseph-Eugène Beaudet, fils aîné de Zéphirin et père de Jean-Marie, vient au monde en 1875, un 23 octobre, à Sainte-Emmélie-de-Lotbinière. Il fait ses études primaires dans son patelin, puis ses études secondaires et collégiales au collège de Lévis où il enverra tous ses fils sauf Pierre, le dernier. Ses études de médecine terminées à l'Université Laval en 1901, Joseph-Eugène décide de venir s'établir à Kingsville, petite ville alors en plein essor. En effet, en 1876, un cultivateur du nom de Joseph Fecteau a trouvé de l'amiante en labourant son champ. Le morceau de minerai, d'abord envoyé pour expertise à Québec, est jugé sans valeur et sans intérêt. Les Américains ne sont pas du même avis lors d'une évaluation subséquente. Dès l'année suivante, Roger G. Ward et les frères Andrew, William et John Johnson, de souche écossaise selon les uns, de souche irlandaise selon les autres, deviennent propriétaires de vastes terrains dont l'exploitation va faire de Thetford-Mines (ex-Kingsville) et d'Asbestos les plus grandes villes productrices d'amiante au monde pendant des décennies. Encore maintenant, alors que ce minerai est déclaré officiellement danger public, le terrain des maisons des propriétaires locaux ne leur appartient pas. On peut lire sur des certificats de localisation ou des actes d'achat datés des années 2000 et plus : «sous la réserve des mines et droits de mines».

Joseph-Eugène vient se joindre à deux autres médecins de la nouvelle municipalité, les docteurs Larose et Morin; il y a fort à faire pour soigner une population qui s'accroît à mesure que se développent les chantiers miniers. Par exemple, la paroisse s'enrichit de cent cinquante nouvelles familles au cours des années 1901 et 1902. Accidents et accouchements sont le lot de tous les jours. Et tuberculose. La pénicilline n'a pas encore été découverte et, dans ce pays où la poussière d'amiante flotte dans l'air, le bacille de Koch[4] fait des ravages.

C'est au chevet d'un jeune homme atteint de tuberculose que Joseph-Eugène rencontre Lucina Eugénie Langlois, native de Sainte-Agathe, paroisse du comté de Lotbinière offerte aux Ursulines dès 1637. Lucina est encore petite quand sa famille émigre de ce village vers Kingsville. Quand le destin lui fait croiser le jeune médecin, deux de ses sœurs ont déjà été tuées par le bacille de Koch. Un de ses frères, celui que le docteur Beaudet tente de soigner, souffre de tuberculose à son tour. Son père, Honoré Langlois, un «syndic», on dirait aujourd'hui un échevin, a tenu hôtel tout près de la ligne de chemin de fer du Québec Central qui, depuis 1879, sert de lien entre Kingsville et Lévis pour le transport de l'amiante. Cet homme respecté dans sa municipalité accueillera chez lui le groupe responsable de la création de la Commission scolaire locale. Quand Joseph-Eugène fait la connaissance de Lucina, Honoré est décédé depuis une dizaine d'années et sa femme, Léocadie Boissonneau, depuis presque aussi longtemps. Les jeunes orphelins habitent l'hôtel qui a appartenu à leurs parents et qui a été racheté par la famille Lessard, de grands amis. Lucina pratique le métier d'institutrice. C'est une femme intelligente qui n'a pas les caractéristiques physiques de sa famille paternelle, ces descendants de Normands aux cheveux pâles et aux yeux bleus. Elle a les cheveux bruns et certains clients de l'hôtel la taquinent à cause de ses beaux yeux, couleur «vison».

On peut imaginer que les jeunes gens se marient par amour. Rien ni personne ne pousse Lucina à se marier. Elle gagne sa vie et ses parents décédés ne peuvent l'influencer. Mais il est vrai que Joseph-Eugène est un bon parti. De plus, à 22 ans, il faut songer sérieusement à convoler en justes noces, 25 ans étant décrété l'âge officiel de la vieille fille dont plus personne ne veut.

L'amour de la musique les unit. Elle joue du piano, il chante. Leur répertoire est choisi, musique religieuse oui, mais aussi musique de Gounod, Massenet, Messager et différents airs d'opérette à la mode. Le piano est un meuble obligatoire dans la maison. Plusieurs enfants en feront l'apprentissage et plus souvent qu'autrement, le Gourlay-Angelus[5] résonnera du jeu non pas de deux ou de quatre mains, mais de six à la fois. Quant à ceux de la famille qui sont plus habiles avec leurs pieds qu'avec leurs mains, ils peuvent toujours, à l'aide de pédales, faire tourner les rouleaux perforés du piano mécanique, ce qui accroît leur sens musical à défaut de développer leur talent d'interprète.

Le docteur se passionne peu à peu pour un violon d'Ingres très particulier. Il devient propriétaire en 1918 de deux lots voisins dans le troisième rang, non loin des limites de la ville, et d'une terre à Saint-Jean-de-Brébeuf, d'où la vue sur la région est imprenable. Il adore regarder, admirer et acheter vaches et chevaux. Jamais cependant il n'est en contact avec les bêtes ni ne s'en occupe. Son neveu, Henri Rousseau, qu'il fait venir avec sa famille de la paroisse Sainte-Anastasie de Lyster, en 1943, sera longtemps le fermier attitré du troisième rang. Ses fils s'occuperont aussi des bêtes pendant leurs vacances d'été. Lui jamais : il est un connaisseur distant.

Influencés par leur vie au pensionnat, les garçons de la famille se surnomment mutuellement « Frère ». Ainsi Paul sera « Frère Fatigué », Fernand « Frère Messager », Guy « Frère Occupé », Maurice, l'aîné, « Frère Directeur » et Jean-Marie « Frère Ganté ». En effet, quand il se présente pour les travaux des champs, Jean-Marie recouvre de gants ses très précieuses mains de pianiste. La légende familiale prétend aussi qu'au lieu du chiendent, il avait plutôt tendance à arracher les pousses des choux de Siam, délices des vaches paternelles, et qu'il fut, conséquence de cette méprise récurrente, dispensé très tôt des travaux horticoles. De « Frère Ganté », il devient alors « Frère Exempté ».

Difficile d'imaginer aujourd'hui la vie quotidienne de l'époque. Selon leur disponibilité et leur présence sur les lieux, tous les membres de la famille participent aux tâches communes : atteler le cheval pour la visite aux malades, livrer, par un temps sibérien parfois, le lait, la crème et le beurre aux deux cent cinquante clients du docteur, laver les blocs de glace conservés au fond de la grange dans le bran de scie ou en tailler de plus petits pour les glacières de la campagne et de la ville, semer et récolter le mil et le trèfle, livrer les bêtes vendues – la liste n'en finit plus. La vie professionnelle du médecin déborde aussi dans la cuisine familiale de la ville : on fait bouillir sur le poêle, dans de grandes cuves d'eau de Javel pure, les gazes récupérées ayant servi aux pansements. Une fois propres, il faut les démêler et les enrouler soigneusement à l'aide d'une petite machine à manivelle qui refait des rouleaux impeccables. Verser dans des bouteilles les médicaments contenus dans d'immenses jarres permet de pénétrer dans les locaux sacrés du praticien. L'aîné des garçons, Maurice, sera pendant des années l'accompagnateur attitré des visites aux malades. Quant à Yvette, l'aînée de tous, elle servira de mère aux cinq plus jeunes.

———

En 1951, une fête a lieu pour célébrer le cinquantième anniversaire de pratique médicale du docteur Joseph-Eugène Beaudet. Cet homme extrêmement disponible pour ses patients, qui fut de garde sept jours sur sept, sept nuits sur sept, toute sa vie durant, et qui accouchera sa dernière patiente au cours de sa quatre-vingt-sixième année, un mois avant sa mort, s'excuse alors d'avoir parfois volé du temps à ses malades pour s'occuper de l'élevage et du commerce des animaux. Il ne s'excuse pas auprès de sa famille du temps que ses malades lui ont volé. Il est d'abord et avant tout un médecin.

Lucina ne se plaint pas des absences fréquentes de son mari. Elle enjoint les enfants de ne pas le déranger, de le laisser se reposer quand c'est possible. Dans une lettre datée d'avril 1922, alors qu'elle est enceinte de Jacques, le quinzième, elle écrit à Yvette, l'aînée, qui se trouve à Montréal :

À propos de l'excursion autour de la Baie des Chaleurs, je te remercie beaucoup de ta générosité à bien vouloir garder. Je ne crois pas aller si loin cet été si seulement nous pouvions décider papa à prendre un repos ça me ferait autant plaisir que si j'y allais moi-même. Mais [pour le persuader] il faudrait quelqu'un de plus autoritaire que moi, qu'en penses-tu[6]?

De son lit d'hôpital en 1925, l'année de sa mort, elle écrit à ses enfants de bien travailler : « On n'est pas ici-bas pour s'amuser », et de faire de petits sacrifices, particulièrement au chapitre de la nourriture.

Quant à Jean-Marie, il est le sujet de préoccupations particulières. Il était sans aucun doute celui qui déplaçait le plus d'air, celui qui avait le plus de tempérament, selon l'expression du temps. Au cours d'un différent avec un certain « M.R », elle lui recommande dans une autre lettre de 1925 « [...] de ne pas mettre trop tes mains dans les plats. On n'y gagne rien. S'il te prend en grippe, tu passeras mal ton temps, tu en souffriras bien plus que lui[7]. » Le 17 février de la même année, elle lui souhaite un bon anniversaire et lui raconte qu'une religieuse soignante, Sœur Cécile, a une grande opinion de lui et lui trouve « une figure candide ». J'aimerais que ce soit vrai lui, dit-elle. Et elle ajoute : « [...] ton père prétend qu'elle se trompe. Il dit qu'elle ne fait pas de bon diagnostic dans ce cas-là, comme dans ceux de ses Rayons-X. » Lucina conseille à son fils : « sois sage et soumis et à mesure que tu vas vieillir, j'espère que tout va se perfectionner[8] ».

J'ai bien connu onze de mes seize oncles et tantes. Ils étaient affectueux, adoraient les calembours brillants, aimaient taquiner, rire, chanter, et leurs rapports étaient marqués d'une harmonie exemplaire. Difficile de comprendre qu'ils étaient les enfants de cette femme de devoir qui avait prononcé devant son aînée un précepte répandu chez les femmes de sa génération : « Il y a deux choses qu'on ne discute pas avec un mari : la couchette et la sacoche », et d'un père qui, pour parler en termes « psy », sera leur vie durant un « surmoi » fort dans la tête de sa progéniture.

Joseph-Eugène, plus communément appelé Eugène, que ses enfants vouvoyaient et que ses petits-enfants tutoyaient, était respecté par tous. Ses enfants lui jouaient quand même quelques tours afin d'éviter des remontrances pressenties ou méritées. Il dépanna souvent, parfois à son insu, l'un ou l'autre de ses fils aux prises avec des problèmes financiers. Ainsi, d'après Yvette, paya-t-il pendant quelques temps la scolarité de Marc, le douzième de ses enfants, aux Hautes Études Commerciales alors qu'en réalité son rejeton, surnommé le « sauteux », étudiait le ballet. Marc quittera un jour le monde de la danse pour travailler à l'Office national du film du Canada et produira, entres autres films, le chef-d'œuvre de Claude Jutra, *Mon Oncle Antoine*, toujours classé parmi les meilleurs films de l'histoire du cinéma canadien.

———

Cinéma, danse, musique, quelle est donc la potion magique dans laquelle est tombée la famille ? Pierre, le dernier-né, gagnera sa vie comme pianiste et réalisateur d'émissions musicales, Lucie, née trois ans plus tôt, étudiera le chant jusqu'à un niveau professionnel, Fernand, l'un des aînés, agronome de métier, fondera une chorale et épousera Lucette Pelland, la première artiste à interpréter du Félix Leclerc sur les ondes radiophoniques à Trois-Rivières. Tous les enfants feront des études musicales et sauront jouer d'un instrument.

Il faut dire que la ville de Thetford-Mines, sous ses dehors gris poussière, recèle des trésors artistiques certains[9]. Dès 1893, une fanfare locale y voit le jour et prend le nom : *The Thetford Band Brass*. En 1903, elle devient *L'Union musicale de Kingsville*[10], puis de *Thetford-Mines*, deux ans plus tard. La fanfare bénéficie de l'encouragement des citoyens, et surtout reçoit la bénédiction du clergé qui voit un heureux dérivatif dans cette activité capable de garder les hommes loin des tavernes et de ces autres endroits où les mineurs ont trop tendance à dépenser leur salaire. En 1923 naît *L'Association des musiciens amateurs de Thetford-Mines* qui se transforme l'année suivante en *Société philarmonique de Thetford*. Ces deux ensembles musicaux cohabitent avec l'orchestre des Dussault, essentiellement formé des membres de la famille éponyme qui, en 1938, fête déjà ses cinquante ans d'existence[11].

Un descendant de cette illustre famille, Michel Dussault[12], pianiste précoce et doué, raconte que son père, maître de postes et musicien, avait fondé avec le notaire Jean-Marc Roberge, au milieu des années 1930, *La Société artistique de Thetford*. Les événements organisés par cette association étaient assidûment suivis par la population, mineurs, commerçants et patrons réunis. Quelques décennies plus tard, des émissaires du ministère de la Culture du Québec se présentent à Thetford auprès des organisateurs de *La Société artistique*. Étonnamment, l'entreprise, non subventionnée, n'est pas au bord de la faillite comme toutes les associations provinciales du même genre qui, elles, bénéficient de l'aide de l'État. Quelle est la recette de ce succès indéfectible[13] ?

Les habitants de Thetford aiment donc les arts et surtout la musique. Malgré leurs nombreux enfants et leurs multiples occupations, quand les parents de Jean-Marie peuvent se libérer pour une soirée, ils filent à Québec assister à un concert. Car Lucina n'est pas seulement la femme de devoir que laisse soupçonner sa correspondance écrite de l'hôpital. Selon les confidences de sa fille aînée, Lucina est aussi une femme dotée d'un grand sens de l'humour, affectueuse et aimante. À d'autres indices, on devine qu'elle est également une artiste. Douée d'une oreille exceptionnelle, elle échange des disques de musique classique, particulièrement d'opéra, avec son frère Phydime, médecin établi à Valcourt. Jean-Marie acquerra très jeune, auprès de sa mère, un grand amour de l'art lyrique.

Quand il vient au monde, le 20 février 1908, Jean-Marie est le quatrième enfant d'une famille qui en comptera seize. La maison de campagne et la ferme n'existent pas encore. La famille habite rue Notre-Dame sud, dans une petite maison modeste qui se trouvera, en 1911, derrière l'imposante construction de briques à tourelle érigée pour abriter le bureau du médecin et la famille grandissante. La petite maison a brûlé depuis, mais la grande y est toujours, maintenant subdivisée en logements et en bureaux portant les numéros civiques 220 à 226. La maison a conservé son escalier intérieur d'origine, ses marches, ses murs et ses luminaires, mais n'y flotte plus comme jadis une odeur d'éther et de médicaments. Cette odeur nous a pendant longtemps accueillis, enfants et petits-enfants, au moment des réunions familiales du Jour de l'An, réunions où la plupart du temps Jean-Marie brillait par son absence, en voyage de travail à l'étranger.

Tout au long des années 1920, durant l'année scolaire, les étudiants ne reviennent à la maison que pour une brève période au Jour de l'An et ensuite aux grandes vacances d'été. Régulièrement, le train du Québec Central leur apporte, dans des sacs de grosse toile, le linge propre en échange du linge sale expédié plus tôt à Thetford pour lavage, repassage et reprisage. Lucina est femme de docteur, elle a des bonnes à son service. De plus, sa sœur célibataire, Alfredine, vient souvent lui donner un coup de main. Mais il est difficile d'imaginer que Lucina eût assez d'aide pour assumer toutes les tâches qui lui incombaient. Atteinte à son tour par la maladie mortelle de l'époque, elle n'ira jamais au sanatorium. Le sanatorium de Lac-Édouard en Mauricie, que l'écrivain Yves Thériault allait rendre célèbre, est situé trop loin, et Georges de Champlain n'a pas encore fondé celui de Mont-Joli, qui aurait été également inaccessible. Quand elle devient trop malade pour rester à la maison et qu'elle est un danger pour ses propres enfants, c'est à l'hôpital Saint-Joseph qu'on envoie Lucina « reprendre des forces ». Consciente de l'aggravation de son état de santé, malgré le ton de ses lettres, elle prévient son mari qu'elle ne veut pas mourir à l'hôpital. En avril, le docteur fait donc ouvrir la maison de campagne et ajouter un poêle au salon. En autant que son travail le lui permet, il vient manger avec sa femme le midi et dormir à la campagne. Alfredine sert d'infirmière jour et nuit. Lucina meurt le 25 mai 1925. Elle a quarante-quatre ans et Jean-Marie, dix-sept. Elle a mis au monde seize enfants en vingt ans. Sur la photo publiée lors de son décès, elle semble avoir soixante-dix ans – c'est une grand-mère à chignon gris.

En 1927, le docteur Joseph-Eugène Beaudet épouse sa belle-sœur Alfredine, elle aussi tuberculeuse. Elle meurt à son tour en

1928, laissant Eugène veuf une seconde fois, avec sur les bras, les quatorze survivants de sa première union. La fille aînée, Yvette, qui assumait déjà bien des tâches, devient la remplaçante dévouée de sa mère auprès de ses sœurs et frères.

Quel est l'impact affectif de la mort de Lucina ? Je n'ai qu'une réponse puisée dans mes souvenirs. Année après année, agenouillés au pied d'Eugène, comme dans une gravure d'Edmond Massicotte, ses enfants et petits-enfants attendent la bénédiction du Jour de l'An. Année après année, son menton tremble et il verse une larme en parlant de la mort qui sépare ceux qui s'aiment. Il lui arrive souvent, tous guettent ce moment avec appréhension, d'être incapable de parler à cause du chagrin éprouvé. Il passe alors le relais à Maurice, son fils aîné, qui termine la lecture de la prière. Il ne fait aucun doute pour nous tous qu'Eugène pense alors à Lucina, sa « disparue » la plus chère.

Des liens subtils unissaient le jeune Jean-Marie à sa mère. Regain d'énergie fourni par de nouveaux défis, hyperactivité chronique, immense sens du devoir et incommensurable capacité de travail, amour profond de la musique, ce sont là des traits de la mère qu'on retrouvera chez ce fils singulier. Lucina avait sûrement pressenti que Jean-Marie vivrait les bonheurs et les difficultés inhérents à la vie d'artiste.

Malgré la peine éprouvée au décès de sa mère, les résultats scolaires et parascolaires du jeune homme ne fléchiront pas. Peut-être se sera-t-il appliqué à exaucer le souhait formulé par Lucina trois mois avant sa mort : « J'espère que tout va se perfectionner. »

FICTION I

Naissance de Jean-Marie
1907-1908

Lucina passa doucement la main sur le rebord de la fenêtre grande ouverte. Elle la retira couverte d'une fine poussière blanche. Première vraie journée de printemps en ce mois de mai, première poussière d'amiante à s'infiltrer librement dans la maison. Les cloches de l'église sonnaient la fin de la cérémonie quotidienne du mois de Marie. Sa vie de jeune fille dans le son lointain d'un cantique, dans un souffle d'air tiède et dans l'odeur du lilas...

Un coup d'œil au biberon mis à chauffer au bain-marie et à la pile de couches propres au bout de la table de la cuisine. Deux enfants sur trois aux couches. Deux garçons et une fille, l'aînée.

Un bruit familier dans la cour, celui de la berline noire rentrant au bercail interrompit ses songes. Son époux, Eugène, le jeune docteur de la nouvelle ville de Thetford, était allé aux vaches le matin, aux Ayrshire plus précisément, et ça le rendait habituellement très heureux.

Sitôt entré, Eugène prit sa fille Yvette sur ses genoux et lui fit faire deux ou trois tours de « ti-galop, ti-galop ». Yvette gardait les sourcils froncés : son père n'avait ni l'habitude ni le temps de batifoler avec sa progéniture.

« Lucina, j'ai envie d'avoir une ferme. Ce serait bon pour toi de passer l'été à la campagne. Au lieu de louer à Saint-Ferdinand, je pourrais faire construire une maison à nous, juste en haut de la colline, sur le troisième rang. C'est même pas à deux milles de la sortie de la ville. »

Lucina rajusta un peigne dans son chignon aux cheveux très bruns, très épais.

« C'est normal que je sois fatiguée après l'hiver qu'on a eu. J'aimerais mieux qu'on construise en ville. C'est petit ici ; quand on aura un autre enfant... »

La petite fille protesta timidement : « Pas encore un bébé garçon ! »

« T'aimerais mieux avoir une petite sœur ? »

La petite hocha la tête en regardant tour à tour son père et sa mère. Lucina sourit à son mari.

Le soir venu, ils accomplirent avec plaisir leur devoir de gens mariés. Cette femme belle et sage était tendre et ardente au lit.

La chose faite, elle se lova dans le dos de son mari, collée contre ses fesses recouvertes de petits poils roux et frisés dru et soupira : « On l'appellera Marie. » « Pourquoi ? » lui demanda l'époux. « À cause du mois de mai. »

Neuf mois plus tard, dans la soirée du 19 au 20 février suivant, on frappa furieusement à la porte de la rue Notre-Dame. Un accident avait eu lieu à la mine Johnson : les services du docteur étaient requis d'urgence.

L'aube pointait quand Eugène reprit son cheval et son traîneau pour rentrer à la maison. Il n'eut que le temps de se laver les mains pour aider sa femme à mettre au monde un quatrième enfant : un garçon avec des cheveux noirs retombant presqu'aux sourcils.

« On l'appellera Jean-Marie », déclara Lucina, avec philosophie.

1908-1932
Les années d'apprentissage

J EAN-MARIE N'AIMA JAMAIS son prénom au complet, il préférait Jean tout court. Dans sa vie publique comme dans sa vie privée, il se fit appeler parfois Jean, parfois Jean-Marie. Il serait trop simple de penser que Jean était le musicien et Jean-Marie l'administrateur, ou l'inverse. Ce serait trancher a posteriori et faire un choix qu'il n'a jamais fait officiellement lui-même. Cependant, ces alternances de prénoms combinées aux multiples chapeaux qu'il a portés induisent parfois en erreur : il arrive qu'on attribue quelques-uns des postes qu'il a occupés ou des entreprises qu'il a menées à terme à Jean Beaudet et le reste à Jean-Marie Beaudet sans se rendre compte qu'il s'agit d'une seule et même personne.

C'est sous le prénom officiel de Jean-Marie qu'en 1914, à l'âge de six ans, JMB[1] prend ses premiers cours de piano chez les Sœurs de la Charité à Thetford, comme ses aînés l'ont fait avant lui et comme ses cadets le feront à leur tour. Très tôt, la sœur supérieure, prévenue par Sœur Édith, le professeur de Jean-Marie, avertit les parents qu'ils ont un fils exceptionnellement doué, doté de l'oreille absolue, et qu'il devra poursuivre sa formation avec des maîtres compétents.

À la demande du curé, le Père J.A. d'Auteuil, les Sœurs de la Charité, établies à Thetford en 1899, administrent d'abord un couvent pour internes et externes, par la suite le premier hôpital, l'hôpital Saint-Joseph, et finalement un hospice pour vieillards. Au couvent, leur enseignement de la musique est placé sous l'égide du Collège Dominion de Québec. C'est, du moins à l'époque d'Yvette qui y étudie le piano pendant quelques années, qu'un certain Monsieur Gagnon de Québec, Gustave probablement, vient faire passer aux élèves leurs examens de fin d'année[2].

Entre 1912 et 1929, trois cent trois élèves obtiennent leurs diplômes à l'un ou l'autre des niveaux suivants : élémentaire, junior, intermédiaire, sénior, supérieur et agrégé. À compter de 1915, les prénoms permettent de constater que l'étude du piano semble être l'apanage exclusif des filles. Cependant parmi les Yvette, Laurette, Eugénie, Germaine, etc., se glisse à deux reprises un « J.M. Beaudet », sans que soit précisé qui se cache derrière ces initiales. En 1917, « J.M. » se classe parmi « celles » qui reçoivent la médaille « Dominion » à la fin des études dites supérieures. On le retrouve au milieu des prénoms féminins lors de son « agrégation » en 1918[3]. À dix ans, JMB a donc franchi toutes les étapes d'apprentissage du piano chez les religieuses. C'est avec Marie-Anne Rousseau, cousine organiste à la paroisse Saint-Alphonse, qu'il poursuit ses études musicales.

À Thetford, après leurs études primaires, les filles peuvent entreprendre un cours de secrétariat dans le beau bâtiment qui est toujours en face de l'église Saint-Alphonse, et les demoiselles de la bonne bourgeoisie sont souvent envoyées à Stanstead chez les Ursulines où leurs études sont sanctionnées par un diplôme décerné par l'Université Laval. Quant aux garçons du même milieu, il leur faut s'exiler à Lévis ou à Québec pour pouvoir entreprendre « leurs humanités », c'est-à-dire leur cours classique, enseignement qui n'est pas prodigué localement par les Frères des Écoles chrétiennes du Collège De La Salle.

Quand JMB entreprend son cours classique à Lévis au début des années 1920, c'est l'abbé Alphonse Tardif qui est son professeur d'orgue et de piano. De cet homme dévoué et original, Alice Duchesnay qui le connut au Conservatoire de Québec, fait le portrait suivant :

Je le revois avec sa taille massive, empêtré dans une soutane. Il entrait en coup de vent, répandant autour de lui un grand courant d'air de bonté. Beau temps, mauvais temps, il portait un énorme parapluie noir et la même serviette en cuir ridé. Saluant sur son passage tous et chacun, avec de bruyantes effusions, il se rendait à son travail, comme on s'en va à une grande fête et heureux étaient les élèves qu'il comblait de son dévouement et de sa compétence. Mais au moment du départ, distraitement il s'emparait « au petit bonheur », soit d'une paire de bottes, soit d'un couvre-chef, laissant innocemment le vestiaire en pagaille[4].

En 1925, JMB, en compagnie de l'un de ses frères, fait une incartade. Tous deux quittent le collège de Lévis sans autorisation pour aller assister à une représentation de *Carmen* à Québec. La punition est sévère : ils sont exclus du collège.

JMB fait donc sa Rhétorique (1925-1926), au Petit Séminaire de Québec. Au cours des années 1926-1927 (Philosophie I), et 1927-1928 (Philosophie II), il est inscrit à l'École de musique de l'Université Laval[5]. Il y étudie le piano, l'orgue et l'harmonie. Henri Gagnon, fils de Gustave Gagnon et neveu d'Ernest, est son professeur d'orgue. Henri est organiste à la basilique de Québec et sera directeur du Conservatoire de musique du Québec de 1946 à 1961. Une salle porte maintenant son nom au pavillon Louis-Jacques-Casault de l'Université Laval. Le professeur d'harmonie de JMB est le jeune Robert Talbot, alors secrétaire de l'École de musique[6]. Quelques années plus tard, JMB aura l'occasion de jouer en concert à Québec avec cet ancien professeur et il rendra hommage à Henri Gagnon en enregistrant avec l'orchestre de la société Radio-Canada deux de ses œuvres : *Mazurka* orchestrée par Maurice Blackburn et *Deux Antiennes* orchestrée par J.-J. Gagnier[7].

Jean-Marie Beaudet est un bon élève dans tous les domaines et remporte de nombreux prix au fil de sa formation. On ne rapporte pas d'incartade majeure à son sujet, si l'on excepte ce passage « obligé » du Collège de Lévis au Petit Séminaire de Québec qui fut, somme toute, une bonne chose, car il le rapprocha davantage de la musique. Il excelle en classe, il adore les mathématiques, c'est une discipline qu'il aurait approfondie s'il n'avait choisi d'être musicien, dira-t-il un jour en entrevue.

Selon les archives du Petit Séminaire de Québec, Jean-Marie obtient à la fin de son année de Rhétorique, en 1926, le 1er prix d'excellence, le 2e prix en composition française, le 1er prix en version latine, le 3e en thème latin, le 1er en version grecque, le 3e en thème grec, le 2e accessit en histoire contemporaine, le 1er accessit en exercices anglais et le 2e accessit en histoire de la littérature anglaise. En Rhétorique, il n'y a pas de prix décerné en mathématiques, mais l'accumulation de prix dans les langues anciennes ou contemporaines dénote certainement un bon esprit d'analyse chez le jeune homme. Cette année-là, il décroche la médaille d'argent pour l'ensemble de ses études et, dans la catégorie « prix extraordinaires », il reçoit le 1er prix de piano, section musique internationale[8]. L'année suivante, en Philo 1, il obtiendra le prix de chimie et le 2e prix en maths. Il réussira encore très bien, récoltant le 2e prix d'excellence, la médaille Willingdon[9], et le 2e prix de la Société orphéonique. Au cours de sa deuxième année de Philosophie, sa réussite scolaire équivaut à celle de l'année précédente et, en musique, il obtient cette fois le premier prix de la Société orphéonique.

En 1929, il se présente au concours du prix d'Europe, prix géré par l'Académie de musique de Québec dont les fonds sont octroyés par le gouvernement du Québec. Dans la présentation du programme du concours, on apprend que la bourse est d'au moins 1200$ par année pendant deux ans et qu'elle sert à couvrir les frais de voyage, de pension, d'enseignement des musiciens talentueux de moins de 25 ans, désireux de parfaire leurs connaissances dans les vieux pays. De plus, il est possible aux boursiers d'obtenir de l'Académie de musique de Québec une somme supplémentaire de 2000$ « soit pour les compositeurs, soit pour prolonger les études des boursiers du prix d'Europe qui auront manifesté des dispositions exceptionnelles, soit pour les chefs d'orchestre ou de musique militaire, soit pour les maîtres de chapelle, avec la limite d'âge portée à 30 ans[10] ». Ces règlements signés par Arthur Laurendeau, président, Édouard LeBel, secrétaire et H. Courchesne, secrétaire-adjoint, précisent que l'Académie exige des gagnants des rapports mensuels signés par leurs professeurs européens.

Le 21 juin 1929, le jury du Prix d'Europe est présidé par Claude Champagne. Les membres du jury sont : messieurs Joseph-Arthur Bernier, Eugène Lapierre, Émile Larochelle et Arthur Laurendeau ; monsieur Édouard LeBel est secrétaire.

Les candidats au Prix d'Europe doivent déjà avoir franchi l'étape de « lauréats ». En 1929, ils ne sont que quatre concurrents, deux hommes et deux femmes. L'examen porte sur leurs connaissances en solfège, dictée musicale, harmonie orale, harmonie écrite, histoire de la musique, et on leur demande de présenter une liste des pièces de leur répertoire. Une pièce est imposée selon le domaine de leur art, car le concours couvre plusieurs disciplines : piano, orgue, chant, violon, violoncelle, etc.

JMB se présente dans deux disciplines : le piano et l'orgue. Les pièces imposées sont la *Sonate*, op. 53 de Beethoven au piano et la *Finale en si bémol* op. 21 de César Franck à l'orgue. Il obtiendra la meilleure note, 83,5, à l'orgue, devançant ainsi d'un point et un dixième son plus proche concurrent, lui-même, qui, au piano, se voit décerner 82 et 2/5. On rapporte dans le procès-verbal du 21 juin 1929[11], jour même du concours, que « [l]e jury après délibération, attribue aux concurrents, les points indiqués à la pièce "A" ci-annexée, et en conséquence, accorde unanimement le prix à Jean-Marie Beaudet ». Une lettre manuscrite, au bas de laquelle est apposé un sceau, recommande à ses futurs professeurs le jeune homme, gagnant du prix dans la classe d'orgue, qui va « parfaire ses études musicales dans la classe d'orgue pour une période d'au moins deux années[12] ».

On peut lire dans certains journaux que JMB, en 1929, a gagné le Prix d'Europe dans les deux disciplines dans lesquelles il s'était présenté. S'il fut premier dans les deux cas, l'Académie semble lui avoir octroyé son prix dans la discipline où il avait mérité la plus haute note et ses rapports à l'institution seront toujours signés par son professeur d'orgue parisien ; cependant il étudiera le piano tout autant que l'orgue en Europe. L'heureux gagnant s'embarque pour Paris l'année même du concours. Il y restera trois ans.

Du séjour d'études de JMB à Paris, il reste peu de traces, mises à part une invitation à un concert auquel il participe en compagnie d'autres élèves de l'École de Piano de Paris[13], la mention d'une collaboration avec Arthur Leblanc à la Maison du Canada à la fin de l'année 1930[14] et les copies de quatre des rapports envoyés à l'Académie de musique de Québec. D'après ces rapports, ses maîtres parisiens sont Marcel Lanquetuit[15] et Marcel Dupré[16] à l'orgue et en improvisation, Pierre Lucas[17] et Yves Nat[18] au piano, et enfin Louis Aubert[19] à l'harmonie et au contrepoint.

Les quatre rapports envoyés à l'Académie que l'on peut consulter au Centre d'archives de Québec (BAnQ) sont peu élaborés, mais ils donnent quand même un aperçu du travail et de la vie musicale parisienne du jeune élève. Le premier rapport date de novembre 1929 et sera le seul signé par Marcel Lanquetuit. Aux seize heures de cours choisies par l'élève et suivies chaque semaine avec messieurs Lucas, Lanquetuit et Aubert, s'ajoutent quatre cours d'ensemble donnés à l'École : deux de Pierre Lucas, un de Ricardo Viñes et un autre de Joachim Nin. JMB a assisté aux concerts donnés par Backhaus, Giesking et Descarries[20]. Deux mois plus tard, le rapport est signé par Dupré. On y apprend que les leçons d'improvisation se font à la fin de la classe d'orgue, que les cours d'Aubert se présentent sous forme de leçons privées et que JMB a joué le *Concerstuck pour piano et orchestre* de Schumann à « une séance donnée par les élèves de l'École[21] ». En mars suivant, les professeurs sont toujours les mêmes, et JMB a entendu Dupré, Backhaus, le trio Cortot, Thibaud, Casals et Iturbi. Dans le dernier rapport disponible, celui du 30 mai 1931, Yves Nat apparaît comme professeur de piano à la place de Pierre Lucas, tandis que Dupré et Aubert demeurent les professeurs d'orgue et d'harmonie. Le signataire, JMB, précise par contre qu'il suit « toujours les cours réguliers de l'École qu'[il] n'[a] pas quittée ». Les trois pédagogues, Dupré, Aubert et Nat, seront toujours mentionnés dans les versions subséquentes du curriculum vitæ de JMB comme étant ses professeurs parisiens, ceux qu'il a retenus comme « ses maîtres ».

Marcel Dupré, principal responsable de JMB et professeur qui signe la majorité des « bulletins » expédiés à l'Académie, n'est pas un inconnu au Québec qu'il visitera à plusieurs reprises au cours de sa vie. Dès 1921, il vient à Saint-Hyacinthe voir les frères

Casavant et leur fabrique d'orgues. En 1923 il interprète à Montréal l'intégrale de l'œuvre pour orgue de Jean-Sébastien Bach en dix récitals. Par la suite, il fait quelques autres séjours dans la province, notamment en 1939 et en 1946.

Il est possible que JMB ait entendu parler de Louis Aubert, ce musicien raffiné et brillant dont il héritera une compréhension très éclairée de la musique française, avant même de se rendre à Paris. En effet, *La Forêt bleue*, œuvre d'Aubert qui ne trouvait pas preneur en France, fut d'abord jouée avec grand succès à Boston en 1911, soit une dizaine d'années avant sa présentation à Paris en 1922. *La Habanera*, du même auteur, eut aussi une première mondiale américaine, cette fois à Chicago en 1925. Au moment où il enseigne à JMB, Aubert donne des récitals, compose et écrit des critiques dans les journaux. Il lui arrive, lorsqu'il est débordé de travail, de consulter ses étudiants afin d'éclairer ses propos; c'est du moins ce que JMB, qui en avait plus d'une fois fait l'expérience, a raconté au cours d'une entrevue diffusée sur les ondes de Radio-Canada[22].

Le troisième «maître» privilégié de JMB à Paris est son professeur de piano, Yves Nat. On disait que JMB avait hérité du jeu de Nat. Pierre Beaudet, musicien lui-même[23], raconte dans un texte demeuré inédit et consacré à la mémoire de son frère, l'émoi éprouvé lorsque JMB, tout récemment rentré d'Europe, interprète pour la première fois devant l'auditoire familial la *Berçeuse* de Chopin: «Cette interprétation je ne la retrouverais que dix ans plus tard; je devrais dire je la reconnus dix ans après cette exécution, en écoutant son maître Yves Nat.» La journaliste Marie-Aude Roux, dans un article publié à l'occasion du cinquantième anniversaire de la mort d'Yves Nat, qualifie ainsi son jeu: «Sobre mais puissant, humble mais passionné, le piano d'Yves Nat est fait au fer et au sang, mais aussi d'un naturel inouï. [...] Pianiste prodige de 7 ans, natif de Béziers, Yves Nat est le dernier fils d'un bottier. Il apprend le piano et l'orgue, force l'admiration de Saint-Saëns et Fauré, entre au Conservatoire de Paris en 1901 (Premier Prix en 1907). Sa carrière le propulse à travers le monde, ce qui ne l'empêche pas de composer[24].»

Les deux années d'études d'abord prévues ne suffiront pas à JMB pour satisfaire son besoin et son plaisir d'apprendre. En effet, il envoie à l'Académie de musique une demande de prolongation qui est consignée dans un volume contenant les procès-verbaux des séances tenues par les comités de Québec et de Montréal du 31 octobre 1910 au 27 août 1935. Sous le titre «Assemblée générale tenue à Québec le 20 juin 1931», on peut lire: «Proposé par Mr Émile Larochelle, secondé par Mr R.G. Gingras, qu'une prolongation de séjour d'une année en faveur de Mr J.M. Beaudet, boursier actuellement en Europe et que la somme de $1200.00 soit votée à cet effet. - Adopté[25].» Quelques mois plus tard, dans le compte-rendu de la séance du 6 février 1932 tenue cette fois par le comité de Montréal, une nouvelle demande apparaît:

> Lettre du boursier Jean-Marie Beaudet demandant à l'Académie une deuxième prolongation de séjour pour parfaire ses études musicales à Paris; le comité décide que l'Académie étant tenue en toute justice de traiter tous les boursiers sur le même pied, l'Académie, limitée dans ses ressources, s'en tient à la prolongation d'une seule année. - Adopté[26].

Les gens de Québec vont défendre leur concitoyen lors de la rencontre du 15 février suivant et estimer qu'une juste réponse ne peut être donnée sans que l'état des finances de l'Académie soit d'abord vérifié. Le suivi devait être fait lors de la plénière en juin. Le 17 juin 1932, il n'est nullement question d'une deuxième prolongation du boursier Jean-Marie Beaudet. Dans le procès-verbal de la rencontre tenue à l'École Polytechnique de Montréal sous la présidence de Frédéric Pelletier[27], on lit tout à fait autre chose: «Proposé par M. Rolland Gingras, secondé par M. Eugène Lapierre, que messieurs Eugène Caron et Jean-Marie Beaudet soient élus membres de l'Académie de Québec. - Adopté[28].» Ce n'était pas la réponse souhaitée, mais, selon la même source, JMB, bon prince, sera présent, en tant que membre élu, lors de l'assemblée générale de l'Académie qui aura lieu dans l'édifice du parlement le 16 juin 1933, un an après son retour au pays.

Pour clore les renseignements concernant les années d'études parisiennes de JMB, il faut mentionner que certaines sources, notamment l'article de Gilles Potvin dans l'*Encyclopédie de la musique au Canada*[29], font état d'un diplôme de virtuosité que JMB aurait obtenu au Conservatoire américain de Fontainebleau vers 1930. Dans *L'Événement*, journal de la ville de Québec, le 7 décembre 1932, un bref article fait la promotion du futur concert de Beaudet-Jobin pour le Club musical des Dames le 13 du mois. Il est dit que Jean Beaudet, récemment rentré de Paris, y a obtenu un diplôme de virtuosité décerné par un jury formé de Théodore Szanto, Paul Loyonnet, H. Tomasi, Gaston Ponlet, etc. Cependant il a été impossible de documenter le fait que ce diplôme ait été obtenu à Fontainebleau plutôt qu'au Conservatoire international de Paris.

FICTION II

Deux leçons
25 janvier 1930

Il faisait autour de 12 degrés centigrades à Paris, une pluie fine et intermittente tombait. Un jour gris, sans lumière.

L'invitation pour le concert spécifiait : « à huit heures trois-quarts très précises ».

Il n'était pas encore huit heures, Jean-Marie se pressait quand même vers le Sentier. Un vendeur à la criée lui tendit sans succès quelques journaux. *Le Figaro* affichait en première page la mort de Madame Anatole France, *Paris-Soir* tentait d'intéresser ses lecteurs avec l'histoire des cadavres de deux noyés repêchés dans la Seine. Jean-Marie préférait *Le Canard Enchaîné* et *Le Canard* n'en avait cette semaine-là que pour l'Afghanistan et les luttes de pouvoir entre ses rois à grandes barbes et à longues robes.

De toute façon, la planète pouvait bien s'arrêter de tourner, pourvu que Schumann et Bach soient bien interprétés. Il n'était à Paris que depuis quelques mois et c'était son premier concert devant public.

Il avait oublié son parapluie. À vingt et un ans, on ne peut tout prévoir. Quoique... Ses épais cheveux bruns commençaient à dégouliner dans son cou. Il avait horreur d'être mal mis. Il pressa le pas dans la rue du Mail, passa devant les grilles des ateliers Erard sans s'émerveiller comme les autres fois devant tant et tant d'instruments de musique.

Dans la cour du numéro treize, les pavés disjoints luisaient. Aurait-il immédiatement accès à la salle au plafond-ciel, aux murs recouverts de velours grenat et aux colonnes dorées ? Avec un peu de chance, il pourrait peut-être y entrer plus tôt, prendre contact avec ce piano qu'il ne connaissait pas.

La voix d'un ancien professeur du Québec lui revint en tête : « Messieurs, un piano est un instrument à cordes qui ne se transporte pas. Si cela vous déplaît, songez à changer de métier ! ! »

Non, il ne voulait pas changer de métier. Tout ce qu'il voulait, c'était se sécher, s'asseoir un peu seul près du piano, bien se concentrer. Il détestait l'énervement qui précède une prestation. Il voulait entendre dans sa tête la musique qu'il devait jouer. Le reste n'était que distraction.

Tout était fermé. Trop tôt. Il frappa à gauche dans la grande cour chez la concierge, espérant que la mère bougonneuse serait absente et qu'il aurait affaire à sa fille, moins revêche.

Malheur! les petits yeux torves de la mère le dévisageaient à travers le judas.

Il afficha son plus beau sourire mais n'eut pas le temps de formuler son souhait.

«C'est trop tôt!» Le ton de la concierge était péremptoire.

Il changea de mine. «Je suis trempé, je vais être malade.»

Les yeux disparurent, la porte s'entrebâilla.

«Y a que les artistes pour se promener dehors par un temps pareil! Vous allez attraper la crève!»

Le ton était sévère et sans pitié. La concierge l'examina de la tête aux pieds.

«Vous êtes Belge?»

Sans espoir, Jean murmura: «Je viens du Canada...»

«Ah bon! et vous n'avez pas de parapluie par là-bas?»

«Non, Madame.»

Les yeux et la porte s'ouvrirent bien grand.

Il eut droit à une serviette éponge grise qui sentait le saucisson à l'ail et qui n'avait d'éponge que le nom, à un grog chaud très réconfortant, et dut répondre aux questions d'usage sur les Indiens, la langue et la neige sans parapluie.

Quinze minutes plus tard, il avait les mains sur le clavier et repassait «son» Schumann. Puis il plongea dans les partitions du Bach que devait interpréter son collègue Max qu'il appelait «mon Max-brother».

Il ne savait laquelle des deux pièces l'inquiétait le plus.

«Ne pas céder au trac. Compter, ne jamais cesser de compter. Contrôler la musique, ne pas lui laisser prendre le dessus.» C'est ce qu'il avait appris dans son pays.

Quand on ouvrit les portes pour laisser entrer l'auditoire dans la petite salle de deux cents places, Jean-Marie dut rejoindre les coulisses.

Plusieurs arrivants étaient jeunes, apprentis musiciens eux-mêmes. Et puis il y avait les abonnés, les mélomanes du quartier et d'ailleurs. Seul Yves Nat, toujours présent, avait droit à une publicité dans le courrier musical de *Paris-Soir* pour ses concerts. Avec ou sans publicité les habitués de la Salle Erard occupaient tous les sièges ; sur le rapport qualité-prix, ils étaient gagnants à tout coup.

Plus l'heure approchait, plus Jean-Marie transpirait. Mais Dieu merci, pas des mains. Max-brother tortillait entre ses doigts un petit chiffon de ratine blanc pour éviter les embêtements dus aux mains moites qui collent sur le clavier.

Le trac poussa Jean à une extrême précision dans le Bach. Mais il se laissa aller un peu dans le Schumann, oubliant les règles apprises qui recommandent à l'interprète de ne jamais se laisser séduire par la mélodie.

Les commentaires de Monsieur Nat le surprirent : «Vous êtes impeccable monsieur. Vous avez eu dans le Bach la rigueur d'un métronome. C'est parfait mais ce n'est pas de la musique. Vous étiez bien meilleur dans le Schumann. Vous maîtrisez sans problème le langage musical. Laissez maintenant parler la musique, ne la freinez plus. Cessez de compter.»

Le Maître repoussa d'un geste machinal ses cheveux vers l'arrière et ajouta :

«Vous savez, il faut s'oublier totalement pour que l'œuvre se ressouvienne.»

Il ne pleuvait plus quand Jean-Marie reprit à pied le chemin de son petit meublé, histoire de dissiper un peu les vapeurs du vin ingurgité avec ses collègues du Conservatoire après le concert.

La soirée lui avait appris deux leçons.

– Leçon numéro un, donnée à son insu par la concierge : avec les Parisiens ayant entre les mains le plus petit pouvoir qui soit, un «non» n'est qu'une façon d'engager la conversation.

– Leçon numéro deux : il allait devoir laisser la musique le contrôler.

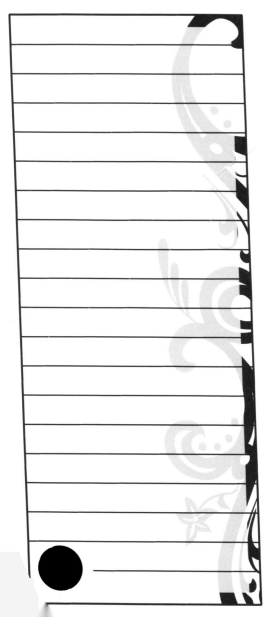

1932-1937
Retour d'Europe

QUAND JEAN-MARIE BEAUDET rentre de France en 1932, il s'installe au Château Saint-Louis, très belle conciergerie située sur la Grande-Allée, à Québec, où habitera à son tour la romancière Gabrielle Roy. Il reprend son poste de titulaire des grandes orgues à l'église Saint-Dominique, située à proximité de son appartement[1]. En 1936, il devient maître de chapelle à la même église, dirigeant les chœurs d'hommes, poste ayant été malheureusement refusé à son ami Roméo Jobin quelques années plus tôt[2].

Par ailleurs, peu de temps après son retour, le 12 octobre 1932, l'Université Laval confirme son recrutement ainsi que celui de Jobin comme chargé de cours pour son École de musique[3]. L'année suivante, à pareille date, on lui confie la responsabilité de la chorale Haendel dont l'accompagnateur est Henri Vallière[4].

Jobin et Beaudet s'étaient liés d'amitié au cours de leurs années parisiennes[5], amitié qui perdurera avec des moments d'intense activité artistique partagée et des périodes où les prestations communes se font plus épisodiques, selon l'emploi du temps de l'un ou de l'autre. Pendant près de vingt ans, JMB accompagne souvent « le ténor à la voix merveilleuse », grande vedette internationale. L'amour indéfectible pour le répertoire français cimente leur amitié et dirige toujours le choix des œuvres présentées de concert. Quand tous deux se trouvent à Paris, JMB vient quotidiennement à l'appartement des Jobin pour faire répéter le chanteur[6].

Plusieurs années après la mort de son mari, Thérèse Jobin affirmait encore que jamais Roméo (Roméo changea son prénom pour celui de Raoul à la suggestion de Jacques Rouché de l'Opéra de Paris[7]) n'avait pris de décision importante au cours de sa carrière sans en avoir discuté au préalable avec Jean-Marie. Et elle ajoutait, avec un petit sourire, que l'ami de toujours en savait plus sur son mari qu'elle n'en connaissait elle-même, insinuant par là que les conversations des deux amis débordaient sans aucun doute du cadre professionnel.

C'est dans la presse d'octobre 1932 qu'on trouve les premières traces de JMB après son retour de la France. Tous les journaux rapportent l'inauguration en grande pompe du Palais Montcalm à Québec. À cette occasion, un concert est donné le 21 octobre. Robert Talbot, son ancien professeur, dirige les musiciens de la Société Symphonique, Henri Vallières accompagne celui qu'au Québec on appelle encore «Roméo» Jobin, et Jean-Marie Beaudet, pour sa part, est cette fois l'accompagnateur de la soprano Jeanne Dusseau.

Le 20 décembre de la même année, au Ladies' Musical Club de Québec, le «Club des Dames», lors d'un programme conjoint avec Jobin où la musique française est à l'honneur, JMB interprète en rappel *La Cathédrale engloutie* de Debussy devant les quelque mille habitué(e)s de ces concerts[8]. Cette œuvre fétiche, qui était aussi la «pièce choisie» de Léo-Pol Morin[9], l'ami musicien avec qui il partagera une grande maison à Westmount quelques années plus tard, ouvrira et fermera de grands pans de sa vie professionnelle. Il ne le sait pas encore.

Entre 1932 et 1936, on retrouve JMB un peu partout sur la scène musicale du Québec. Il est à l'orgue de la basilique de Québec le 14 décembre 1932, interprétant Bach, Dupré, Franck, Vierne, Widor. Au Palais Montcalm, au cours du mois de mars 1933, pour le trentième anniversaire de la Société symphonique, il joue le *Premier concerto* de Beethoven. En août 1934 repose sur ses jeunes épaules de 26 ans la responsabilité d'un événement musical de portée nationale. Interrogé en 1963 sur les ondes de Radio-Canada, JMB se souvient, parmi les faits marquants de sa vie de musicien, d'un concert donné en plein air presque trente ans plus tôt. Il dirige alors un orchestre imposant et un chœur de trois cents personnes célébrant à Gaspé le 400ᵉ anniversaire de l'arrivée de Jacques Cartier en Nouvelle-France. Selon cette source, le concert est diffusé sur ondes courtes à travers tout le Canada, jusqu'en France et en Angleterre[10]. À propos de ce fait historique important, on peut lire dans un témoignage inédit offert en mai 1993 à Pierre Beaudet par Clément Morin, p.s.s. :

> Pour la circonstance, la France est venue, représentée par une nombreuse délégation, portée par le Champlain. L'horaire a prévu une messe d'Actions de Grâces dont la polyphonie est assurée par un groupe de chanteurs venus de Québec. Jean-Marie Beaudet les dirige. Puis en plein air c'est encore lui, qui les fera entendre dans une interprétation de *Jadis, la France sur nos bords, jeta sa semence éternelle.* La direction inspirée soulève la foule qui l'applaudit et, après un silence significatif, réclame une seconde audition[11].

En novembre 1936, JMB est invité par Wilfrid Pelletier à diriger l'Orchestre symphonique de Montréal. Il choisit *Escales* du jeune compositeur français Jacques Ibert ; c'est vraisemblablement une première nord-américaine pour cette œuvre. Au cours du même concert sont présentées, dirigées par Wilfrid Pelletier, des pièces de Mozart, Beethoven et Smetana tandis que Léo-Pol Morin interprète au piano le *Concerto pour piano et orchestre*, opus 30, de Rimski-Korsakov. En tournée comme dans les grandes villes, JMB accompagne Jobin, Sarah Fisher, Anna Malenfant ainsi que des artistes étrangers dont la plus connue est sans doute la cantatrice française, Ninon Vallin. Il est aussi le pianiste choisi de Maria Kurenko, Majorie Lawrence, Ezio Pinza, vedettes de la National Broadcasting Corporation des États-Unis et de la Columbia Concerts & Artists.

Certains de ces engagements rapprochent JMB d'un tout nouveau médium : la radio. Lorsque le 24 décembre 1933, le concert de Noël auquel il prend part aux côtés de Violette Delisle, Marthe Lapointe, Roméo Jobin, Placide Morency, les chanteuses du Saint-Rosaire et les chanteurs de Saint-Dominique, est « irradié[12] » à partir de l'église Saint-Dominique, c'est sous les auspices conjoints

de la National Broadcasting américaine et de la Commission canadienne de la radiodiffusion. C'est le début de la radio un peu
partout en Amérique. Radio-Canada est en gestation sous le nom
de Commission canadienne de la radiodiffusion (CCR), alors que
CKAC est en opération depuis une dizaine d'années[13].

À quel moment le projet d'un orchestre auquel il pourrait
imposer ses choix musicaux germe-t-il dans la tête de Jean-Marie
Beaudet? Impossible de le dire avec exactitude. Toute sa vie, il sera
porteur de ce précieux rêve et il va d'abord essayer d'en combiner
la réalisation avec la naissance de la radio d'État dans la ville de
Québec, ville qu'il aimait d'amour en bon natif de Thetford-
Mines.

À CKAC, J.-Arthur Dupont, qui a succédé au premier directeur Jacques-Narcisse Cartier, est recruté en 1932 par le gouvernement fédéral qui s'intéresse de très près au développement de cette
nouvelle technologie. M. Dupont est donc nouvellement en fonction à la Commission canadienne de la radiodiffusion, organisme
fédéral qui deviendra Radio-Canada, quand, depuis Québec, en
1933, JMB entreprend avec lui une correspondance suivie[14].

JMB adresse une requête à la CCR proposant un programme
de musique d'une heure en provenance de la ville de Québec, à
l'instar de ce qui existe à Montréal et à Toronto. Cette initiative
implique la formation d'un petit orchestre local capable de s'exécuter en direct d'un studio[15]. Il propose, au choix du décideur, de
la musique semi-légère, assez populaire pour aguicher l'auditeur,
en précisant cependant que jamais il ne fera de concessions sur la
présence nécessaire du classique ou de pièces plus difficiles. Il discute des horaires et précise qu'il apprécierait des « irradiations »
d'une heure plutôt que d'une demi-heure, puisqu'il est ainsi plus
facile de constituer une programmation qui se tienne. Avant même
d'avoir reçu l'assentiment des autorités, il conçoit des programmes,
choisissant des œuvres que, confiant, il commence déjà à répéter
avec ses premières recrues. À force de persévérance, il obtient en
1933 la reconnaissance de « La Petite Symphonie[16] » et « l'irradiation » d'émissions musicales à partir du studio privé de Québec
déjà existant, CHRC. Succès mitigé: les émissions durent une

demi-heure seulement et sont en ondes de 23 heures trente à minuit.

Cependant, les batailles ne sont pas terminées. Jean-Marie se battra dollar par dollar pour obtenir des conditions financières à peu près décentes pour ses musiciens. Quand on lui offre soixante dollars pour payer ses vingt musiciens, la soliste venue de Montréal (ainsi que ses dépenses de voyage), sa prestation de chef d'orchestre et les répétitions de tout le monde, il insiste suffisamment auprès de ces messieurs de la radio, et ce, toujours très poliment, pour qu'on convienne finalement d'une somme de soixante-dix dollars, ces derniers lui enjoignant toutefois de ne plus commander de partitions sans un assentiment préalable des autorités. Très humblement, en apparence du moins, il accepte la remontrance, et la rémunération qui, aujourd'hui, paraît ridicule. Il précise cependant que la somme ne couvre pas sa participation en tant que pianiste ni le travail nécessaire aux arrangements pour adapter les partitions à la formation de son orchestre. Par contre, il est heureux de ne pas avoir à payer les musiciens à même son propre cachet, ce qu'il croyait devoir faire.

La concession monétaire arrachée à J.-Arthur Dupont entraîne une autre demande. Entre deux virgules, habilement, Jean-Marie suggère au même interlocuteur l'embauche de Louis Francoeur pour annoncer son nouveau programme. Monsieur Francoeur, est, glisse-t-il, un ami commun. Louis Francoeur, globe-trotter déjà connu comme rédacteur en chef du journal de Québec, *Le Journal*, deviendra quelques années plus tard un incontournable de l'information à Radio-Canada, alors que JMB y sera responsable des programmes de la province. Cet annonceur exceptionnel avait le talent de transmettre en français les nouvelles au fur et à mesure qu'il les recevait... en anglais[17]. Il lui arrivait même d'ajouter quelques commentaires tout en poursuivant sa lecture! En mai 1941, Louis Francoeur mourra des suites du même accident de voiture qui coûta la vie au pianiste et compositeur Léo-Pol Morin.

Dans les échanges épistolaires de JMB figurent côte à côte l'obéissance due aux supérieurs, inculquée par l'autorité parentale dès l'enfance, et un entêtement qui, en cas de refus, le fait revenir immédiatement à la charge avec une nouvelle proposition. JMB fera une carrière pancanadienne et internationale. Il sera un pionnier sans frontière, un colonisateur musical. Ses qualités de diplomate et sa vision claire le tiendront, le plus souvent, à l'écart des chicanes de clochers, ou du moins réussira-t-il à naviguer en évitant les écueils. Il est d'autant plus intéressant de lire la correspondance des débuts, qui, étonnamment, contient en germe les objectifs, tendances, obstacles, restrictions et choix qui sont toujours le lot des administrateurs d'aujourd'hui. L'histoire se répète : bien des batailles sur la place de la culture dans la société ont été perdues au sein du réseau d'État. Il faut savoir qu'elles étaient déjà à l'ordre du jour au cours des années 1930 ; la correspondance de JMB à l'époque en est le reflet.

Le « quémandeur », c'est bien ainsi qu'on doit le désigner, s'exprime poliment, avec élégance, utilisant si nécessaire l'imparfait du subjonctif. La politesse et le doigté dont il fait preuve ne l'empêchent jamais d'exprimer sans détours ses demandes. Aussi précise-t-il à son correspondant qu'il n'y a aucune raison qui empêcherait que Québec ne produise des programmes radiophoniques musicaux de qualité comme c'est le cas à Montréal et à Toronto, avec des musiciens payés aux mêmes tarifs. Ce travail de défricheur, JMB ne cessera de le faire, et à mesure que son champ d'expertise s'agrandira, il se heurtera souvent à des difficultés analogues. On verra plus tard son indignation quand, directeur des programmes pour la région du Québec, il se rendra compte que les émissions québécoises n'obtiennent pas des conditions aussi avantageuses que les émissions ontariennes, pourtant de même calibre et gérées par le même employeur. De Québec, le 21 juin 1933, il écrit à Thomas Maher, qui refuse de l'entendre :

> « Nos programmes sont pourris me répondrez-vous ». Donnez-nous au moins le bénéfice d'une audition gratuite et donnez-nous la même chance que vous accordez aux autres [...] Ne pensez pas que je veuille être arrogant et vous faire des reproches. Je sais que les débuts d'une organisation sont pénibles et qu'il est difficile de satisfaire tout le monde. Je vous ai simplement dit ce que je croyais avoir à vous dire.

Sa victoire, même incomplète, il la doit à beaucoup de compétence et d'opiniâtreté, mais aussi à un labeur forcené. Il faut lire ces quelques lettres échangées avec la Commission pour se rendre compte des multiples facettes de l'entreprise. JMB doit évaluer, recruter, remplacer quand il y a lieu, les membres de son nouvel orchestre, embaucher les solistes, élaborer les programmes, répéter et coordonner, tout en construisant une relation de confiance avec le diffuseur. S'ajoutent à cela une tâche d'organisateur pour éviter des déplacements inutiles aux artistes venus de Montréal ainsi que la nécessité de prendre en considération les emplois du temps de chacun, car les nouveaux musiciens ne gagnent pas leur vie avec leur instrument et tous ont des obligations par ailleurs. Enfin, il faut anticiper les inévitables imprévus souvent provoqués par les auditions préalables aux « irradiations » publiques, auditions exclusivement destinées aux grands patrons qui doivent approuver en personne et *in situ* les programmes avant qu'ils ne soient en ondes. Pour JMB, ce premier travail pour constituer un orchestre à Québec est la répétition exacte de son dernier travail à Ottawa ; il bouclera la boucle quelque trente-cinq ans plus tard.

Un journaliste de Québec écrit dès les premiers passages en ondes de « La Petite Symphonie » :

> L'irradiation dimanche dernier, d'une opérette par un groupe d'artistes de Québec, a fait grand plaisir aux radiophiles Canadiens français. Un orchestre de dix-sept musiciens professionnels, six choristes entraînés et un choix de solistes marquants ont fait merveille, sous la direction de M. Jean-Marie Beaudet. Le jeune musicien de Thetford-les-Mines, prix d'Europe, piano et orgue, a émerveillé tout le monde, y compris – et surtout – les artistes qui travaillaient avec lui, ce qui sort de l'ordinaire. Il dirige avec une souplesse, une autorité, un tact infaillibles qui ne peuvent être que le résultat d'une science musicale parfaite au service d'une intelligence tout à fait affinée. Souhaitons que la radio offre à lui-même et à ses collaborateurs, tous triés sur le volet, de fréquentes occasions de se produire, pour la bonne renommée de la Vieille Capitale[18].

« La Petite Symphonie » ne se produira pas que sur les ondes. On la retrouvera au Palais Montcalm le 15 février 1934 sous la direction de Jean-Marie Beaudet alors que Robert Schmitz est au piano[19]. « La Petite Symphonie » sera également dirigée par d'autres maestros comme Robert Talbot et Charles O'Neil. Cet ensemble cessera officiellement de se produire en février 1937, peu de temps après l'arrivée sur les ondes de CBF (Canadian Broadcasting French).

À travers toutes les négociations de cette période et leur aboutissement se dessinent des relations et des connivences qui annoncent un changement de cap dans la carrière de JMB.

FICTION III
Fête de famille
1932

En juin, ce fut l'invasion habituelle, rue Notre-Dame, des pensionnaires qui rentraient pour les vacances d'été. Les aînés amenaient en prime le grand cousin Maurice, un compagnon d'études universitaires, presque un frère, «Frère Invité», complice loyal et discret de toutes les aventures qui méritent de rester secrètes. Maurice avait un autre atout, car s'il était un compagnon enjoué d'une fidélité totale, il avait, en plus, une sœur, Denise, qui l'accompagnait. Chacun des cousins de la section «aînée» de la famille courtisait Denise. Elle, la longue Normande aux cheveux blonds et aux yeux bleus, souriante et calme, préférait Jean-Marie.

Le père, Joseph-Eugène, était pressé d'expédier tout ce beau monde à la campagne et tannait sa fille aînée, Yvette, pour qu'elle fasse le nécessaire. Yvette résistait passivement aux pressions paternelles. Les nuits étaient encore trop fraîches pour faire dormir les uns et les autres sur les grandes galeries à moustiquaires où s'alignaient les lits superposés le long du mur de bois blanc.

Yvette projeta un grand repas pour le samedi. Elle voulait profiter de l'occasion pour intégrer son fiancé à la famille. La veille du jour «J», elle sentit venir une de ses céphalées classiques qui l'assaillaient depuis la mort de sa mère chaque fois qu'elle était débordée par le travail à faire ou qu'elle n'arrivait pas à se conformer aux exigences de son père.

Elle virevoltait dans la grande cuisine, se convainquant qu'il fallait faire manger les petits avant les grands, peu importent leurs protestations : les petits, dans la cuisine, ça commence avec Suzanne, les grands dans la salle à manger, ça se termine avec Charles.

Dans un brouillard annonciateur de migraine, elle entendit une cavalcade accompagnée de cris en provenance de l'escalier. Marcelle entra en trombe dans la cuisine en hurlant : «Il est là ! Il est là ! Il est revenu !» Yvette porta la main droite à son cœur et murmura : «Je le savais, je le savais donc !»

Jean-Marie fit une entrée triomphale. On eût dit qu'une cape imaginaire virevoltait au-dessus de ses épaules et qu'il avait été directement parachuté du ciel dans la maison de son père. Il s'approcha d'abord de sa sœur aînée et l'embrassa, puis se dirigea tout droit vers sa cousine et lui fit un baisemain avec un sourire moqueur. Elle n'eut pas l'air étonné. «Tu as vu le style de monsieur!» «Tu as appris ça à Paris?» «Tu as pratiqué dans le Québec Central?» Les questions fusaient de toutes parts. Jean-Marie les interrompit d'un «Ça suffit!» retentissant. Puis il s'approcha du poêle et inspecta les casseroles une à une. Yvette voulut lui donner des explications. «Inutile, j'ai tout compris. Va te reposer, je me charge de tout.»

Une heure plus tard, Eugène présidait la table des grands dans la salle à manger. À sa droite sa nièce, à sa gauche son futur gendre, Jean-Paul, redoutable partenaire de cartes. Sur les murs, des photos de Lucina, jeune fille, les cheveux noués en chignon.

«Chaud devant!» Jean-Marie, en bretelles, coiffé d'une toque de chef-cuisinier dénichée on ne sait où, fit irruption dans la salle à manger portant à bout de bras une superbe et énorme volaille aux pattes décorées de papillotes en papier. Le suivaient de près trois marmitons, chargés respectivement de la sauce, des légumes et des inévitables patates pilées, élevées au rang de pommes-purée, par on-sait-qui.

Le repas se termina avec le célèbre gâteau d'Yvette à la «fleur de patates». Le beau Paul dont les méchantes langues disaient que, de toutes ses petites amies, il épouserait celle qui faisait les meilleurs gâteaux, ne put s'empêcher de narguer son frère cadet: «Je suis sûr qu'il n'y en a pas comme ça en France.» «Non, il n'y en a pas.» La réaction fut unanime: «Enfin!!!»

À une heure, il n'y avait plus personne à table. À deux, la vaisselle était faite: chacun, sauf le cuisinier et les marmitons, y ayant pris part. Une sérieuse partie de «cœur» était engagée entre Eugène, Maurice, Fernand et le futur gendre autour d'une bouteille normalement réservée au temps des fêtes. La chartreuse, de fabrication maison, était la seule boisson alcoolisée tolérée par le paternel, sans doute à cause de ses vertus médicinales.

À trois heures, le docteur s'absenta pour aller visiter ses vieux, œuvre de charité spirituelle hebdomadaire.

Dès qu'il eut franchi le seuil, la maisonnée entière fut prise d'une grande fébrilité: Jean-Marie qui avait habilement récupéré ce qu'il appelait le «tonique» de son père, allait performer une de ses fameuses «séances». Bientôt une série de coups retentit dans le salon suivie de trois coups espacés. Un silence attentif se fit.

Jean-Marie, souriant, sortit des coulisses vêtu d'une robe-tunique de Denise, dans les tons de beige et de rose, coiffé d'un chapeau de même couleur. Il avait retiré ses lunettes et s'était maquillé les yeux et les lèvres. Un châle cachait ses épaules robustes et le rebord du chapeau ombrageait son long nez. Ses mains étaient enfouies dans un petit manchon de fourrure tout à fait inapproprié pour la saison. Petit Pierre semblait fasciné, Marcelle horrifiée. Yvette, que le bruit avait réveillée, souffla à Denise : «Mais c'est le chapeau de maman!» «Son collier aussi», répliqua posément Denise.

La nouvelle venue s'avança élégamment vers le piano et s'y assit avec grâce et aplomb. Le manchon fut abandonné sur le banc et deux mains poilues et fermes vinrent se poser calmement sur le clavier. L'attention était entière et Jean-Marie attaqua avec maîtrise les premières mesures d'une fugue de Jean-Sébastien Bach.

La fugue de Bach fut transformée en valse de Chopin, puis rapidement en chansonnettes françaises reprises par l'audience. De là, au rituel de la sainte messe et aux cantiques de Noël, il n'y avait qu'un pas franchi allègrement et en chœur. Personne n'entendit la porte du bureau se refermer au pied de l'escalier et le pas régulier d'Eugène gravir les marches qui menaient à l'étage.

«Peuple à genoux!», les plus petits se jetèrent sur le plancher, les bras au ciel tandis que la pianiste délaissait son instrument pour diriger d'une baguette imaginaire les fidèles en délire. «Voici ton rédempteur!» La baguette imaginaire se figea dans les airs.

«Jean-Marie!» Le père se tenait dans l'embrasure de la porte, livide. «Je veux te voir dans mon bureau immédiatement!»

1937-1942
À l'emploi de Radio-Canada :
premier directeur des programmes au
Québec pour CBF/CBM et premier
directeur musical pancanadien

En octobre 1936, soutenu par des lettres de recommandation
de Camille Roy, évêque et recteur de l'Université Laval, et de
l'abbé Maheux, secrétaire général de la même institution, JMB
pose sa candidature auprès d'Augustin Frigon[1] en vue d'obtenir le
poste de directeur artistique des programmes de la société Radio-
Canada pour la région de la province de Québec. Frigon, directeur-adjoint, est en charge des régions de Québec et des Maritimes
dans le nouvel organigramme de la CBC/Radio-Canada qui vient
de succéder à la CCR par décision politique fédérale.

Quelques hypothèses plausibles peuvent expliquer ce changement d'orientation dans la carrière du musicien Jean-Marie Beaudet.
Tout d'abord, la poussée d'adrénaline accompagnant tout nouveau
défi a été pour lui un moteur puissant dans sa vie professionnelle.
D'autre part, et c'est sûrement la principale motivation, avoir la
responsabilité des programmes de tout le Québec, représente une
occasion exceptionnelle de faire rayonner la musique, maîtresse de
sa vie. L'attrait que présente un « chèque de paye » régulier influence
peut-être aussi sa décision.

Il ne faut pas s'étonner qu'en 1936 deux ecclésiastiques soient
les auteurs des lettres de recommandation. L'école, le collège et

l'université sont catholiques et le pouvoir appartient au clergé et aux amis du clergé. La lettre manuscrite de Mgr Roy est bien rédigée, avec un enthousiasme modéré. L'abbé Maheux, par contre, semble connaître JMB davantage, ayant probablement noué des relations plus personnelles avec lui, comme c'était et c'est toujours le cas entre responsables de l'enseignement et étudiants. À côté des mérites musicaux de son élève, il décrit le jeune homme qu'il a connu dès son arrivée au Petit Séminaire de Québec. Il vante sa culture générale, son entregent, ses manières distinguées, son langage recherché, et, évoquant son travail comme professeur, il souligne son autorité ferme et délicate[2].

L'accusé-réception de Frigon à Mgr Roy, expédié depuis *La Commission d'Électricité de Québec*, le 30 octobre 1936, montre que le poste sollicité par JMB est nouveau, pas encore bien défini et que plusieurs candidats sont en lice[3]. Un bref échange de lettres, en anglais cette fois, entre Gladstone Murray[4], directeur général de la CBC à Ottawa et Jean-Marie, de passage à New York, confirme son embauche par la société d'État. Les conditions offertes le 13 avril 1937 et acceptées quelques jours plus tard stipulent que le premier directeur régional pour le Québec est engagé pour une période de six mois, au salaire de 300$ par mois.

Une fiche *Identification and History*, datée du 19 mai 1937, décrit JMB comme un *"British subject, natural born, single"*, embauché le 1er avril, par Augustin Frigon, en tant que *"Supervisor of programs"* sur la base d'un salaire annuel de 3600 $. Dans l'encadré n° 19, intitulé *"Service and Experience with CRBC"* (Canadian Radio Broadcasting Corporation, appellation anglophone de la CCR), on peut lire : *"Program director and orchestra leader, 1933-35"*. Et dessous : *"Soloist with the CBC Little Symphony in Quebec"*. Il est intéressant de noter, à la lumière de ce document, qu'en 1937, *The Little Symphony*, mise sur pied par JMB à Québec, est considérée par la société d'État comme étant l'orchestre officiel de la CBC. Pourtant, dans ses communications, la même institution retiendra comme premier orchestre radiophonique de l'Amérique du Nord celui qu'elle créa à Vancouver l'année suivante, soit en 1938[5].

Le directeur régional des programmes pour le Québec est alors responsable des réseaux francophone et anglophone. Même si, de prime abord, cette double responsabilité ne paraît pas aller de soi, plusieurs archives confirment qu'il en est ainsi. Le 26 septembre 1983, Clotilde Salviati[6] fait parvenir à Madame Claire Robinson, alors chef du service de l'information à la SRC, quelques documents relatifs à JMB :

> *In the spring of 1937, The Canadian Broadcasting Corporation – Radio-Canada appointed him [JMB] Program Director for the Province of Quebec with his office in the King's Hall Building in Montreal. He [JMB] suggested and drafted the first program schedules for CBF and the French network as well as for CRCM which became CBM, the CBC Montreal English outlet. [...] As I was the first person assigned by John Stadler to look after what was then known as Traffic, I worked with Mr Beaudet from the very beginning in assisting him in the preparation of both the French and English network schedules and duties related to this[7].*

Par ailleurs, dans le témoignage qu'elle fit parvenir à Pierre Beaudet (cf. Annexe A), Clotilde Salviati parle des « premiers programmes que Beaudet soumît [*sic*] pour CBF et le réseau français, de même que pour CBM [...] ». Plus tard, au moment où JMB sera promu au poste de directeur musical pancanadien, Augustin Frigon, dans une note de service interne datée du 9 septembre 1938 et adressée à Gladstone Murray, discute de l'hypothèse du remplacement du directeur des programmes, Jean-Marie Beaudet, par Wilfrid Pelletier soutenu par Aurèle Séguin : *"I have not heard from Mr Pelletier yet, but apparently he has been talking to different persons about his situation in respect to Mr Séguin's participation in the administration of CBF-CBM."*

Enfin, on peut lire dans une publication officielle de la CBC/Radio-Canada intitulée *Canada carries on*, et qui date probablement de 1942, divers renseignements sur toutes les stations de radio au Canada à l'époque. Les équipes régissant au Québec les réseaux CBF et CBM sont formées exactement des mêmes personnes, à une exception près[8]. Sous la rubrique « Personnel », les noms suivants apparaissent :

General manager/W. Gladstone Murray; Station Manager/Omer Renaud; Commercial Stage promotion Manager/Arthur Dupont; Regional Program Director/Jean-Marie Beaudet; Publicity Director/Leopold Houlé; Chief Announcer/Roger Baulu; Assistant Program Director/Gerard Arthur; News Service Editor/Marcel Ouimet; Musical Director/Captain J.J. Gagnier; Chief Engineer/Gordon W. Clive[9].

JMB semble bien se débrouiller sur les deux chaînes, car, six mois après son embauche, Frigon, satisfait du travail accompli par son nouvel employé, recommande à Murray, son supérieur immédiat, une prolongation du contrat du responsable des programmes au Québec... pour six mois encore. Ces contrats de courte durée semblent témoigner d'un manque de confiance envers la jeune recrue dont on apprécie pourtant le travail. C'est juste : les grands patrons éprouvent des doutes. Dans une note de service datée du 4 octobre 1937, Frigon rappelle à Murray que JMB a été engagé *"for a trial"*, et qu'il est tellement intéressé par la musique qu'il conviendrait, avant de l'embaucher sur une base permanente, de s'assurer que son attitude et ses qualifications conviennent bien aux exigences de la société d'État.

Deux mois plus tard, Frigon est convaincu des capacités exceptionnelles de JMB. Avant de partir pour un long séjour à l'étranger, il prend la peine d'écrire à son directeur pour l'inciter à signer un contrat avec Beaudet à titre d'employé permanent avec une hausse de salaire d'un peu plus de 10%, ce qui porte ses émoluments à 4 000$ par année. Frigon est impressionné par la somme de travail accompli par sa recrue, qui est en fait, précise-t-il, beaucoup plus importante que ce à quoi il s'attendait. Il déplore même qu'une *"good discipline"* et les règlements de la maison empêchent toute rémunération pour les apparitions publiques de JMB dirigeant l'orchestre de la Société. À titre compensatoire, il suggère un bonus à la fin de l'exercice financier. Il aura fallu peu de temps à Frigon pour reconnaître la polyvalence efficace du jeune directeur des programmes et dès lors sa confiance en lui fut inébranlable.

S'il avait eu moins de perspicacité, Augustin Frigon aurait eu maintes fois l'occasion de se repentir de son choix, car son collaborateur n'est pas de tout repos. JMB bouge et rue dans les brancards dès la première année de son service. Il est à peine salarié depuis deux mois qu'il manifeste à Gladstone Murray l'importance d'établir des échanges radiophoniques avec la France. Il se propose comme ambassadeur de Radio-Canada pour cette tâche. Murray en informe son *staff* dans une note interne et précise que la décision devrait venir de Frigon *"who would be convinced that it was worth the money"*.

Par ailleurs, au cours de la même période, JMB se coltine durement avec les autorités administratives, non pas au sujet de ses déplacements ou de ses ambitions musicales personnelles, mais à propos de la part faite à l'intérieur de la société d'État aux francophones du Québec. Dans une lettre confidentielle adressée à Frigon, Beaudet se dit « affolé par la tournure que prennent les événements ». Ses récriminations sont importantes. Il déplore le fait qu'à Toronto on prend des décisions administratives sans le consulter, comme c'est le cas avec les grilles horaires. De plus, il découvre que certaines émissions du réseau anglophone bénéficient d'un budget propre, alors que les émissions équivalentes pour le Québec sont payées à même les fonds généraux des programmes francophones. En règle générale, on ne tient pas compte de ses suggestions, pire : on ne lui demande pas son avis. JMB se sent totalement contrôlé par la direction générale et a l'impression qu'on le traite comme quantité négligeable. Il réclame la parité avec son homologue ontarien et regrette amèrement que son autorité ne soit pas du tout reconnue par ses pairs anglophones. Une raison importante de cette non-reconnaissance, avance-t-il, est la disparité considérable qui existe entre son salaire et celui de son vis-à-vis anglophone. Il considère ce fait comme un manque de respect envers sa personne et les responsabilités qu'il assume[10].

Comme cela se produisit lors des échanges épistolaires quelques années auparavant avec les responsables de la CCR pour l'établissement d'un programme musical à partir de la ville de Québec, JMB demeure en apparence poli et humble : « [C]es remarques [sont] sans prétention aucune et sans esprit critique. » Il précise : « [S]i mon travail n'est pas satisfaisant, ce qu'il pourrait bien être, je compte bien que vous me ferez part de vos observations. » Il est clair que son travail est plus que satisfaisant et que son supérieur immédiat, d'abord hésitant, fera maintenant tout pour garder cet homme talentueux à son service. Cette volonté se concrétise de deux façons : permettre à JMB, en plus de ses obligations administratives, de s'adonner à la direction d'orchestre et, afin de lui éviter l'asphyxie provoquée par les disputes internes, lui accorder la liberté de mouvements nécessaire pour respirer l'air « ailleurs ». C'est dans cet esprit que Frigon encourage le « congé d'études » dont JMB bénéficie au cours de l'été 1938. L'idée d'abord proposée par JMB à Murray d'établir des liens radiophoniques avec la France s'étendra à la Belgique, à l'Allemagne, à l'Italie et au Vatican. Un même et court mot d'introduction sera rédigé par Frigon et envoyé aux directeurs de la radio en poste dans chacun de ces pays, sauf pour la France où une lettre plus élaborée laisse entendre que des discussions embryonnaires ont déjà eu lieu.

Pendant que JMB prépare son voyage et durant son absence, les marmites bouillent à la haute direction de Radio-Canada. Le 15 mai, le major Gladstone Murray adresse une brève note de service à Mr Bushnell, de Toronto. Ce dernier, superviseur général des programmes, est celui-là même qui cause à Jean-Marie les soucis dont il s'est plaint à Frigon. Dans cette note de service, Murray se demande et demande à Bushnell s'il serait pertinent de faire en sorte que JMB soit responsable à Radio-Canada de la musique pour l'ensemble du pays. En effet, dans le dernier organigramme conçu par la maison, aucun poste important n'est détenu par un Canadien français (on comprendra par là que le poste de directeur des programmes au Québec en est un secondaire). Pour éviter les critiques, ne serait-il pas indiqué d'offrir à Jean-Marie Beaudet la direction de la musique à travers tout le Canada ? Cette décision va cependant créer un problème, peut-être *"insurmountable"*, comme l'écrit Murray : qui donc remplacera JMB à la tête des programmes pour la province de Québec ?

Bushnell, lui, a une tout autre idée de la suite des choses. Sa réponse à Murray est assez rude. Il reconnaît tout d'abord que l'absence de Canadiens français à la tête d'un poste important peut, en effet, créer des problèmes. De manière laconique, il ajoute que JMB pourrait faire l'affaire comme n'importe quel autre membre du personnel actuel : *"as anyone on the staff at the present time"*. Mais, ajoute-t-il, c'est un musicien et, comme tous les musiciens, il semble *"fairly temperamental"*, c'est-à-dire instable, cyclothymique, et, surtout, il a des goûts *"rather eyebrow"*, plutôt sophistiqués. JMB serait donc incapable de programmer ce dont la société d'État a besoin pour attirer le public : de la musique légère. Par ailleurs, Bushnell a bien décelé l'ambivalence de JMB. Il n'est pas certain que le responsable des programmes au Québec va se décider à se vouer corps et âme à la Société plutôt qu'à l'accomplissement d'une carrière personnelle. Il propose de faire engager Wilfrid Pelletier pendant six mois à la BBC afin de lui permettre d'acquérir les qualifications nécessaires à son embauche en tant que successeur de JMB. Même si, reconnaît-il, Pelletier n'a pas les qualités d'organisateur nécessaires, sa candidature présente d'autres avantages.

Des pourparlers internes se poursuivent pendant quelques mois au sujet de cette réorganisation. Frigon suggère fortement à Bushnell d'utiliser plutôt les services de Pelletier à l'élaboration des programmes dans son propre service à Toronto. Il souhaite garder JMB à Montréal, d'où ce dernier pourrait rayonner à travers tout le Canada, en assumant les tâches liées à la musique. Suivant son plan, JMB, travaillant à Montréal, serait le responsable ultime des programmes pour le Québec, tout en supervisant le travail d'Aurèle Séguin à qui un assistant qualifié serait donné. Par ailleurs, Frigon est inquiet de la réaction de Jean-Marie, s'il lui fallait, en tant que directeur de la musique à l'échelle canadienne, être en poste à Toronto au sein même de l'équipe de Bushnell : *"Besides I am not convinced that Beaudet would be very happy to work on the staff of Mister Bushnell."*

La réponse de Murray est ferme : il veut JMB à Toronto. Quoiqu'il doive attendre le retour de Bushnell, en mission à Londres, pour statuer définitivement, il expose les raisons de son choix :

> *Mr. Beaudet's appointment as Music supervisor for the whole country is significant in more ways than one. His presence in Toronto would be, in my opinion, an excellent corrective of the tendancy, unwitting no doubt*

but always present, to think of our problem too much from the English-speaking angle. As I see it, it would create a good impression throughout the Province of Quebec, and would be taken as a sign of our determination to carry out the policy so often promulgated both by the board and by you and me, if Mr. Beaudet, as supervisor of the largest and most important ingredient of our programmes, is actually stationed at Programme Headquarters in Toronto[11].

Pendant deux mois, Murray et Frigon vont tirer à tour de rôle la couverture chacun de son côté quant au lieu principal de travail de JMB. Parfois Murray semble céder, comme dans cette note interne où il informe son équipe des tâches dévolues au nouveau et premier directeur pancanadien de la musique et termine en disant que peu lui importe le lieu de résidence de Beaudet, pourvu que le nouveau directeur *"does not become unduly involved in the music activities of any one region"*. La suite de la saga administrative concernant le lieu de résidence de JMB demeure en partie mystérieuse. On sait qu'il a résidé au moins trois ans à Toronto entre 1944 et 1947. Auparavant, pendant de longues périodes, le nouveau directeur musical aura probablement plus souvent qu'autrement vécu dans ses valises.

Selon les notes de service internes conservées par Pierre Beaudet, le salaire de JMB sera de 4250$, soit une augmentation annuelle de 250$, augmentation qui lui avait été récemment consentie à titre de directeur des programmes au Québec. Il n'y aura pas de cumulation de salaires, malgré l'accumulation des tâches.

Ce surcroît de responsabilités sans contrepartie financière, les réticences de son supérieur immédiat, avec qui il s'entend très bien, à l'idée de le voir partir et la perspective de se trouver peut-être sur le territoire même d'un «ennemi» professionnel n'empêcheront pas JMB d'accepter la proposition. Pourquoi? La bougeotte? La soif d'un nouveau défi? La réponse se trouve sûrement au-delà de ces spéculations: c'est l'amour de la musique. On vient d'offrir au p'tit gars de Thetford, le numéro quatre d'une famille canadienne-française de seize enfants, de décider du programme musical pour le Canada tout entier à la toute nouvelle radio d'État. Lui est-il possible de refuser?

En 1938, Jean-Marie Beaudet est donc nommé directeur de la musique à la radio pour l'ensemble du Canada à la CBC/Radio-Canada[12]. Une note interne de Murray du 18 octobre de cette année, intitulée «Music Supervisor» et adressée au personnel, annonce la visite de JMB à Toronto et donne les grands axes de son travail:

> [...] to maintain and improve music standards throughout the country, to detect faults and shortcomings, to recommand curative measures, to maintain effective liaison with our music advisers, Sir Ernest MacMillan and Dr. Pelletier, to supervise the machinery and procedures of audition throughout the country, and to be available as responsible consultant on all matters of music.

On scinde alors certaines de ses fonctions de directeur des programmes pour le Québec et on les assigne à des collègues, nommément Aurèle Séguin et Gérard Arthur, mais JMB en garde le titre et la responsabilité ultime.

Ces problèmes organisationnels et ces luttes internes qui sont le lot quotidien du nouvel administrateur d'une radio à ses débuts ne parviennent pas jusqu'aux oreilles du public, fidèle au musicien. L'année même de son embauche à la radio d'État, soit en octobre 1937, JMB est invité à nouveau par Wilfrid Pelletier, cette fois en tant que pianiste soliste. Il interprète le *Concerto en la mineur*, opus 30, de Schumann, acclamé par les spectateurs et par les critiques. Frédéric Pelletier, le critique musical attitré du journal *Le Devoir*, qualifiera l'interprétation d'«admirable[13]».

Le 3 mai 1938, JMB accompagne la cantatrice Rose Bampton dans un concert donné au Palais Montcalm en l'honneur du 300e anniversaire de l'Hôtel-Dieu. Le 13 octobre de la même année, au même endroit, c'est son ami Jobin qui donne un récital. Jobin vient de passer quatre ans à Paris et les deux artistes sont sur la même longueur d'ondes au sujet du répertoire: Debussy, Delannoy, Fauré, Gaubert et Schumann. En rappel, Jobin chante pour son auditoire ravi l'air fameux des «sanglots de Paillasse». Cette fois encore, l'accompagnateur est louangé par la critique:

> Monsieur Jean-Marie Beaudet, l'accompagnateur, ne peut dissimuler même dans ce rôle effacé la valeur essentiellement personnelle de son

art. Avec une intelligence constante du texte et de l'interprétation qu'en donnait le ténor, il a fourni une trame admirable où se jouaient avec tant de charme les arabesques de la voix merveilleuse.

Aussi, ces deux grands artistes ont-ils reçu une ovation qui n'a certes pas été sans les émouvoir et qui les remerciait d'avoir réussi ce tour de force d'être prophètes chez eux[14].

Le Soleil et *L'Action catholique* profitent de l'occasion pour féliciter JMB de sa nomination annoncée le jour même dans les journaux au poste de directeur musical de la Société Radio-Canada. Le journaliste L.-P. Roy de *L'Action catholique* ajoute : « Québec est fière de ses fils car Jean-Marie Beaudet qui a contribué au succès de son grand ami partage son triomphe et nous le considérons encore comme un des nôtres[15]. »

Le 30 novembre, en 1938 toujours, JMB participe au succès phénoménal « du plus grand violoniste canadien » comme le nomme la critique : Arthur LeBlanc.

Au sujet de ce concert, Jean-Louis Gagnon, alors journaliste, ne tarit pas d'éloges :

> Unies dans un même climat spirituel, des centaines et des centaines de personnes, emplissant à craquer le Palais Montcalm, sont revenues aux sources pures de la musique, art originel. Depuis un mois déjà Québec attendait ce récital ; maintenant nous voudrions tous qu'il n'ait pas eu lieu afin d'avoir la certitude de pouvoir le réentendre prochainement. […] LeBlanc et Beaudet nous ont raconté les plus belles choses du monde, un dialogue racinien dans la *Sonate* de Gabriel Fauré.
>
> Et lorsque les dernières mesures furent plaquées, la salle en délire, la salle! Battait des mains comme dans les grands jours. Sur le plateau, LeBlanc et Beaudet, se tenant par la main et très émus, semblaient comprendre peu à peu qu'ils venaient de nous donner, par leur exécution, la présence réelle de Gabriel Fauré[16].

Par ailleurs dans *Le Devoir*, Frédéric Pelletier écrira à propos de l'interprétation de la sonate de Fauré par JMB et du tandem Beaudet-Leblanc :

> Sa part dans la sonate de Fauré a montré une fois de plus que ses fonctions administratives à Radio-Canada n'ont pas enlevé un iota à

sa valeur de pianiste de concert. On eût pu difficilement trouver un meilleur partenaire au violoniste. Ne l'oublions jamais : dans la sonate le pianiste et le violoniste sont sur un plan égal, ils sont tour à tour soliste et accompagnateur, et ils ont droit à la même appréciation [...] C'est cet équilibre parfait des deux parties concertantes, lequel exige une entière coordination des meilleurs facultés des deux artistes, qui fait que Jean-Marie Beaudet s'est montré musicien de la plus haute valeur. Quant à ses qualités purement pianistiques, il en a assez souvent fait la preuve pour qu'on n'ait pas besoin de réchauffer le plat des épithètes laudatives[17].

En 1939, Frédéric Pelletier répète que le travail de JMB à la radio n'a pas nui à ses talents de musicien. Le chef d'orchestre ayant reçu une ovation après l'exécution de la *Fête-Dieu* et de *Triana* d'Albeniz, le critique musical commente ainsi son succès : « M. Beaudet, qui, je crois, n'avait pas dirigé aux Concerts Symphoniques depuis trois ou quatre ans, y est revenu, l'autre soir, avec une autorité qu'a façonnée son travail de la Radio. Désormais on devra compter avec lui[18]. »

Être bien accepté comme artiste et applaudi par la critique même si l'on est administrateur, a dû appliquer un baume sur les blessures d'amour-propre de Jean-Marie. À travers un compte-rendu daté de mars 1939, et adressé à ses supérieurs, on peut deviner le désarroi éprouvé par JMB l'année précédente, alors qu'il sillonnait l'Europe au service de Radio-Canada dans le but de créer des alliances radiophoniques. Dans ce compte-rendu qu'il s'excuse d'abord d'avoir tardé à produire, il raconte les résultats de sa mission.

À Paris, il s'est entendu avec Monsieur Brémont, de Paris-Mondial[19], pour la diffusion au Canada de quatre catégories de musique en précisant que les « irradiations » sur ondes courtes des programmes français devraient être améliorées car, pour le moment, elles passaient mal outre-mer. De toute évidence, cette amélioration n'a pas eu lieu, car JMB reconnaît dans sa note de service avoir dû interrompre, à son retour, un programme français du temps des Fêtes deux minutes à peine après le début, tant la qualité technique en était mauvaise. En France, il a pris contact avec d'autres stations de radio aux moyens plus modestes. Ces dernières n'auraient pu lui fournir que des programmes préalablement enregistrés ; ce n'est pas ce qu'il recherchait. Auprès d'éditeurs spécialisés, il a tenté d'obtenir des partitions gratuites en promettant de ne les utiliser que sur le réseau canadien pendant une période d'un an. Aucun accord n'a été conclu, faute de temps.

En Italie, la qualité de l'organisation l'a épaté. Le rêve : trois chaînes de radio dotées de trois orchestres différents diffusant trois genres de programmes à la même heure ! Cependant aucune entente n'est intervenue. Les Italiens ont été déçus d'apprendre que les Canadiens ne pouvaient offrir leurs propres programmes en échange des leurs. De plus, JMB précise que les programmes proposés étaient constitués essentiellement de nouvelles et de propagande. Nous sommes en Italie à la fin de 1938… Quant au Vatican, il est fermé tout le mois d'août. C'est là un détail que les organisateurs canadiens et JMB ignoraient.

Après un nouveau bref passage à Paris, JMB s'est dirigé vers Londres où l'attendait Bushnell. Les bureaux de la BBC l'ont impressionné. JMB écrit à Murray dans son anglais d'alors, encore un peu laborieux : "[B]ut I don't think it necessary for me to comment on it as Mr Bushnell has already done this better than I can do it." Le compte-rendu au ton défaitiste et à la teneur négative se termine par ces lignes surprenantes pour qui a connu JMB : "I had to shorten my visit to Paris due to a nervous breakdown which kept me away for a month. A doctor's certificate is on file in Ottawa."

Pour les gens de sa famille, Jean-Marie était une personne énergique et on ne peut l'imaginer affaibli par une dépression nerveuse. Il ne souffrait même pas de migraines fréquentes comme plusieurs de ses frères et sœurs. Au travail, il était reconnu pour son énergie. Dans une lettre que lui adresse Frigon, lors d'une absence subséquente, on peut lire que tout le monde a hâte de le revoir, car sa « vitalité effervescente » et son « enthousiasme » manquent à l'atmosphère des bureaux[20].

Cette dépression nerveuse est d'autant plus surprenante. Il est vrai que la mission européenne ne semble pas avoir été très fructueuse, du moins en apparence ; elle portera fruit quelques années plus tard seulement. De plus les démêlés administratifs à son sujet devaient, même à distance, être lourds à supporter. Il y a cependant une autre hypothèse plausible. Cette visite en France, plus de six ans après son retour au Québec, lui a permis sans doute de retrouver des amis, peut-être même un amour de sa vie d'étudiant. À leur contact a-t-il regretté ses choix de vie ? Les a-t-il remis en question ?

Jeanne Landry[21] rapporte que, souvent, les étudiants du Conservatoire de Paris, pour boucler leurs fins de mois, accompagnaient des chansonniers ou des « diseuses » dans des boîtes parisiennes[22]. *Chez Ma Cousine*, à Montmartre, était un endroit très apprécié par les jeunes artistes en formation. On y allait pour jouer et gagner des sous, on y allait aussi pour s'amuser. Lors de son premier séjour en France, JMB, qui aimait s'amuser, avait été surnommé « La Fine » par ses amis parisiens ; autant à cause de son esprit vif que de son goût prononcé pour le cognac. En cette fin d'été 1938 où il tenta d'échapper à un passé récent de très jeune artiste québécois doué et prometteur pour accepter un présent d'adulte chargé de responsabilités publiques, JMB est peut-être retourné *Chez Ma Cousine* ou ailleurs, en compagnie de ses anciens amis et amours, parmi lesquels on peut se le représenter, brillant, aimant rire et se moquer, doté d'un sens de la repartie absolument imbattable, retrouvant le plaisir d'échanger, de discuter et de boire en compagnie d'amateurs éclairés. Combien de bouteilles de cognac ont-elles été nécessaires pour qu'il arrive à convaincre ses amis français et lui-même qu'il n'avait pas changé, qu'il était toujours l'artiste qu'ils avaient connu[23] ? Ces libations trop abondantes, vraisemblables mais non attestées, ajoutées aux frustrations réelles de son voyage et aux vrais tracas administratifs en cours, peuvent expliquer une dépression nerveuse qui ne se répétera pas, du moins pas de façon officielle.

FICTION IV
Lettre à Raoul
Septembre 1938

Cher Raoul,

Je t'écris du fond de la grisaille parisienne que tu connais bien. Je sais que tu aimes tellement Paris que tu te plais aussi à sa couleur gris-souris. Pas moi, du moins pas en ce moment. Je me sens l'âme de la même couleur que l'air du temps et ce n'est pas joli.

Pour me changer les idées, et selon les conseils du médecin, j'avais décidé d'aller faire une virée en Normandie et me voici de retour, attablé devant un «allongé», au petit café qui voisine la gare d'Orsay. Ma brève balade ne m'a pas réussi. Là-bas aussi il pleuvait et il faisait froid en plus. J'ai maintenant mal à la gorge. (D'accord, d'accord, ce n'est pas grave, moi je ne chante pas ! !)

Depuis près de deux mois, je ne cesse de me déplacer de France en Belgique, de Belgique en Allemagne, d'Allemagne en Italie et d'Italie en France. Le travail pour la Société s'est apparemment passé correctement. On a reçu correctement l'émissaire de Radio-Canada, les gens sont polis.

Pourtant je «râle» comme disent les Français. Pourquoi? Mon travail pour la radio n'est-il pas passionnant? Je défriche, je suis un pionnier comme mes défunts ancêtres, ce qui devrait plaire à tout bon Canadien français comme moi (!?!). N'ai-je pas la chance d'avoir des patrons qui ont à cœur la vocation culturelle des ondes? Je crée des liens, je planifie des échanges musicaux à travers les continents et les cieux: de quoi me plaindrais-je, peux-tu me le dire?

La vérité est que tout n'est pas si simple. Les difficultés auxquelles je me suis heurté pour sortir la ville de Québec de l'anonymat et la mettre sur les ondes en lui donnant des moyens comparables à ceux de Montréal, puis à recommencer pour que Montréal soit à l'égal de Toronto, je les retrouve maintenant à une autre échelle.

Le Canada fait hausser les épaules ici. Je sais que ce n'est pas ton expérience, je ne parle pas des artistes qui sont des vedettes, mais des fonctionnaires, ce que je suis devenu. (Je trouve parfois étrange de me retrouver dans la peau d'un ambassadeur du gouvernement canadien quand je rencontre des gens que j'ai connus à une autre époque de ma vie et qui me prennent pour... un musicien !)

On me donne des rendez-vous de travail qui n'ont rien d'efficace. Je me fais quelques amis, mais aucun partenaire. Si je proteste, et je le fais avec des gants blancs crois-moi, de la piètre qualité des programmes sur ondes courtes du 24 juin et du 1er juillet derniers, on me fait habilement comprendre que les torts sont de l'autre côté de l'Atlantique. Dans les pays moins prétentieux, comme l'Italie ou la Belgique (le représentant de la radio s'appelle là-bas « Braillard », c'est un type charmant), les moyens financiers sont nuls. Au fond, on espère que je leur apporte quelque chose ($$$$). Et puis en Italie, ce qu'on m'offre, ce sont essentiellement des heures musicales wagnériennes, ou des émissions sur Mussolini, vu sur toutes ses coutures et il en a pas mal, étant donnée sa corpulence. Grazie, grazie molto ! !

Je pense parfois à quitter ce boulot d'administrateur car la vérité vraie est que j'ai perdu ce que nous appelions tous deux « l'état de grâce » ; je n'ai plus de baguette magique entre les doigts, Roméo, et la vie devient terne comme la pluie parisienne.

Le médecin que m'a recommandé notre ami Yves Nat (il t'envoie ses salutations), le bon docteur Machabée, c'est son nom, crois-le ou non, prétend que je souffre de dépression, et me suggère de demander congé à mon employeur. Avec ou sans congé, je me dois de réfléchir à « mon plan de vie ». Petite retraite spirituelle privée en l'honneur de mes trente ans atteints cette année. Comme je me sens vieux et écartelé... L'image d' « Eugène », mon père, vient troubler le cours de mes pensées ; ça l'a beaucoup rassuré sur mon sort (et peut-être sur celui de son portefeuille) quand il a su que j'étais à l'emploi de « La Société » ! « The Corporation » comme disent les Anglos... mais jusqu'à quel âge dois-je obéir ? Ce n'est pas à toi que je devrais poser la question. Tu as appris à tes dépens qu'il faut parfois se choisir.

Mes amitiés à ta chère Thérèse et pardonne les jérémiades d'un vieil allié en musique et dans la vie. Passez de bonnes vacances au Québec et ne t'inquiète pas de notre rendez-vous d'octobre au Palais Montcalm, je ne te ferai pas faux bond. Au moins de ça, j'ai envie.

Jean

1942-1947
Directeur musical pancanadien et directeur du réseau français

AU DÉBUT DES ANNÉES 1940, il semble que JMB soit doté du don d'ubiquité : il est au travail partout. Avec une parenthèse : à la fin de janvier 1941, une crise aiguë d'appendicite le ramène à la maison paternelle de Thetford-Mines. Tandis qu'il s'y repose après son opération, Frigon lui suggère de poursuivre sa convalescence dans l'Ouest canadien où ses services sont requis. Jean-Marie y va, trop content répond-il en blague, de se soigner aux frais de l'État. En route vers l'Ouest, il s'arrêtera quelques jours à Montréal, puis à Toronto, de même qu'à Winnipeg, avant de se poser à Vancouver et à Victoria. Ce périple dans l'Ouest durera plus d'un mois.

L'expansion de la société d'État est attestée sur l'ensemble du territoire canadien. Au Québec, des « antennes » en région sont devenues très tôt assez importantes pour être gérées sur place par des personnes qualifiées, et le réseau, du moins au Québec, est scindé en deux secteurs : le secteur dit « de soutien », et le secteur « commercial ». L'organigramme de la société ressemble de plus en plus à une pieuvre aux multiples tentacules. De plus, les effets de la Seconde Guerre mondiale, dont JMB avait pressenti l'approche quand il était en Europe, vont compliquer la vie de tout un chacun à Radio-Canada. Les reportages de guerre qui arrivent de Londres et, en règle générale, tout ce qui se rapporte aux événements dramatiques mondiaux, est à insérer dans les grilles horaires comme autant de nouveaux éléments de la programmation[1].

En 1942, le poste de directeur régional des programmes pour le Québec, détenu par JMB depuis 1937, est pris en charge par Augustin Frigon lui-même, et JMB devient alors directeur de la radio de tout le réseau français, titre qu'il conservera jusqu'en 1947, parallèlement à celui de directeur musical pancanadien[2]. Dans une note de service détaillée et datée du 17 octobre 1942, intitulée : « Nouvelle distribution des responsabilités », Frigon explique le nouvel organigramme :

> Avec l'accroissement du nombre des programmes de guerre et à cause des changements dans le régime administratif de la Société, il est devenu nécessaire de faire une nouvelle distribution des responsabilités parmi certains officiels des studios de Montréal. L'objet principal de ces changements est de stabiliser et de clarifier le régime administratif de la province de québec [*sic*] et de libérer M. Jean-Marie Beaudet de charges routinières qui ont entravé, dans le passé, son travail d'artiste créateur de programmes. [...] M. Jean-Marie Beaudet s'occupera principalement de ses responsabilités comme directeur musical de Radio-Canada ; il aura la haute direction des programmes du réseau français dont il représentera les intérêts à Toronto[3].

Certains journaux, comme *Le Canada*, dans son édition du 22 octobre 1942, annoncent alors, à tort, la nomination de JMB au poste de directeur musical pancanadien. Il l'était déjà depuis 1938.

L'application de cette « Nouvelle distribution des responsabilités », émise par Augustin Frigon, précise le rôle de chacun des cadres montréalais. JMB, en tant que responsable du réseau français, siège au comité administratif présidé par Frigon qui est toujours directeur-adjoint de la CBC/Radio-Canada[4]. Il y côtoie J.-Arthur Dupont, responsable commercial du réseau, Omer Renaud, maintenant chargé des studios de Montréal, Léopold Houlé, directeur de la publicité et Gérard Arthur. JMB est personnellement imputable du niveau de la qualité artistique de toutes les émissions[5], ce qui implique de présider des comités d'auditions, de jouer le rôle du conseiller qui propose des correctifs et des changements. Il doit aussi apporter des suggestions pertinentes au sujet

de l'horaire et du budget. On sait que JMB doit par ailleurs représenter les intérêts du réseau français aux assemblées de directeurs
de programmes à Toronto[6] ; il devra également s'occuper des programmes fédéraux avec Gérard Arthur, qui lui, maintient un lien
entre Ottawa et Montréal en ce qui concerne les programmes de
guerre[7].

À cette époque, un phénomène social important se produit : le
cheminement identitaire des Canadiens français qui culminera au
cours de la Révolution tranquille s'accélère sous les auspices de la
radio. La lecture était toujours réservée à une élite ; la radio rejoint
tout le monde. Les radio-romans, souvent écrits par des écrivains,
suscitent un engouement extrême et une fascination profonde au
sein de la société canadienne-française[8]. Même les enfants deviennent dépendants de leurs émissions préférées, comme «Yvan
l'Intrépide», de Jean Desprez[9].

Sous la gouverne de JMB, ce sont les débuts à Radio-Canada
de ce qu'il est convenu d'appeler «l'âge d'or de la radio». Mimi
d'Estée, comédienne adorée du public, en témoigne sans équivo-
que dans la lettre qu'elle adresse à Pierre Beaudet (cf. témoignage
en Annexe A). En tant que directeur des programmes, JMB
connaît les auteurs, les annonceurs, les scripteurs, les réalisateurs,
les comédiens et comédiennes, leurs horaires et probablement leurs
cachets. Quand il quittera Radio-Canada pour la troisième et
dernière fois, Rudel-Tessier, chroniqueur humoristique à *Photo-
Journal*, écrira dans le numéro du 3 au 10 mai 1967, sous le titre
«Jean Beaudet quitte (encore une fois) Radio-Canada!» :

> Quand il était directeur de la chaîne française (et de la région québé-
> coise), il était à lui seul toute la direction, et il n'avait pour le seconder,
> qu'une secrétaire (devenue Madame René Lecavalier) qui n'avait
> même pas de bureau : elle était avec les dactylos dans un immense
> bureau qui réunissait tout le personnel administratif. C'était au temps
> du King's Hall Building, où le garçon d'ascenseur ne comprenait
> même pas le nom de l'étage en français!... Nous pensions surtout à
> admirer Jean Beaudet qui trouvait le temps de poursuivre sa carrière
> de chef d'orchestre et de professeur de piano, et même de réaliser des
> émissions importantes, tout en dirigeant et en administrant le réseau

français. Nous pensions alors que Jean Beaudet aurait pu prendre du jour au lendemain la direction de la Banque du Canada, quand nous l'entendions jongler avec les chiffres énormes de son budget, qu'il avait tout entiers dans sa tête[10].

Malgré cette apparente facilité, des contraintes importantes pèsent sur les épaules de l'administrateur. Entre 1939 et 1947, la correspondance de JMB avec Monsieur Adrien Pouliot, doyen de la Faculté des sciences de l'Université Laval à Québec et membre du bureau des gouverneurs de Radio-Canada en témoigne[11]. Cette correspondance est tout à fait exemplaire[12]. Les requérants en provenance de Québec suivent toujours le même parcours. Ils adressent leurs demandes à Monsieur Pouliot qui, après y avoir ajouté ses commentaires, les fait parvenir à JMB, directeur des programmes pour le Québec, (entre 1937 et 1942), ou encore à JMB, directeur du réseau français (entre 1942 et 1947). C'est donc toujours à la même porte que frappe M. Pouliot pour transmettre ses sollicitations inscrites sur du fin papier à lettres de couleur rose pâle. Quelques demandes sont récurrentes. Ainsi, à l'approche de Noël, il est automatiquement question du temps d'antenne nécessaire, soit à Mgr Roy, archevêque de Québec, soit aux Chevaliers de Colomb, très présents dans l'enceinte de l'Université Laval, soit au représentant du Comité permanent de la survivance française, ou à celui de la Société de tempérance, afin que ces personnages puissent offrir leurs vœux à la population grâce à la radio d'État.

Le clergé ne néglige pas ce nouvel instrument d'influence auprès de ses brebis. Ainsi le cardinal Villeneuve se plaint d'un radio-théâtre intitulé «Les Musiciens du Ciel», parce qu'il y est question de l'Armée du Salut qui, en tant qu'organisation protestante, est susceptible de représenter un danger pour les catholiques. JMB compose une page à l'intention de M. Pouliot pour expliquer que Mgr Harbour, censeur à France-Film, a été consulté avant la mise en ondes de ce radio-théâtre, comme il l'est pour toutes les pièces présentées, et n'a vu aucun danger dans cette œuvre. «Son opinion, écrit-il, devrait être une garantie de moralité [pour la population], et pour nous, en même temps, de sécurité.»

En janvier 1946, c'est un certain Monsieur Duplessis qui rouspète pour la façon dont il a été reçu quand il est venu en studio. Encore une fois, JMB remet les pendules à l'heure avec des faits très concrets. Souvent, les requêtes concernent des talents, la plupart du temps féminins, dans le domaine du chant ou du théâtre, qui aimeraient bien s'exprimer à la radio. Lorsqu'il s'agit de radioromans, JMB laisse la décision à ses réalisateurs. En ce qui concerne la musique, il juge par lui-même et ses réponses sont très souvent négatives : il a déjà entendu le candidat, il est prometteur mais devrait travailler encore, ou n'a tout simplement pas les qualités requises. Quand M. Pouliot insiste, il propose de rencontrer lui-même l'artiste pour l'auditionner lors d'un passage à Québec. Il lui est même arrivé, peut-être était-ce pour éviter d'être accusé de subjectivité, de s'entourer de deux juges locaux au moment de légitimer ses propres choix.

Les refus sont toujours extrêmement courtois et exprimés clairement, raisons à l'appui. Le ton monte rarement, mais cela arrive. Ainsi, un certain haut gradé de la Défense nationale à Ottawa insiste, par l'entremise de M. Pouliot, pour imposer sa très talentueuse cousine, unique soutien de ses vieux parents, comme comédienne sur les ondes de la société d'État. Les réponses sont d'abord évasives, puis on explique au colonel sous-ministre que sa cousine ne veut que des premiers rôles et qu'elle n'en a pas l'étoffe, réponse qui déclenche l'ire du protecteur, qui écrit directement à JMB. Il semble qu'ils se connaissaient déjà, car le vouvoiement n'est plus de rigueur dans le bref échange qui suit. « Tes réalisateurs sont de jolis menteurs », souligne le colonel. Piqué, JMB rétorque en défendant ses réalisateurs et avance quelques arguments décisifs pour discréditer les talents de la dame.

Certaines situations devaient être particulièrement embarrassantes et difficiles à gérer pour JMB quand, par exemple, la musique et la radio étaient en conflit. Ainsi un jour, M. Pouliot, vexé, se plaint de ce que le concert d'Arthur Rubinstein ait été amputé de ses dernières mesures à la radio, alors qu'on n'infligerait pas un sort analogue à une partie de hockey. JMB, sans doute outragé par l'incident plus que ne l'était le gouverneur, se doit de défendre la politique appliquée. Il explique la différence entre les deux situations. Le hockey n'est diffusé que sur Radio-Canada, et cela, sans limite de temps, tel qu'il est stipulé au contrat. Quant aux Concerts Symphoniques, ils sont entendus dans tout le réseau Dominion[13]. JMB expose donc à son interlocuteur les contraintes liées au fait que ces concerts, étant diffusés dans plusieurs stations, doivent se terminer à l'heure prévue, car plusieurs autres programmes attendent leur tour à travers le Canada pour être mis en ondes. Enfin, il accuse le manque de rigueur de certains concerts en provenance de Montréal. Leur imprécision provoque souvent des retards, lesquels n'ont jamais lieu avec les orchestres de Toronto et de Vancouver.

Un autre échange épistolaire nourri a lieu quand des musiciens de Québec participant à l'émission hebdomadaire, «Ici l'on chante», réclament une hausse salariale substantielle. Voilà que JMB, qui quémandait auprès des autorités cinq dollars de plus pour sa soliste à Québec il y a à peine quelques années, est maintenant l'autorité qui doit refuser, faute de ressources financières adéquates, une augmentation salariale horaire de deux dollars demandée pour chaque participant. Une autre émission en provenance de Québec, «Orchestre de Concert», avait déjà été interrompue car la qualité des programmes interprétés avait stagné. Les instruments restaient en studio d'une semaine à l'autre: «Ce n'est pas ainsi qu'un artiste peut améliorer sa technique et ses connaissances[14].»

Pour avoir une idée du travail que JMB accomplit à cette époque afin de remplir son autre mission, celle de directeur musical pancanadien de la société d'État, il faut consulter le numéro de novembre 2008 de la revue *La Scena Musicale*. On y rapporte les grandes lignes d'un débat tenu au Cercle de musicologie au mois de septembre précédent. Le thème discuté: «Les musiques ancienne, classique, moderne et contemporaine sont-elles suffisamment représentées à la radio québécoise?». L'article fait d'abord un rappel du temps passé:

> Dès le début, la présentation de «bonne musique» fut hautement prioritaire à la SRC et les mélomanes étaient servis à souhait. Selon l'*Encyclopédie de la musique au Canada*, la SRC a «diffusé dans le réseau global (national, régional, local) au cours de la seule saison

1940-41 plus de 45 émissions lyriques (dont les retransmissions du Metropolitan Opera de New York), plus de 600 concerts symphoniques, plus de 2000 émissions de musique de chambre et plus de 3000 émissions de musique dite semi-classique, la plupart présentés en direct ». Voilà de quoi faire rêver les nostalgiques. Il est donc clair que la première génération de créateurs et d'administrateurs de la Société d'État ont accordé une place importante à la musique classique, créant ainsi cette culture radiophonique tant estimée[15].

JMB fut au cœur de cette « première génération de créateurs et d'administrateurs » entre 1938 et 1947, accompagné dans son travail par des directeurs régionaux qualifiés, dont son collègue de longue date, le musicien Jean Josaphat Gagnier, responsable musical de la province de Québec depuis 1936[16]. Les quelques patrons qui, à la nouvelle société d'État, avaient eu la bonne idée, non sans discussions et hésitations, d'octroyer à Jean-Marie Beaudet le poste important de premier directeur musical pancanadien, avaient fait un choix heureux avec ce connaisseur amoureux de la musique doublé d'un travailleur acharné.

Comme JMB l'avait prévu, ce merveilleux nouveau moyen de communication qu'est la radio, favorise le travail de « missionnaire musicien » dont il s'est chargé[17]. Dans une entrevue radiophonique datée de 1946, JMB explique que le meilleur encouragement au Canada vient du courrier des auditeurs qui réclament de la musique de qualité et en redemandent[18]. Il vante les effets positifs de certains programmes auprès des jeunes musiciens qui peuvent écouter la musique, partitions à la main, et ajoute que la meilleure émission pour ce faire est sans doute « Les Chefs d'œuvre de la musique ». Il cite quelques-unes des séries utiles aux jeunes artistes qu'il a inscrites à la grille-horaire. Il s'agit des causeries données par des musicographes ou des musiciens, les émissions de « Radio-Collège », son cours d'initiation musicale, la série « L'Histoire de la Musique », les récitals donnés par « Les Artistes de demain », les émissions « Radio-Carabins » ou « Samedi-Jeunesse ». JMB aurait pu ajouter que la CBC/Radio-Canada est par ailleurs une source très importante de revenus pour les instrumentistes et même pour certains compositeurs canadiens[19].

Les deux chapeaux administratifs de JMB à la radio n'empêchent pas le musicien de pratiquer son art. Le 14 août 1940, JMB
est à la direction de l'Orchestre symphonique de Winnipeg. La
guerre signifie également la mise sur pied de concerts spéciaux en
faveur des victimes. JMB dirige, au début des hostilités, le 19 février
1940, au Forum de Montréal, la première partie d'un concert offert
par la Croix-Rouge[20]. Vers la fin de la guerre, le 14 juillet 1944, afin
de célébrer la fête nationale de la France, il est au pupitre d'un
programme entièrement composé de musique française : Debussy,
Louis Ganne, Ravel et Saint-Saëns. En janvier 1945, toujours dans
un but philanthropique, pour le Comité anglo-français d'Ottawa,
JMB accompagne son ami Jobin qui interprète des œuvres des
compositeurs Bach, Debussy, Duparc, Haendel, Massenet et
Scarlati. De même au Rotary Club de Québec, à l'Université de
Montréal, et ainsi de suite[21].

À ces activités provoquées par la situation mondiale, s'ajoute la
direction régulière de l'Orchestre de Radio-Canada à Montréal.
En décembre 1942, JMB dirige l'oratorio *Christus* de Franz Liszt,
avec Lionel Daunais, Jeanne Desjardins, Anna Malenfant comme
solistes[22]. Du 21 au 26 septembre 1943, France-Film présente pour
la troisième année des spectacles d'opéra mettant en vedette des
artistes du Metropolitan Opera de New York. Au Théâtre Saint-
Denis sept opéras seront donnés dont *Carmen* de Bizet, avec la
célèbre Lily Djanel dans le rôle-titre.

> M. Jean Beaudet dirigeait l'orchestre. Il a fait de la partition quelque
> chose d'extrêmement vivant et coloré. Les interprètes ont cédé à son
> impulsion. Et c'est ainsi que la représentation de *Carmen* a été, au
> cours de la semaine d'opéra, un fait marquant de notre vie artistique[23].

Frédéric Pelletier soulignait en décembre 1939, lors du 44ᵉ concert des Concerts symphoniques de Montréal, les progrès accom-
plis par le chef d'orchestre. La raideur, le geste sec de ses débuts,
font maintenant place à beaucoup d'aisance, à une communion
plus intime avec ses musiciens[24]. Le succès critique de JMB se
concrétise aussi auprès du public : « L'été dernier ne fut-il pas le
chef qui attira le plus de monde aux Concerts symphoniques, à la

montagne, quoique plusieurs maestros étrangers avaient été invités avant et après lui [...] ? La plus forte assistance de la saison lui revient[25]. »

JMB est ouvert à plusieurs formes de musique, y compris la musique moins « sérieuse ». Par exemple, il dirigera l'Orchestre symphonique de Montréal à l'auditorium de Verdun, à l'auditorium de Villeray et à l'aréna Maurice Richard dans le cadre des 3es Concerts populaires Kraft[26] dont les vedettes et le modique prix des billets attirent les foules. Malgré l'entière participation de JMB à des aventures musicales plus populaires[27], sa musique préférée demeure plus exigeante. JMB en étonne plusieurs quand il s'agit de ses préférences musicales. Donald Whitton, musicien de l'OCNA, raconte qu'il avait interprété à quelques reprises du Roussel avec l'orchestre de la CBC à Toronto sous la direction de JMB[28]. Pour Whitton, et sans doute pour plusieurs de ses collègues musiciens, Albert Roussel est alors un parfait inconnu. Pour JMB, Roussel, Schmitt, Aubert sont des compositeurs importants restés dans l'ombre de Ravel et Stravinsky[29]. À travers les années, JMB imposera, sur les ondes ou dans les salles de concert, des compositeurs comme Jean Françaix, Olivier Messiaen, Serge Garant, André Prévost, Gabriel Charpentier, Jean Vallerand, Pierre Mercure, pour ne nommer que ceux-là. Son répertoire est donc recherché et ses choix musicaux suivent par ailleurs deux grands axes directeurs.

Dès son retour d'Europe, JMB manifeste une forte prédilection pour la musique française qui l'a conquis à Paris, comme elle avait conquis auparavant son ami Léo-Pol Morin. Cette prédilection, il la partage avec d'autres musiciens de son temps, entre autres Roland Leduc, Jean Deslauriers, Lionel Daunais, Auguste Descarries, Charles Goulet et Wilfrid Pelletier[30].

Tout en restant toujours fidèle à ses premières amours, JMB consacrera une grande partie de ses efforts à la diffusion de la musique canadienne ; il la diffuse « autant que possible », explique-t-il en entrevue[31]. Dans ce domaine, il innove et persiste. En 1944, en collaboration avec la station américaine National Broadcasting Corporation, (NBC), au cours d'une série appelée *Canadian Music in War Times*, il compose huit programmes de musique canadienne. Les œuvres de quinze compositeurs canadiens ou résidents canadiens sont jouées parmi lesquels Lucio Agostini, Arthur Benjamin, Maurice Blackburn, Alexander Brott, Claude Champagne, Jean Coulthard, Robert Farnon, Robert Fleming, J.-J. Gagnier, Hector Gratton, Arnold Walter, John Weinzweig et Healy Willan. Ces concerts, il les dirige tous. En 1946 est diffusé à l'antenne un opéra qu'il a commandité au nom de la CBC/Radio-Canada : *Deirdre of the Sorrows* de Healy Willan[32]. C'est sous sa responsabilité que le Service international de Radio-Canada fait la promotion de la musique canadienne en Europe à travers la série d'émissions « Musique et Musiciens du Canada[33] ».

Au Festival de Musique du Printemps de Prague de 1946, JMB emporte dans ses bagages, afin de les présenter aux mélomanes tchèques, des compositions de Maurice Blackburn, Alexander Brott, Claude Champagne, Sir Ernest MacMillan, Georges-Émile Tanguay et Healy Willan. L'événement marque à la fois la reprise du Festival de Prague, qui n'a pas eu lieu depuis 1939, et le premier concert composé uniquement de musique canadienne en sol européen.

Après Prague, Jean-Marie dirige deux concerts avec l'orchestre de la BBC à Londres. Le second, principalement consacré à la musique canadienne, comporte des œuvres de Leonard Bashan, Maurice Blackburn, Alexander MacKenzie, Barbara Pentland et Healy Willan. À Paris, où il est ensuite au pupitre de l'Orchestre symphonique de la Radio française, il présente un mélange d'œuvres françaises et canadiennes : Champagne, McMillan, Tanguay, Fauré, Ibert et Louis Aubert, son ancien professeur, dont il exécute *Habanera*[34].

En août 1946, interrogé à son retour des vieux pays sur les ondes de Radio-Canada, JMB préconise la musique, langage international, et l'art en général, comme lien entre les peuples divisés par la guerre. À Prague, il a été renversé de constater que les mélomanes affamés préféraient s'offrir un billet de concert plutôt que de la nourriture. Les orchestres européens circulaient d'un pays à l'autre malgré les restrictions à tous niveaux. Sur un plan plus personnel, JMB avoue l'anxiété qu'il a éprouvée à l'idée d'expliquer en une langue étrangère les résultats auxquels il voulait parvenir à des musiciens peu familiers avec la musique canadienne. Il y eut fort heureusement des interprètes capables de s'exprimer en anglais. Musiciens, public et critiques manifestèrent une grande surprise en constatant des ressemblances entre la musique de chez nous et la musique européenne, plus spécifiquement la musique française ; on s'attendait plutôt à des affinités avec la musique américaine. En conclusion, JMB souhaite vivement qu'un échange soit possible entre le Canada et les pays européens, notamment avec la Tchéco-slovaquie. Il dira qu'il s'était senti démuni et malheureux de ne pouvoir répondre à la demande de partitions de musique cana-dienne faite par les Praguois. C'est sans doute motivé par cette expérience qu'il acceptera quelques années plus tard le poste de premier secrétaire du tout nouveau Centre musical canadien créé à Toronto pour conserver, archiver et diffuser la musique d'ici.

Ses supérieurs à la CBC/Radio-Canada sont ravis de ses réus-sites. En novembre 1943, Frigon, directeur général intérimaire, lui envoie un mot de félicitations pour sa direction en ondes de *La Fiancée vendue* de Smetana et pour un programme récent de musi-que canadienne. De Toronto, JMB le remercie immédiatement : « Ce n'est pas l'habitude des patrons de distribuer les félicitations à gauche et à droite. Cela n'ajoute que plus de poids et de valeur aux vôtres. Croyez bien que ces compliments m'ont fait grand plaisir et que j'essaierai de continuer à les mériter. »

Pourtant… Les réussites et les compliments sont insuffisants pour retenir JMB quand le vent du large se fait trop pressant et les soucis administratifs trop lourds. « C'était un excellent adminis-trateur, mais sa vie c'était la musique », écrit Clotilde Salviati (cf. témoignage en Annexe A). Même si sa vie professionnelle à Radio-Canada fait toujours la part belle à la musique, après dix ans de service, JMB est tenaillé par le désir de retrouver sa liberté.

Une circonstance le force à prendre position. Il est allé souvent dans l'Ouest canadien. Il a dirigé les orchestres de Vancouver et Winnipeg, il a mis de l'ordre dans le bureau de Radio-Canada à Vancouver. Mais de là à accepter un poste sur place pendant deux ans, comme on le lui propose, il y a une marge. Au cours de l'été

1947, une correspondance entre Frigon et JMB témoigne des hésitations de ce dernier. Il veut, il ne veut plus, aller s'installer à
Vancouver. Frigon s'impatiente :

> Mon cher Beaudet,
>   Votre appel téléphonique d'hier m'a désappointé et fort ennuyé. Je
> ne parviens pas à comprendre pourquoi vous avez changé d'idée et
> vous hésitez encore à accepter votre transfert à Vancouver. Il n'y a pas
> si longtemps vous insistiez pour être envoyé à Paris [...] Je regrette que
> toute cette histoire qui en somme ne semblait à personne offrir des
> difficultés formidables, vous ait affecté si profondément. J'ai conscience
> de vous avoir bien traité dans le passé, et j'espère que vous compren-
> drez que votre intérêt personnel, j'entends du point de vue profession-
> nel, vous dicte d'accepter sans hésitation un séjour de deux ans à
> Vancouver. Je ne vous ai pas trop bousculé jusqu'à présent, mais vous
> comprendrez qu'il me faut une réponse définitive pas plus tard que
> jeudi de cette semaine.

La documentation recueillie par Pierre Beaudet auprès de
Radio-Canada ne contient pas de réponse immédiate à Frigon.
Cependant, des journaux de l'époque[35] annoncent sa nomination
dans l'Ouest en juillet... puis sa démission en septembre. La lettre
de démission, datée du 28 août 1947, est envoyée en copie conforme
au directeur général à Ottawa, au directeur général des programmes à Toronto et au directeur du personnel et des services administratifs à Ottawa :

> Cher monsieur Frigon,
>   Il y a longtemps que je songe à consacrer toutes mes énergies à la
> musique en faisant des concerts publics et à la radio. Pour l'instant, je
> constate qu'il est assez difficile de concilier les doubles fonctions
> d'administrateur et de musicien. En conséquence, je crois qu'il est
> plus sage pour moi de tenter ma chance du côté musical exclusive-
> ment, et je vous demande donc d'accepter ma démission.

Courtoisement, il ajoute qu'il a été très heureux à Radio-
Canada où il compte de très bons amis, et, témoignage ultime de
son ambivalence ou de son habileté diplomatique, il tend la main
à son supérieur pour des collaborations futures. Frigon déplore le
départ de son collaborateur ; on le comprend, il avait plus d'un

employé en la personne de JMB ; il lui assure qu'il pourra réintégrer la maison-mère quand il le voudra.

À voir l'homme-orchestre se démener au cours des années 1946
et 1947, Frigon aurait pu deviner que son ancien protégé vivait un
peu trop intensément et que, tôt ou tard, il devrait faire des choix.
Pendant ces deux ans, malgré les tâches administratives consé-
quentes à son double mandat à Radio-Canada, JMB semble se
multiplier pour être à la fois au piano, à l'orchestre et au bureau.
Il s'absente très souvent afin de se consacrer davantage à la musique, comme si une fièvre longtemps contrôlée reprenait le dessus.
Toute cette activité annonce effectivement la démission à venir à
la fin de l'été 1947. La rubrique « Ondes par-ci, ondes par-là » du
bulletin *Ici Radio-Canada*, daté du 15 février 1946, nous permet
d'avoir une vue, sans doute partielle, de l'agenda de JMB. Celui-ci
part accompagner Jobin au Texas où deux récitals auront lieu à
Dallas et Houston. Sur la route du retour, il s'arrête à Détroit où
l'association des professeurs de musique des États-Unis l'invite à
prononcer une conférence sur « La radio et la musique ». Le 7 mars,
il accompagne Irène Moquin au Ladies' Morning Club. Le 8 mars,
il dirige le Concert populaire de l'Orchestre symphonique de
Toronto (réseau Trans-Canada). Le 14 mars, il accompagne Pierrette
Alarie, soprano du Metropolitan Opera. Le 24 mars, il prend part
à titre de pianiste à l'émission « Sérénade aux Étoiles » (*Stardust
Serenade*). Par ailleurs, on sait que le 6 avril, il donne un récital
entièrement Debussy à la salle de l'Ermitage à Montréal[36]. Plus
tard en avril, il s'envole pour Prague, Londres et Paris. À cet
horaire dément, il faut ajouter les temps de répétition et le temps
perdu en déplacements. En 1946, le vol Montréal-Londres, par
exemple, est de douze heures. Se rendre à Toronto ne se fait pas
non plus en un clin d'œil.

À peu près à la même période, l'année suivante, même frénésie :
JMB accompagne Simoneau et Simone Flibotte en concert à
l'hôtel Ritz-Carlton de Montréal le 20 janvier[37], puis il entreprend
avec Jobin une tournée qui les mène à New York et dans quelques
autres villes américaines. Il est aussi l'accompagnateur de Ninon
Vallin en concert à Montréal, à Québec et en tournée[38]. Il dirige

pour le service international de Radio-Canada plusieurs concerts dans le cadre des séries «La Voix du Canada» et «Concerts de Musique Canadienne». Il enregistre la *Suite canadienne pour chœur et orchestre* de Claude Champagne et le *Concerto en do mineur pour piano et orchestre* de Healy Willan avec Agnes Butcher au piano[39].

Cet aperçu de son emploi du temps justifie amplement les motifs invoqués par JMB auprès d'Augustin Frigon dans sa lettre de démission: il ne peut plus en effet mener de front ses charges d'administrateur et de musicien. La musique a toujours été au centre de sa vie. Cette fois, elle ne se contente plus du centre, elle veut toute la place. Faut-il ajouter que *Refus global* sera publié un an plus tard et que le milieu artistique en entier aspire à la liberté? À l'heure des choix, JMB la réclame aussi pour lui-même.

On raconte que Jean-Marie Beaudet, au temps où il travaillait à Radio-Canada, avait un piano à queue dans son bureau. On dit aussi que lorsqu'il quitta la société d'État, il interpréta en guise de discours d'adieu pour ses collègues et amis réunis *La Cathédrale engloutie* de Debussy. Entre le 20 décembre 1932, année de son retour au Québec après ses années d'études parisiennes, où, au cours d'un récital conjoint avec Jobin, il joue en rappel *La Cathédrale engloutie*, et ce jour où il interprète la même pièce en guise d'adieu à Radio-Canada, il s'est écoulé exactement quinze ans.

FICTION V
Prague
1946

Jean-Marie se sentait infidèle. Avec le sourd remords et la douce jubilation que cet état implique. Il aimait d'amour Prague autant que Paris. Oserait-il penser qu'il l'aimait davantage ?

Il traversa encore une fois le pont Charles au-dessus de la rivière Vltava, renommée la Moldau par les Allemands. De chaque côté du pont aux ornements gothiques, des statues de style baroque illustraient l'histoire si complexe du pays.

Cette ville était la ville de la musique. Des feuillets placardés un peu partout annonçaient les concerts du jour. Sur le pont, dans les rues, des musiciens ambulants se donnaient en représentation. Il y en avait tous les vingt pas. On leur lançait quelques pièces. Les Praguois préféraient la musique à la nourriture, c'était sidérant.

Jean-Marie, qui n'avait pas subi les malheurs de la guerre, avait bêtement faim. En ce jour de congé, sans la compagnie des collègues tchèques, il cherchait en vain un restaurant. Près du Rudolfinum, il finit par trouver un café plus ou moins camouflé entre des bâtiments décatis.

La salle était presque vide à l'exception d'un couple avec un petit garçon d'environ cinq ans et une tablée, au fond, où quelques personnes entouraient une belle et vieille dame à cheveux gris bouclés.

Le couple avec l'enfant se partageait un plat, peut-être une goulash, et les gens de la grande table fumaient devant des verres d'eau-de-vie à moitié remplis. Jean-Marie commanda le même plat, il n'y avait pas autre chose à manger, et un verre d'eau-de-vie, il n'y avait probablement pas autre chose à boire.

Les gens de la grande table étaient silencieux. La vieille dame, qui semblait changée en statue de sel, portait de beaux vêtements usés et un collier de perles autour du cou ; elle avait les yeux baissés et fixait ses mains croisées.

Au milieu de ce silence triste, un chant se fit entendre, timidement. Puis un jeune homme maigre se leva et, regardant intensément la grand-mère, poursuivit doucement sa mélodie. Sa voisine, debout à son tour, lui donna la réplique, d'une voix lumineuse. Le volume de leurs chants enfla et la jeune femme mit la tête sur l'épaule du chanteur. Ils chantaient comme des jeunes dieux en regardant la dame aux cheveux bouclés qui s'anima enfin : elle rit, elle prit sa tête entre ses mains, puis se cacha la figure pour qu'on ne la voie pas pleurer.

À la table voisine, les parents, l'air sévère, essayaient de convaincre leur gamin d'avaler un peu du plat partagé. L'enfant mastiquait sans arrêt la même bouchée qui lui faisait une grosse joue.

La musique prit fin. Toute la tablée debout applaudit la vieille dame restée assise, émue, son collier de perles autour du cou, ses vêtements usés sur le dos et sans doute quelques souvenirs de ses beaux jours de cantatrice remontés à fleur de cœur.

Jean-Marie avait tout de suite reconnu un extrait de *La Fiancée vendue*. Il s'approcha de la grande table, et la main sur le cœur, il dit sincèrement et avec le meilleur accent possible : « *dekuji, dekuji*», merci, merci. Il sortit en laissant son plat de goulash intact, lui aussi rassasié par la musique. Le petit garçon à côté s'était endormi, la tête sur son coude replié, la joue toujours aussi grosse.

Sur l'autre rive, se découpait à travers les rayons du soleil couchant le château de Prague avec la cathédrale Saint-Guy enclavée. Jean-Marie admit alors, que ce jour-là, peut-être pas pour toujours, mais ce jour-là, il préférait Prague à Paris.

RÊVE 2

J'ai encore rêvé à Jean.

J'étais dans une grande réunion mondaine.

Un beau piano à queue tout reluisant brillait sur une estrade basse.

Jean venait y jouer, sans doute au bénéfice de quelque fondation.

Il arrivait, bien vêtu, avec un complet et un manteau de couleur foncée. Avec son drôle de chapeau aussi peut-être.

Il jouait magnifiquement des œuvres compliquées, qui demandaient une énergie et une habileté hors du commun. Je me disais qu'il n'était pas seulement juste et sensible dans ses interprétations; je lui trouvais aussi un talent de virtuose.

Mais pourquoi avait-il gardé son manteau par-dessus sa veste?

Au moment où je me posais cette question, un monsieur peu aimable l'apostrophait. On venait chercher l'artiste pour le photographier. À l'arrière de la salle, un appareil photo sur son trépied était braqué sur un écran blanc violemment éclairé.

Motif: identification d'un inconnu par la police.

Je le vis debout qui suivait son interlocuteur: il n'avait plus de manteau pour cacher une veste et un pantalon terriblement élimés. Il marchait en chaussettes, sans bruit, tenant deux souliers dans chaque main. Pourquoi deux paires de chaussures? L'une, en cuir verni noir était digne d'un ambassadeur, l'autre aurait pu appartenir à un clochard.

Je courais derrière eux essayant en vain de capter l'attention du geôlier: «Attendez, attendez!! Je le connais. C'est mon oncle! C'est un grand musicien! Je le connais, attendez!!»

Je me suis réveillée avec le cœur qui battait la chamade.

1947-1953
Artiste libre et professeur

L E PORTEFEUILLE PLUS LÉGER, Jean-Marie doit multiplier les activités pour gagner sa vie d'artiste libre après son départ de Radio-Canada. Départ? Son départ n'est que partiel car il continue à diriger très souvent l'orchestre de la SRC. Il vient à peine de quitter la Société quand on le retrouve au pupitre, en novembre 1947, lors de la radiodiffusion sur les ondes nationales et internationales du *Concerto n° 3 pour piano et orchestre* d'André Mathieu, avec le compositeur au piano. Il s'agit de la première diffusion de la version originale de cette œuvre du jeune compositeur. À cette même émission de «La Voix du Canada», JMB dirige également le *Concerto n° 1* de Clermont Pépin avec l'auteur au piano[1].

Sa collaboration se poursuit avec la société d'État au cours de 1948 et 1949, alors que, comme on l'a vu, sur le réseau du Service international, il est responsable de la série «Musique et musiciens du Canada[2]». Sur les réseaux réguliers, au cours de l'été 1950, semaine après semaine, il dirige une série: "Summer Concerts", diffusée sur Trans-Canada et les postes francophones[3]. La première partie de chacune des émissions est consacrée à une vedette lyrique, Jean-Paul Jeannotte, Aline Dansereau, Violette Delisle, Yoland Guérard, Michèle Bonhomme, Robert Savoie, etc.; la seconde est composée d'œuvres orchestrales. Musique pour connaisseurs seulement et musique plus accessible aux mélomanes «ordinaires», sont savamment dosées dans la programmation.

Le nom de l'émission change mais le concept est le même pour «Concert de Montréal», diffusée sous sa direction tous les lundis soirs de l'automne 1950[4]. En décembre de cette même année, il dirige l'*Oratorio* de Camille Saint-Saëns à l'antenne de la CBC/Radio-Canada[5] et, le 7 mars suivant, le *Faust* de Gounod[6].

Par ailleurs, pendant des années, JMB et Jeanne Landry font équipe au sein de l'émission hebdomadaire «Deux pianos». Quand Jeanne Landry, lauréate du Prix d'Europe 1946, revient de son séjour d'études en Europe, elle reçoit un coup de fil surprise de JMB[7]. Ce dernier lui propose une série de récitals de piano à quatre mains diffusés de la salle de l'Emitage pour le compte de Radio-Canada. Amorcé lorsque JMB est encore patron à la SRC, leur travail commun se prolongera pendant quelques années. Une anecdote amusante est liée à cette collaboration. Les deux artistes répètent sur deux pianos à Radio-Canada en fin de journée. Sur la scène du théâtre de l'Ermitage, il n'y a qu'un piano. Fidèlement, chaque semaine, des camionneurs transportent un deuxième piano des studios de Radio-Canada jusqu'à la rue Guy pour les besoins de l'émission. L'accordeur suit de près. Le programme terminé, le piano refait le trajet en sens inverse. Quelle n'est pas la surprise de Jeanne Landry le jour où le second piano brille par son absence! Un coup de fil à Radio-Canada lui apprend que l'instrument a bel et bien quitté les lieux à l'heure dite. Il a dû prendre une autre direction, car il ne réapparaîtra jamais. À quelques reprises au cours des ans, cette fois pour une autre raison, il n'y aura qu'une pianiste pour les quatre mains prévues au programme. Il arrive en effet que JMB ne se présente pas à l'Ermitage: trop de libations la veille. Jeanne court alors chez elle chercher des partitions pour piano solo. Le lendemain, elle reçoit des fleurs ou du champagne et un mot d'excuse. Ces rares défaillances n'entament pas l'amitié et la profonde entente professionnelle qui lient les deux musiciens.

Au cours de la même période, soit au début des années 1950, Istvan Anhalt, musicien néo-canadien originaire de Budapest, professeur à la Faculté de musique de l'Université McGill, se met en tête de faire jouer ce qu'il appelle de «la nouvelle ou presque nouvelle musique » : *Sonate pour deux pianos et percussion* de Bartók et *Sonate pour deux pianos* de Stravinsky. On lui recommande le pianiste Jean-Marie Beaudet. Ils ne se connaissent pas. JMB accepte d'emblée la proposition et suggère Jeanne Landry comme partenaire. Il s'agit, selon Anhalt, d'une première montréalaise pour les deux œuvres (cf. témoignage en Annexe A) :

> *I should add that the latter piece (Bartók) has very taxing piano parts and Jeanne L. and Jean Marie knew them and played them with virtuosity and deep understanding. This was the result of dozens of hours of work including numerous rehearsals. – If I recall it correctly, the players were <u>not</u> paid for this; it was all for the love of music and for the love of these important works.*

Si certaines activités artistiques se révèlent éminemment lucratives[8], toutes les occupations professionnelles de JMB ne sont pas liées à sa survie financière, loin de là. Pour reprendre l'expression utilisée par Istvan Anhalt, bien des tâches sont accomplies et bien des responsabilités sont assumées, pour l'amour de la musique. Ainsi en est-il du poste de directeur musical de l'Opéra-minute[9], de la direction de concert à Thetford-Mines pour l'anniversaire de la ville, et des multiples jurys et auditions. La présence de JMB pendant des années aux réunions du Conseil canadien de la musique avant que le Centre de musique canadienne ne vît le jour fut également bénévole, tout comme son implication aux côtés d'Arnold Walter dans la conception du Canadian Opera Company[10].

Plusieurs personnes dont la carrière a été heureusement modifiée par l'enseignement ou par une intervention efficace de JMB ont exprimé leur reconnaissance par des témoignages adressés à Pierre Beaudet (cf. Annexe A). Elles attribuent le succès de moments-clés de leur vie professionnelle à la collaboration de JMB. C'est le cas de Victor Bouchard qui, grâce à celui-ci, obtient son premier engagement public en 1946, de Renée Morissette qui devient l'accompagnatrice de Jobin et de LeBlanc, de Josephte Dufresne qui se présente au Prix d'Europe munie d'une solide formation, de Jeanne Landry qui, on l'a vu, trouve du travail dès son retour de Paris, de Jean-Paul Jeannotte qui, après son interprétation de *Pelléas* au côté de Suzanne Danco, entreprend une carrière internationale, de Monik Grenier qui devient l'élève d'Yves Nat à Paris, etc.

Monsieur Anhalt vante également la compréhension d'une de ses œuvres, *Symphony*, que JMB dirigera plus tard avec l'orchestre de la CBC. Comprendre la musique de l'intérieur, savoir l'analyser, percevoir les intentions du compositeur et pouvoir les transmettre, est une des spécialités de Jean-Marie Beaudet. Parmi tous les témoignages d'artistes recueillis par Pierre Beaudet, l'un des plus éloquents à ce sujet est celui de Léopold Simoneau et de Pierrette Alarie (cf. Annexe A). JMB aurait fait découvrir à Mme Alarie «les quatre mélodies inédites de la jeunesse de Debussy qu'elle exécutera si souvent en tournée avec lui au piano». Simoneau explique que, quand il chanta pour la première fois le grand cycle de Schumann, *Dichterliebe,* au Club musical des dames de Montréal, il était accompagné par JMB. Il affirme que «sans sa précieuse contribution artistique aussi bien que stylistique, ce tour de force aurait été impossible». Par ailleurs l'interprétation de *La Voix humaine* de Poulenc valut à Pierrette Alarie l'Oscar de la «Meilleure Chanteuse classique» en 1959:

> Pierrette se souvient que *La Voix humaine* fut le plus grand défi sur le plan interprétation de sa carrière. Le texte de Jean Cocteau sûrement l'inspirait mais elle n'arrivait pas à le marier à la musique de Poulenc. Ce n'est qu'après de longues et inlassables séances musicales que J.M.B. réussit à lui en faire ressortir les subtilités et l'intensité[11].

Comme au temps de son engagement avec la radio d'État, JMB, artiste libre, continue de faire campagne pour la musique canadienne[12]. Le compositeur Jean Papineau-Couture, (cf. témoignage en Annexe A), est reconnaissant au chef qui fit connaître sa musique en Europe et sut la faire comprendre aux musiciens d'ici:

> Aux alentours des années 1950, nos musiciens d'orchestre montréalais avaient grand besoin de se faire expliquer le langage des jeunes compositeurs du Québec et Jean Beaudet savait le faire avec autant de compréhension que de tact. Comme j'allais souvent aux répétitions d'orchestre entendre la préparation des œuvres de mes collègues aussi bien que des miennes j'ai souvent constaté et admiré son habileté à tout expliquer aux interprètes de cette époque.

JMB a le plus grand respect non seulement pour les compositeurs mais aussi pour les musiciens. Ce respect n'est pas feint. Pianiste accompagnateur, il met en valeur l'interprète vocal ; chef d'orchestre, il est exigeant, voire perfectionniste, (c'est là un trait essentiel de son caractère), mais reconnaissant envers les instrumentistes. Les inévitables conflits dus à l'organisation des musiciens en regroupements réclamant aux administrateurs des horaires et une rémunération plus adéquats créent des tensions et des malentendus dont il souffre sans doute, mais entament rarement sa complicité naturelle avec les membres des orchestres qu'il dirige. Une anecdote survenue au début des années 1960, racontée par le flûtiste Robert Cram, donne un aperçu de l'attention que JMB porte aux musiciens :

> *The first time that we met [JMB et lui] was backstage at a performance for CBC talent Festival in Montreal. I was getting ready to perform with the orchestra and was putting on tails for the first time in my life. I managed almost everything but was left finally with a long piece of white material – the tie itself. I have never tied any sort of bow tie. And I was a bit nervous. At that moment, as I went in desperation into the corridor from my dressing room an older gentleman (every one looked older to me at age 17) and his wife came along. It was Jean-Marie. He introduced himself and he obviously recognised my problem because he gently took the tie and did it up for me, all the while chatting with me in the most comforting way. I've never forgotten that little kindness and the delicacy with which he put me at ease and then helped me onto the stage*[13].

JMB comprend bien les jeunes artistes inquiets car il semble que lui-même ait eu le trac tout au long de sa vie. Une simple leçon le stresse, toute apparition publique est un *challenge* immense que seul le sens de la « mission accomplie » récompense. Gilles Tremblay raconte dans son témoignage (cf. Annexe A) à quel point le chef est affolé lors des répétitions de la *Turangalîla Symphonie* d'Olivier Messiaen. Oser se lancer dans une telle entreprise ! Il se traite lui-même de téméraire. Son trac est à la mesure de ses exigences. « Le souvenir qu'il me reste de Jean Beaudet, celui de toujours vouloir réaliser un chef d'œuvre », relate son élève, Monik Grenier[14] (cf. témoignage en Annexe A). Au moment d'une irradiation à la radio, une photo le présente « en manches de chemise », penché au plus près de ses musiciens. On a l'impression qu'il travaille comme un forcené pour tenter d'obtenir d'eux les résultats qu'il souhaite sans doute « les plus parfaits possible ».

Sur scène, JMB est tel que le décrit Donald Whitton, musicien retraité de l'OCNA : *"a gentleman of the old school"*. Le qualificatif n'est pas péjoratif dans la bouche de celui qui l'énonce. Le maestro ne danse pas sur scène au son des cymbales, il ne saute pas quand les cuivres tonnent, et il ne pleure pas avec les violons. Une photo officielle le représente très droit, le buste un peu arqué vers l'arrière, les bras allongés devant, le menton relevé, dominant l'ensemble. C'est une photo de studio. Elle déforme la réalité : même si JMB reste le gentleman dépeint par ceux qui l'ont connu, il bouge et transpire toute l'eau de son corps quand il dirige. Des enregistrements sur ruban kinéscopique de différentes émissions de *L'Heure du concert*[15] le montrent en train de s'éponger rapidement avec un mouchoir blanc que les cameramen n'arrivent pas à éviter en cadrant car ce mouchoir est trop souvent utilisé.

Dans le numéro d'avril 1947 de la revue *Le Film*, Léopold Houlé, un des artisans des débuts de la radio, signe un article, « Les Chefs d'orchestre à Radio-Canada », dans lequel il analyse le style de Beaudet et il mentionne alors son trac :

> Disons que les chefs habitués à diriger des orchestres symphoniques appartiennent à la hiérarchie. Leur allure se doit d'avoir quelque chose d'aristocratique [...] Jean Beaudet témoigne de cet ordre et de cette clarté qui sont le fond de l'école classique et néo-classique française. Il n'obéit pas toujours aux injonctions du parterre quand celui-ci le réclame. Il se contente de saluer, étiquette traditionnelle, et son salut a quelque chose d'une détente [...] Chez Beaudet, remarquons-le, la dextre décrit des orbes et des dessins géométriques pour répondre à ses goûts de la forme exacte et du nombre. Beaudet est un mathématicien... un mathématicien qui, avant de se rendre au lutrin, est pris d'un trac fou, de ce trac qui est pourtant le signe de la prédestination.

> Dans l'atmosphère d'intimité qui est la répétition, il reste lui-même ; ici l'autorité ne décline pas, elle veut s'affirmer. Il y a chez lui un phénomène de dédoublement artistique. Le geste, le mouvement, le masque, tout extériorise la pensée du jeune maître [...] [D]ans

l'échauffement du mouvement, il lui arrive parfois de faire le leste ; la cravate disparaît, puis c'est le veston. La température agit et il ruisselle comme tous les autres. Le souci de la correction surnage. Ne parlons pas de tempérament, c'est un nerveux[16].

Dans l'entrevue conjointe avec Neil Chotem et Roland Leduc déjà citée, JMB précisera : *"you see, my nervousness keys me up[17]"*.

Cette nervosité n'était pas apparente chez le professeur attentif à l'oreille bionique. Les témoignages concordent. Monik Grenier qui fut l'élève de JMB à l'École supérieure de musique d'Outremont dit que son professeur :

[...] possédait une oreille à toute épreuve. À l'écoute, il décelait un mauvais doigté, i.e. l'usage d'un doigt faible pour souligner un *sforzando* ou une accentuation [...] Malgré un travail acharné et à la recherche d'une certaine perfection technique, pour ce grand artiste « une interprétation musicale devient valable que si la sensibilité du musicien transmet un message[18] ».

« Sentez vos syncopes. Si vous ne les entendez pas, nous ne les entendrons pas », disait JMB à une autre de ses élèves, Jacqueline Poirier qui, devenue professeur à son tour, a tenté de perpétuer l'enseignement de son maître : « Il a transformé ma sonorité ce dont je lui suis éternellement reconnaissante » (cf. témoignage en Annexe A).

François Magnan qui fut l'élève de JMB au Conservatoire de musique de Québec raconte ses souvenirs d'étudiant :

Nous, les jeunes, nous nous sentions en sécurité : sa direction précise, les entrées indiquées au bon moment d'un geste ou d'un coup d'œil, et puis son acuité auditive exceptionnelle nous impressionnaient. Je me souviens qu'il insistait toujours sur la précision rythmique et sur la proportion exacte de durée à donner à chacune des notes, que ce soit dans un *accelerando* ou un *ritardando*. Avec Jean-Marie Beaudet, les silences avaient autant d'importance que les notes. La musique respirait[19].

Au Conservatoire de musique de Montréal dont les archives nous sont malheureusement demeurées inaccessibles et où Gilles Tremblay le connut en tant que professeur, JMB dirigeait et animait la classe d'orchestre. Pierre Mercure y fut son élève[20]. Au

Conservatoire de Québec, c'est son ancien maître, Henri Gagnon, qui est directeur en 1947 lorsque JMB y obtient un poste de professeur. Pour le Montréalais que JMB est devenu, ce travail suppose des déplacements hebdomadaires, rendus difficiles en hiver alors que les avions sont souvent déroutés vers Bagotville et que les voitures sont bloquées par la neige malgré les «chaînes» posées sur les roues arrière. Quant aux trains, ils ne voyagent entre Montréal et Québec que de nuit, et ce ne sont donc pas des professeurs très frais qui arrivent à destination…

Alice J. Duchesnay, qui fut aux premières loges, dès les débuts du Conservatoire de musique du Québec, a raconté l'histoire de cette institution à Québec. Après les difficultés de départ, les déménagements, le recrutement des professeurs, les affolements des premières représentations publiques données par les élèves, s'ensuit une période plus calme, plus ouverte à l'extérieur. Dans un chapitre intitulé «Pour une culture plus expansible (1950)[21]», Alice J. Duchesnay souligne la part de JMB dans le développement de l'institution:

> Le Conservatoire connaît ce que j'appellerais une période mondaine. [...] Pour les activités bien sûr, il fallut augmenter les auditions de notre orchestre, lequel acquit ses lettres de noblesse sous l'habile direction du Maestro Jean Beaudet. J'aime me rappeler ce concert où notre sympathique maître dirigea sur la scène du théâtre municipal, c'était le 9 juin 1951, la *Suite canadienne* de Claude Champagne, les chœurs ayant été préparés par Ria Lenssens. La salle était comble. Le public se montra chaleureux et la Presse nous gratifia du plus gracieux éloge. Jean Baudet [sic] présenta l'orchestre du Conservatoire en différents endroits de la ville et aussi à l'extérieur, répondant à l'invitation de plusieurs organismes, et toujours une assistance aussi nombreuse lui témoignait la plus flatteuse appréciation. Grand musicien, cet homme d'une culture raffinée possédait un charme personnel que n'oublieront pas ceux qui l'ont connu.

JMB est aussi professeur chez les Ursulines à Trois-Rivières. Il enseigne également pendant quelques années à l'École supérieure de musique d'Outremont dont la fondatrice et supérieure est Sœur Marie-Stéphane, femme importante dans notre histoire musicale[22].

Selon les annales de l'institution, JMB fait partie du personnel enseignant de 1945 à 1951 pour le piano, de 1946 à 1953 pour l'orgue et participe à quelques concerts donnés à l'École[23]. Des lettres adressées par JMB à Sœur Marie-Stéphane témoignent du respect qu'il éprouve envers celle dont le buste en bronze a descendu le mont Royal en même temps que l'École en 1981[24]. Déposé sur un piédestal, ce buste orne maintenant l'entrée de l'ancien pensionnat des Sœurs des Saints Noms de Jésus et de Marie sur le chemin de la côte Sainte-Catherine, devenu l'hôte de l'École Vincent-d'Indy.

Après cinq années de relative liberté après son départ de la SRC, JMB obtient en 1952 une bourse de la Société Royale qui lui permet de passer un an à Paris. À ceux qui l'interrogent sur ses projets, il répond : « Aller prendre un bain de rajeunissement en France. » Deux petits extraits de sa correspondance d'alors permettent de constater que sa fontaine de jouvence prend source dans la musique. De l'hôtel Lutétia à Paris, il écrit à Sœur Marie-Stéphane au début de février 1953 :

> Après bien des démarches infructueuses pour me trouver un logis avec piano, je me suis résigné à habiter l'hôtel et sans piano. Les prix sont vraiment prohibitifs. Et je vais travailler à un studio – quand il y en a un disponible – aussi souvent que je le puis […] Le travail marche admirablement, j'assiste à des quantités de répétitions d'orchestre et j'ai droit à tous les concerts que donnent tous les orchestres de la radio.
> […]
> J'ai plusieurs projets de concerts à la radio aussi bien qu'en public, pour le printemps. Le démarrage ici est lent et il faut être patient, d'autant plus qu'il y a pléthore de musique et de musiciens, mais je ne désespère pas d'arriver à présenter des œuvres canadiennes[25].

Un peu plus tard, dans une lettre à J. A. Ouimet de Radio-Canda, datée du 6 avril 1953, JMB raconte qu'il partage un nouvel appartement avec un colocataire, au 116 boul. Haussman, dans le 8e arrondissement, à un loyer correct. L'inconvénient du partage est grandement compensé, dit-il, par le fait qu'il a un piano à sa disposition.

Devant la « dépendance » marquée par JMB à l'endroit de la musique, une question se pose : a-t-il déjà composé ? Les archives de Pierre Beaudet ne contiennent aucune partition qui pourrait en attester. Michel Dussault rapporte que Rodolphe Mathieu[26] lui a déjà affirmé avoir entendu JMB improviser de façon remarquable dans une église parisienne. Ce qui, selon Dussault, n'est pas étonnant puisque tout élève de Marcel Dupré se devait de savoir improviser[27]. L'explication est valable. Si l'on compare les feuilles de route de Rodolphe Mathieu et de JMB, ceux-ci ont pu en effet se croiser à Paris. Cependant la première fois n'aurait pu avoir lieu qu'en 1938, alors que le petit André Mathieu commençait sa formation parisienne[28] et que JMB représentait à Paris la Société Radio-Canada. Mais alors JMB n'était plus l'étudiant de Marcel Dupré depuis au moins six ans.

Cette anecdote, si elle est véridique, vient corroborer l'hypothèse émise plus tôt sur la « dépression nerveuse » que JMB aurait eue à cette période de sa vie. Si l'ambassadeur de la société d'État s'est permis une improvisation à l'orgue dans une église parisienne en 1938 lors de ce premier retour au pays de ses études, c'est dire qu'il y avait peut-être chez lui une lutte intérieure entre l'« ancien artiste » et le « nouvel administrateur ». Au clavier de l'orgue, l'« artiste » retrouvait enfin ses marques.

———

FICTION VI
« L'École »
1951

Sœur Marie-Stéphane pinça des lèvres qu'elle avait fort minces.

Messieurs Beaudet, Pelletier et Champagne lui avaient chacun soumis un nom pour remplacer celui de l'École supérieure de musique d'Outremont qu'il fallait rebaptiser.

Monsieur Pelletier, parce qu'il dirigeait le Metropolitan Opera à New York, proposait Wagner ou Verdi. Mais son influence n'était pas aussi grande qu'il le croyait. Sœur Marie-Stéphane n'appréciait pas tellement sa vie personnelle : il aimait trop les cantatrices, et sa première épouse était voisine et amie des religieuses à Outremont. À cause de cela, Sœur Marie-Stéphane préférait l'inviter comme examinateur plutôt que comme professeur. Nuance.

Monsieur Champagne, compositeur de talent, et professeur important à l'École, avait choisi Franz Liszt.

Quant à Monsieur Beaudet, grand défenseur de la musique française, il soumettait la candidature de Vincent d'Indy.

Sœur Marie-Stéphane était indécise ; Pelletier était fougueux et enthousiaste, Champagne persuasif, mais Beaudet touchait une corde sensible.

« Vous savez, ma Sœur, nous sommes au Canada français », dit-il à la religieuse en insistant sur le mot « français ».

Après un silence, il ajouta en la regardant par-dessus ses lunettes :

« Ne m'avez-vous pas déjà dit que vous aviez assisté à l'une des conférences de Monsieur Vincent d'Indy ? »

Jean-Marie Beaudet savait pertinemment que non seulement Sœur Maris-Stéphane avait assisté à plusieurs conférences de Vincent d'Indy mais qu'elle l'admirait depuis leur toute première rencontre.

Il reprit :

« Vincent d'Indy est un comte, ma Sœur,... un comte catholique et... il aurait eu cent ans cette année. »

La supérieure, à demi conquise, répliqua pour la forme :

« Croyez-vous qu'il soit vraiment bien connu ici ? »

Le sourire fut désarmant :

«Qu'importe, avec votre École, il le sera ma Sœur.»

«Bien, dit la religieuse, je vais consulter nos Sœurs.»

Claude Champagne secoua la cendre de sa pipe et regarda Beaudet en souriant : ils savaient bien tous deux que les «consultations» de Sœur Marie-Stéphane étaient de pures façades. Elle était le «chef» et jamais aucune religieuse ne remettait en question ses propositions.

L'École porterait le nom de Vincent d'Indy, comme l'avait suggéré Monsieur Beaudet.

1953-1961

Radio-Canada, une deuxième fois

COMMENT SE FAIT-IL QU'EN 1953, résidant à Paris, sa ville de prédilection, JMB, heureux avec son piano dans l'appartement partagé, songe à retourner à Radio-Canada ? Il déborde d'énergie ? Il s'ennuie ? Il n'arrive pas à imposer la musique canadienne aux Français ? Une lettre adressée à J. Alphonse Ouimet, directeur général de la Société depuis le début de l'année courante, laisse entendre que JMB se trouve souvent impuissant dans des situations où Radio-Canada est impliquée et devrait réagir. Il est trop connu pour se débarrasser de ses attaches artistico-politiques : on le consulte et il n'a pas le pouvoir de donner une réponse autorisée. « Il ne se passe pas de semaines, je devrais dire de jours où certains problèmes ne se posent. [...] Désignez qui vous voudrez, mais que l'on sache où s'adresser quand il s'agit de radio ou de télé », écrit-il de Paris au directeur général de la SRC[1].

Cependant, au-delà de cette situation inconfortable qui lui fait souhaiter encore une fois que la Société ait un représentant officiel à Paris, on peut supposer, avec une très faible marge d'erreur, que l'avènement tout récent de la télévision en 1952 aura fortement influencé le désir de JMB de réintégrer la société-mère. Un nouvel outil de communication signifie pour lui de nouvelles possibilités de faire rayonner la musique. La création récente par Radio-Canada d'un orchestre symphonique régulier basé à Toronto peut aussi avoir fait partie de ses motivations.

La missive du 6 avril 1953, adressée à J. Alphonse Ouimet, se termine ainsi :

> Je suis disposé – devrais-je dire anxieux – à rentrer chez vous. Il ne serait pas indiqué, je crois, d'imposer mes vues et de dire ce que je veux faire. Il me semble plus logique que vous décidiez ce que vous attendez de moi et me faire une proposition, si je puis dire, concrète. À moi ensuite de l'étudier et de l'accepter si elle me convient. De toute manière la chose n'est pas – du moins en ce qui me concerne – d'une urgence extrême. Je dois rentrer fin septembre[2].

Son engagement avec la CBC/Radio-Canada lui est confirmé en octobre et ne compromettra pas sa cure de rajeunissement à Paris, aux frais de la Société Royale. Une note de service datée du 23 octobre informe JMB qu'il est engagé au tout nouveau poste de *Director of Program Planning and Production*[3]. Ce poste couvre les domaines de la radio et de la télévision. Le salaire annuel initial est de 8 500$. La nomination vaut pour une période d'essai de trois mois ; «votre nomination […] est sujette à confirmation à la fin de ce stage», lui écrit Monsieur Carter, directeur du personnel et de l'administration.

Le 10 novembre 1953, Charles Jennings[4], *Director of Programs*, annonce officiellement l'embauche de son ancien collègue et ami. Jennings a accédé au poste de directeur général des programmes détenu par Bushnell, «l'ennemi» de JMB au début de la radio. Quant à Bushnell[5], il est devenu directeur général adjoint depuis 1952. Bushnell travaille directement avec le grand patron, J. Alphonse Ouimet, que son premier métier d'ingénieur a propulsé au plus haut rang de la direction en ces temps voués aux innovations technologiques[6]. On peut ajouter pour la petite histoire qu'Adrien Pouliot qui, en tant qu'administrateur, se souciait efficacement des affaires de la Société dans la ville de Québec, est toujours membre du Bureau des Gouverneurs de la CBC/Radio-Canada, ce bureau couvrant maintenant les opérations radio et télévision.

Malgré une absence de plus de six ans, JMB n'est donc pas en territoire totalement inconnu. À un haut niveau, quelques complicités et antagonismes nés au beau temps de la radio vont se perpétuer alors qu'il va tenter à nouveau de privilégier la culture en général et la musique en particulier. Inscrire les arts dans la programmation de la télévision d'État, tout en tenant compte des exigences des amateurs de sport et d'*entertainment*, dont fait partie Mr Bushnell, grand défenseur du divertissement populaire, allait se révéler un défi important. Dès les débuts de la télévision, deux tendances s'affrontent au sein du nouveau medium, comme en témoigne ce texte où chaque mot est pesé :

> La Société a cherché à maintenir l'équilibre des émissions en présentant plusieurs spectacles de simple divertissement et des émissions de valeur plus durable. Elle a veillé à ce qu'aucune préférence ne l'emporte sur les autres ; elle a voulu assurer que les différents goûts et besoins trouvent satisfaction dans l'ensemble des émissions[7].

Malheureusement, les traces des luttes professionnelles que JMB a dû mener en tant que directeur de la production et de l'élaboration des programmes sont très rares. Presque toute l'importante documentation disponible sur son premier séjour au sein de la société d'État de 1937 à 1947, documentation maintenant introuvable, faisait partie des dossiers de Pierre Beaudet. Celui-ci avait constitué ces dossiers au cours des années 1980-1990 et avait recueilli beaucoup moins de renseignements sur les deux périodes suivantes où JMB, de nouveau, a occupé des postes-clés dans l'institution. Son imposant dossier de recherche renferme nombre de relevés officiels des concerts donnés sous la baguette de JMB avec l'orchestre de la SRC pendant ses deux autres mandats, mais les notes de service internes, si précieuses pour connaître l'évolution de la pensée politique d'une institution, y sont peu nombreuses. Mes propres recherches pour retrouver la correspondance interne manquante, à la CBC/Radio-Canada, ont été infructueuses.

D'autre part, la grande majorité des collaborateurs de JMB au cours de cette époque étant également devenue inaccessible, il a fallu, pour avoir une compréhension de ses nouvelles fonctions, consulter des sources différentes d'information, notamment les documents officiels, CBC Annual Reports-Rapports annuels de Radio-Canada[8] et des ouvrages qui se consacrent à la naissance de la télé. Quant aux publications hebdomadaires, *CBC Times* et *La Semaine à Radio-Canada*, ils renseignent sur les activités de JMB en tant que chef d'orchestre mais abordent très peu son travail d'administrateur.

À l'intérieur des rapports annuels de la société d'État dont l'année financière va du 1er avril au 31 mars, les réalisations des uns et des autres demeurent anonymes. Cependant la communication de certains faits permet d'avoir un aperçu du type d'émissions programmées et, par conséquence, de la vision et du travail qui les soutiennent.

Dans la version anglaise du rapport annuel 1955/1956, des tableaux embrassant l'ensemble des émissions des réseaux publics de la radio, aussi bien anglophone que francophone, répartissent les programmes en deux grandes catégories : ceux qui sont consacrés à la musique (*music*) et les autres (*spoken*). Les émissions de la catégorie *music* se subdivisent ainsi par ordre décroissant d'occupation des ondes : *light, classical, semi-classical, dance, variety, symphony, opera, old time, band, sacred*. La totalité représente 51,6 % du temps d'antenne. Le reste, *spoken*, comprend : *news, drama and feature, talk informative, agriculture, women's, religious, sports, children's educational, prose and poetry*, toujours dans le même ordre décroissant et compose 48,4 % des émissions. La musique est donc première maîtresse des ondes.

L'analyse des heures-télé par catégorie n'est malheureusement pas inscrite dans ce rapport qui, par contre, éclaire de façon intéressante la répartition des heures-télé produites au Canada au sein de l'institution relativement aux heures achetées au Canada, dans le privé, ou à l'étranger. Le Canada anglais assume une diffusion-télé hebdomadaire de 40 à 45 heures dont un peu plus de 55 % sont de fabrication maison tandis que, côté francophone, c'est plus de 85 % des 35 à 40 heures/semaine qui sont d'origine locale. Le même rapport souligne l'importance de « L'Heure du concert », émission à laquelle JMB fut étroitement associé :

> *The major musical achievement in television has been* L'Heure du concert, *which this year placed emphasis on full-lenght version of operas, concertos and ballets. This Montreal program, which serves both the*

English and French networks, finished its 1954-55 season with the produc-
tion last spring of Bach's "St. Matthew Passion". Seven of thirteen operas
on the programs in the 1955-56 season were given complete...

Cette série d'émissions et les «téléthéâtres», produits du côté francophone, ainsi que "Scope" et "Folio", côté anglophone, sont des lieux d'activité artistique intense. Metteurs en scène, chanteurs, musiciens, comédiens, costumiers, décorateurs, techniciens : la crème des artistes québécois et canadiens y est en ébullition créatrice. Cette effervescence, particulièrement soutenue par le public au Québec, rappelle celle des débuts de la radio et est associée également, chez les Canadiens français, à une prise de conscience nationale.

Gabriel Charpentier[9], tantôt qualifié d'organisateur, tantôt de producteur-exécutif, de conseiller artistique ou encore de réalisateur, est avec Pierre Mercure l'un des piliers de «L'Heure du concert/The Concert Hour» qui attire chaque semaine un nombre impressionnant de téléspectateurs sur les réseaux anglais et français. «Si on ne l'avait pas eu, on n'aurait pas existé» : c'est ainsi que Charpentier parle du rôle important de JMB dans la création et le maintien en ondes de «L'Heure du concert[10]». Il ne devait pas être le seul à être conscient qu'à un haut niveau, dans la hiérarchie à Radio-Canada, un homme se battait pour que la liberté d'expression des artistes créateurs soit entière et pour qu'on accorde les budgets nécessaires à leurs créations. Au cours du même entretien, il ajoute en parlant de JMB qui les appuyait en haut lieu : «[N]ous nous demandions souvent comment Jean Beaudet, avec toute sa culture, la finesse intellectuelle que nous lui connaissions, et surtout son extrême sensibilité, faisait pour survivre au sein de l'administration radio-canadienne à Ottawa.» En fait, JMB, en soutenant «L'Heure du concert», ne faisait qu'agir dans le sens de ses convictions et de sa mission. Il bénéficiait cependant de quelques retombées secondaires puisqu'il dirigea l'Orchestre de Radio-Canada au cours de plusieurs de ces émissions.

Une seconde source de documentation nous permet de jeter un regard rétrospectif sur les débuts de la télé, notamment en ce qui a trait aux choix du planificateur de la programmation. Parmi les documents qui traitent du temps des pionniers, deux articles et les extraits d'un livre retiennent l'attention ; ils apportent des points de vue différents sur les réalisations de l'époque.

John Roberts[11], dans un article concernant les politiques de diffusion de la musique de concert, s'intéresse d'abord aux débuts de la radio. Roberts y souligne l'apport de JMB en tant que premier directeur musical et aussi toute la latitude dont disposaient alors les pionniers :

> *It is essential to understand that in the early years of broadcasting and for many years after the founding of the Canadian Broadcasting Corporation, there were very few policies as such that were tied to music and other arts programming. What happened from year to year occurred as a result of the vision of the people in charge and the programming they initiated*[12].

Programmer des œuvres canadiennes en temps de guerre[13] ou commanditer les premières œuvres canadiennes pour la radio[14] furent en leur temps des mesures prises par Jean-Marie Beaudet en toute liberté. La responsabilisation des programmeurs à la radio qui semble avoir été presque totale se serait transmise, toujours selon M. Roberts, à la télévision à ses débuts. Les problèmes ne commenceront, écrit-il, que lorsque la société d'État n'aura plus la main mise sur les stations privées d'abord placées sous sa juridiction quant aux objectifs de programmation. En 1958, à la suite de pressions multiples provenant de l'entreprise privée, l'organisme régissant les stations privées et publiques de radio et de télévision deviendra le *Board of Broadcasting Governors* (*BBG*), ancêtre de la *Canadian Radio-television and Telecommunications Commission* (*CRTC*), qui apparaîtra dix ans plus tard :

> *There was a need for a new broadcasting act, but when it was introduced in 1958 the entire structure of the Canadian broadcasting system underwent a profound change [...] In short, the CBC was forced to take serious stock of the rising tide of commercialism in the Canadian broadcasting system.*

Au cours d'une conversation téléphonique, John Roberts a été à nouveau très clair au sujet de la liberté de programmation en ces temps pionniers : il n'y avait pas de politique concernant les programmes. Les différents portaient sur la place consacrée à la culture dans la grille-horaire. La suite, c'est-à-dire le choix des programmes, était sous l'entière responsabilité des programmeurs. Comment ces choix libres, ou presque libres – on peut penser que les coûts de production entraient quand même en ligne de compte dans la décision – ont-ils été perçus par la suite ?

Dès 1990, dans un chapitre intitulé *Culture on the small screen*[15], Paul Rutherford stigmatise les premiers producteurs de la télé, et à travers eux, les premiers programmeurs et producteurs au sommet de la hiérarchie radio-télé canadienne. En ce qui concerne la musique, il ne remet pas en cause la mauvaise qualité du son-télé, mais plutôt le caractère *high brow* des premiers artisans. Il s'en prend particulièrement à Pierre Mercure. En effet, ce dernier, enthousiasmé par les possibilités que la télévision lui offre pour ses émissions de «L'Heure du concert», aurait dit à un journaliste de *CBC Times*: *"TV could be an ideal concert-stage medium [...] the camera can spread the action without interruption over several sets."* Plus de trente ans après les débuts de l'émission[16], l'auteur de *When Televison was young* qualifie ce producteur d'arrogant. Ce n'est que l'écho lointain d'un malaise que l'éclosion des arts à la télé allait provoquer chez certaines personnes qui, soit préfèrent des émissions plus populaires, soit craignent que l'image supplantent «les planches», c'est-à-dire la scène. Paul Rutherford en veut non seulement à Pierre Mercure mais aussi à son contemporain, Franz Kraemer, producteur de la télévision anglophone, souvent responsable des émissions "Folio", et amateur de superproductions[17]. Rutherford dénonce les coûts exorbitants des émissions à grand déploiement. Il prend comme exemple scandaleux la version anglaise de l'opéra *Carmen*, de Bizet, version adaptée et produite par Kraemer avec une distribution de 80 personnes, plus 11 solistes, 5 danseurs, un chœur de 14 enfants et une vedette américaine dans le rôle principal. Cette émission est télédiffusée le 1er mai 1957. Elle mobilise six caméras, et occupe deux studios. Dans l'un, les chanteurs reçoivent le son d'un orchestre dirigé dans l'autre par Jean Beaudet. Un moniteur où apparaissent les chanteurs est destiné au chef d'orchestre.

Jean Vallerand, musicien et critique, n'est pas de l'avis de Rutherford.

> Dans les débuts de la télévision, on avait pensé que la musique était un mode d'expression que la radio conserverait comme une propriété exclusive, une forme de jeu qui pouvait et devait se passer de l'image. *L'Heure du concert* a démontré de façon péremptoire qu'au contraire l'image, à condition d'être la servante et non la maîtresse, contribue à rendre la musique accessible[18].

Ce n'est pas la conclusion de Paul Rutherfod qui constate, et on doit aujourd'hui lui donner raison, que *"television [...] matured as a medium of entertainment and information, not of art"*. La télé soi-disant «hiératique» a, en effet, cédé peu à peu la place à la téléréalité. Pourtant, un article paru dans *The Globe and Mail*, le mercredi 17 août 2011, témoigne d'une certaine nostalgie de la «musique sérieuse» sur les ondes de la CBC. Dans la section consacrée aux arts, le journaliste John Doyle se demande pourquoi la CBC ne peut, à l'exemple de PBS, programmer des émissions dédiées aux arts[19]. Il se souvient avec plaisir de l'époque des productions de Rhombus Media, notamment de *Crossing Bridges* qui relatait la tournée de l'orchestre du Centre national des Arts en Israël. Doyle qui avait commencé son article en citant Oscar Wilde: *"We are all in the gutter, but some of us are looking at the stars"*; le conclut ainsi: *"Can't we have a couple of hours a week to look up from the gutter at the stars? It isn't too much to ask for?"*

JMB regardait régulièrement vers les étoiles. Gabriel Charpentier, qui s'inquiétait de l'équilibre mental de l'administrateur aux prises avec la lourde organisation radio-canadienne, aurait pu deviner la recette de survivance de l'homme-orchestre. Elle n'avait guère changé avec le temps: diriger, diriger, et encore diriger.

En septembre et octobre 1953, seize représentations de *Madame Butterfly* de Puccini sont présentées par les Variétés Lyriques au Monument National: «Au pupitre le chef d'orchestre Jean Beaudet accomplit des merveilles. [...] Beaudet tient la représentation en main d'un bout à l'autre de la partition et si, le spectacle d'hier soir a passé la rampe, il en est en grande partie responsable[20].»

Par ailleurs, les publications hebdomadaires de la CBC/Radio-Canada nous informent de la présence de JMB sur les ondes de Trans-Canada et du réseau Dominion dès l'année de sa réembauche. Le 21 décembre 1953, il dirige le *Concerto pour piano,* opus 42, de Schoenberg. Le pianiste invité est Glenn Gould[21]. C'est une première pour l'œuvre de Shoenberg au Canada[22]. Le 8 février suivant, JMB est au pupitre de l'Orchestre symphonique de Radio-Canada à Toronto dans le cadre d'un festival de musique française. Au programme : *Symphonie en ut majeur* de Paul Dukas. Deux jours plus tard, cette fois à Montréal, est présenté sous sa direction le « climax » de ce festival, c'est-à-dire des extraits de *La Damnation de Faust* (Berlioz), de *Pelléas et Mélisande* (Debussy), de *Schéhérazade* (Ravel) ainsi que deux chansons de Duparc avec Suzanne Danco en vedette. C'est l'occasion pour un journaliste de *CBC Times* de faire le point sur le rapport de JMB avec la musique française :

> Beaudet is a specialist of modern French music. As a pianist he has devoted much time to it; and as a conductor he never misses a chance to present it. "Modern French music" he says, "is often considered as to be program music, and many musicians and concert-goers tend to regard it as light. This has nothing to do with quality. Debussy's La Mer and Ravel's Daphnis et Chloe suites are worth many symphonies[23].

Toujours selon les périodiques radio-canadiens, les années 1954, 1955, 1956 se poursuivent avec plusieurs concerts donnés dans le cadre de "CBC Wednesday Night" sur les ondes de Trans-Canada. On y trouve un hommage aux compositeurs tchèques, des œuvres d'Ibert, Hoffman, Saint-Saëns, Massenet etc., Ces concerts s'enchaînent sans discontinuer, parfois de façon hebdomadaire.

Gilles Lefebvre, fondateur des Jeunesses musicales du Canada, (JMC), raconte qu'en 1955, le mouvement canadien accueillait à Montréal le Congrès de la Fédération Internationale des Jeunesses musicales : « L'événement le plus marquant, fut, sans aucun doute, l'inoubliable concert de l'Orchestre national de Radio-Canada (Toronto) sous la direction de Jean-Marie Beaudet [...] Jean-Marie Beaudet nous révélait, en première, avec orchestre, à Montréal, celui qui allait devenir le pianiste canadien le plus connu au monde, le célèbre Glenn Gould. » (cf. témoignage en Annexe A)

À noter, en janvier 1956, un concert où sont donnés trois opus d'Arthur Honegger, décédé quelques mois plus tôt, et, en juillet de la même année, une œuvre de Maurice Blackburn, *Concerto en do*, jouée dans le cadre de l'émission « Concerts canadiens ». Pour cette même émission, au cours du même été, un fait à signaler : JMB ne dirigera pas mais accompagnera plutôt au piano le violoniste Noël Brunet dans *Sonate pour violon et piano* de Jean Vallerand[24].

C'est en 1955 seulement que JMB semble vraiment prêt à affronter les caméras de télévision, que ce soit au réseau franco-phone ou anglophone, quand ce ne sont pas les deux à la fois. La première émission à laquelle il participe est diffusée en anglais sur CBMT (Canadian Broadcasting Montreal Television) et CBOT (Canadian Broadcasting Ottawa Television) et en français sur CBFT (Canadian Broadcasting French Television). Il s'agit de *L'Heure espagnole* de Maurice Ravel, présentée le dimanche 6 février 1955, dans le cadre de la série "Scope[25]". Le réalisateur de l'émission est Pierre Mercure. Si les débuts de la radio furent épiques, ceux de la télévision ne le sont pas moins. En ces temps héroïques, il arrive souvent en effet que le chœur se trouve dans un lointain studio relié par moniteur à celui où dirige le chef comme c'était le cas avec le *Carmen* de Kraemer. Au cours d'émissions consacrées à la danse, il est courant que les danseurs doivent s'exécuter dans un autre local que celui de l'orchestre, ainsi que le démontre une lettre de Ludmilla Chiriaeff, danseuse, chorégraphe et fondatrice des Grands Ballets Canadiens (cf. témoignage en Annexe A).

Le comble de la complexité aura sans doute été atteint lors de la superproduction en 1959 du *Roi David* d'Honegger donnée encore une fois dans le cadre de « L'Heure du concert », et dirigée par JMB. *La Semaine à Radio-Canada* consacre quelques pages à cette émission dans son numéro daté du 24 au 30 octobre. Malgré ses dimensions respectables, le studio 42 ne pouvait recevoir l'équipe complète du *Roi David* entre ses murs. Le spectacle est donc parvenu simultanément de l'édifice de Radio-Canada, où se trouvaient les comédiens, et de Victoria Hall, où l'on avait réuni les musiciens et les chanteurs, à l'exception de Claire Duchesneau qui chantait, elle, dans l'escalier du palais de David. On imagine sans peine les difficultés de synchronisation que suppose la présentation d'un tel spectacle. Trois cents artisans avaient travaillé à la production du *Roi David* et Gabriel Charpentier, qui répète à qui veut l'entendre que ces années de création furent des années de plaisir, est cité dans la même publication hebdomadaire à propos de cette production : « Nous avons rarement rencontré équipe plus homogène et travaillant dans un aussi parfait esprit de camaraderie[26]. »

Cette émission, comme bien d'autres, est une réalisation de Pierre Mercure. Quelques années plus tôt, Mercure et Charpentier avaient collaboré, le premier pour la musique, le second pour le texte, à la composition de *Cantate pour une Joie*. L'œuvre fut interprétée pour la première fois sous les auspices de la Ligue canadienne des compositeurs, le 1er février 1956, devant public, à l'auditorium du Plateau et diffusée à cette occasion sur les ondes de Trans-Canada. Au pupitre : Jean-Marie Beaudet[27]. La soliste est Marguerite Lavergne et c'est encore elle qui sera vedette lors de la création de *Cantate pour une Joie* à la télé quelques semaines plus tard, soit le 15 mars, l'orchestre étant, cette fois, sous la baguette de Pierre Mercure[28].

À la télé, en 1955 et 1956, ainsi qu'au cours des six premiers mois de 1957, sont données quelques œuvres importantes avec JMB comme chef d'orchestre : *La Bohème* de Puccini, *Comédie sur le pont* de Martinu, *Mireille* de Gounod, *Stabat Mater* de Poulenc, *Les Contes* d'Hoffman, *L'Heure espagnole* de Ravel et, enfin, le *Carmen* anglophone, décrié par Paul Rutherford, qui semble être le dernier concert dirigé par JMB avant sa prochaine mission à l'étranger.

En très peu de temps, la télévision sera passée des premiers balbutiements à la production d'œuvres majeures d'une grande richesse artistique et d'une grande complexité technologique[29]. Art et technique, les deux aspects de la production, cheminaient de pair. J. Alphonse Ouimet dira modestement : « Il a fallu pour que la télévision prenne son départ au Canada, comme ailleurs, la foi et la persévérance d'un petit groupe d'enthousiastes dont le hasard a voulu que je fusse[30]. » Dans ce petit groupe d'enthousiastes du début se côtoyaient de manière complémentaire savants ingénieurs, physiciens, techniciens et savants artistes créateurs. JMB faisait partie des artistes créateurs qui, il est important de le mentionner, détenaient alors une grande part de pouvoir au sein de l'institution.

Puisque JMB est chargé de l'élaboration de l'ensemble des programmes et de la production, il faut mettre à son crédit la responsabilité finale de l'éclosion de toutes les émissions produites par la société d'État, sur les deux réseaux, entre 1953 et 1957. On peut cependant supposer, en ces débuts de la télévision, que JMB a concentré ses efforts sur les arts, tant dans le réseau anglophone que francophone. Les téléromans qui susciteront au Québec autant d'enthousiasme que les radio-romans l'avaient fait en leur temps, naîtront sous sa gouverne. Évidemment, l'implication de JMB est cette fois plus lointaine, et son influence doit traverser un organigramme de directeurs, de sous-directeurs et d'adjoints à tous niveaux. Dans le domaine de la production, l'homme-orchestre se comporte sûrement en administrateur plutôt qu'en créateur ; en administrateur éclairé, n'en doutons pas : ces premiers temps de la télévision, pour ceux qui les ont connus, furent également « un âge d'or ».

FICTION VII

« L'Heure du concert »
1955

Jean Beaudet se changea rapidement. Il retira le smoking noir et la chemise trempée du chef d'orchestre et prit une douche en quatrième vitesse. Il détestait ne pas avoir le temps nécessaire à sa toilette. Son goût de la perfection en toutes choses le faisait normalement s'éterniser sous le jet d'eau chaude.

Son ami Charles Jennings, promu depuis peu *Assistant controller* à la CBC, en savait quelque chose. Charles accueillait Jean régulièrement au chalet familial. Dans ce cas-là, toute la famille faisait la queue à la porte de la salle de bain en attendant que l'invité ait fini de se pomponner.

Au cours de la journée, Jennings avait laissé un message à l'hôtel, pressant son collègue, responsable de la production, de quitter Montréal et de revenir à Ottawa immédiatement.

Ce que Jennings voulait lui apprendre de la capitale, Jean-Marie le connaissait déjà par un informateur bien placé à Montréal : une bombe menaçait d'éclater à la haute direction de la Société. L'informateur, Gabriel Charpentier, l'un des piliers de « L'Heure du concert », travaillait fort pour désamorcer la bombe.

Malgré l'heure tardive, Jean-Marie prit le temps de téléphoner à Jennings : « Je sais, je sais, dit-il à son ami, mais il y a une solution possible. »

À l'autre bout du fil, Jennings se mit à rire : « Seulement une ! Jean vous me décevez. » Puis il l'informa que, le lendemain matin, les responsables de la programmation étaient convoqués à une réunion extraordinaire de l'exécutif à dix heures.

À dix heures pile, Jean-Marie entrait dans la salle de réunion, tenant à la main son porte-documents en cuir brun et rigide. Il avait la mine sérieuse, de larges plis sur le front, les sourcils froncés.

Quelques participants étaient déjà sur place. JMB vint s'asseoir directement devant son ennemi préféré depuis toujours, Mister Bushnell. Aux côtés de Bushnell se plaçait habituellement le brave colonel Landry. Quoique d'origines et de mentalités différentes, tous deux auraient pu passer pour jumeaux. Même mèche raide et courte et même petite moustache à la Hitler. Même costume et souvent même cravate. L'un attaquait, l'autre prenait des notes qu'il compilait dans des rapports interminables soigneusement étiquetés. Même figure renfrognée, ces messieurs n'étaient pas du genre à rigoler en réunion.

Au bout de la table, l'air fatigué, siégeait Alphonse Ouimet, le directeur général de la CBC/Radio-Canada depuis deux ans. Cette réunion le tracassait et un air soucieux inhabituel traversait la figure lisse de l'aimable « Alph ».

Jennings arriverait en retard, et en avait prévenu l'assemblée. De toute façon, JMB ne l'attendait pas : Jennings avait appris à déléguer depuis longtemps et ce n'est pas à lui qu'on s'en prendrait.

Ouimet donna le coup d'envoi. La séance avait été convoquée à la demande expresse de Monsieur Bushnell qu'il pria de s'expliquer.

Bushnell reprit son discours habituel sur l'importance de plaire aux téléspectateurs. Il insista sur le danger que représentait la concurrence de la télé américaine et affirma en tapant du poing sur la table que « L'Heure du concert » devait disparaître des ondes parce que cette émission coûtait cher et ne suscitait aucun intérêt chez les Canadiens. Elle devait être remplacée par quelque programme *less highbrow* et plus près des valeurs familiales canadiennes.

Jean-Marie approuva : il ne fallait surtout pas que les émissions canadiennes se fassent damer le pion par les programmes américains. D'accord aussi pour dire que la CBC devait faire la promotion des valeurs importantes aux yeux de la population canadienne.

"*Come on Jean-Marie*, dit Bushnell en l'interrompant brusquement, *don't be so polite. I know perfectly well that you don't agree with me ; there is nothing new under the sky between us. Tell me clearly what you've got in mind.*" L'attaque était directe. D'un seul élan Landry leva le nez et le stylo.

Jean-Marie répliqua en français, ce que Bushnell détestait, et il le savait bien :

« À combien estimez-vous le nombre de téléspectateurs nécessaires pour justifier la mise en ondes d'une émission ? » Bushnell ouvrit la bouche, il allait parler. Jean-Marie l'en empêcha. « Laissez-moi terminer : quand vous regardez le prix qu'un programme coûte aux contribuables, en déduisez-vous les montants qui retournent dans la communauté ? »

La réponse fut rapide.

"Oh! the mathematician rides again! Don't you ask me numbers, gentleman. Do you have any yourself?"

Du porte-documents identifié à ses initiales, JMB retira un tas de feuillets recouverts d'une écriture ronde et régulière et de tableaux aux lignes manifestement tracées sans l'aide d'une règle.

Il lut pendant de longues minutes, traduisant les mots et en interprétant le sens au fur et à mesure de sa lecture, tout en jetant de temps à autre un coup d'œil par-dessus ses lunettes pour constater l'embarras grandissant de ses vis-à-vis.

Défilèrent des relevés de parts d'audience phénoménales, à faire rougir d'envie les Américains eux-mêmes, puis la liste des salaires de tout un chacun, du simple machiniste à celui du réalisateur en passant par les gains des menuisiers, électriciens, altos, flûtistes, scripts, décorateurs, concepteurs en tous genres et employés de ménage.

Après les avoir communiqués, JMB fit glisser les tableaux jusque de l'autre côté de la table où les gens d'en face les retournèrent dans tous les sens.

Bushnell protesta : *"It's in French!"*

"Numbers are like music, it is a language in itself", fut la réponse qui provoqua un soupir exaspéré chez le vis-à-vis.

Jean-Marie retira ses lunettes et se passa la main sur les yeux.

Bushnell profita du bref répit qui lui était accordé.

"Where are these figures coming from?"

Alphonse Ouimet, jusque-là silencieux, répondit aussitôt :

"It is the result of a survey ordered by the controller department." Il ajouta dans la langue de Shakespeare qui régnait habituellement au sein de toutes les réunions de la CBC :

"Thank you, Jean-Marie. For me it is clear that we should carry on with this very popular series. Gentlemen, I must leave you, another important meeting is waiting for me. See you in a month."

Chacun ramassa ses affaires. JMB rangea les feuillets et retira de sa serviette une petite enveloppe blanche qu'il tendit à Bushnell : *"Here are two tickets for an hockey game in Montreal, a very important one, it's for you, if you wish."*

Bushnell hésitait à la fois tenté et méfiant : *"For the Stanley Cup?"*

"Yes it is!! Please accept it! I am busy conducting an opera that evening. Too bad for me!"

Le ton terriblement sincère du *"too bad for me"* fut suivi par un gros «beding-bedang»: Alphonse Ouimet venait d'échapper son porte-documents et souriait benoîtement devant ses papiers épars sur le sol. À ses pieds, invisible pour les autres membres de la réunion: un grand carton jaune sur lequel étaient inscrits le nom et le numéro de téléphone de Gabriel Charpentier. Il le ramassa discrètement sans perdre son sourire: la réunion s'était bien déroulée sans que sa complicité ait eu besoin de s'afficher; il était satisfait.

À l'autre bout de la table, Bushnell prit les billets et disparut en évitant le regard du généreux donateur.

JMB fut le dernier à quitter les lieux. Il croisa Jennings sur son chemin.

"Sorry, I couldn't make it", s'excusa Charles. *"What's the result of your meeting?"*

"Well, le problème est réglé.... *at least for now".*

"How?"

"Alph had secretly commanded statistics to Gabriel Charpentier. I spent all last night studying it."

"Convincing?"

"Gabriel worked a lot. He is very motivated and very creative. «L'Heure du concert» is his baby, you know."

"Oh! I see."

"And he has a great sense of humor. A pair of tickets for the Stanley Cup was included with his report. I gave them to Bush."

"Was he pleased?"

"I don't know, he didn't thank me."

"Sorry for you."

L'échange aimable plein de sous-entendus était également savouré par Jean-Marie et Charles.

"By the way, ajouta suavement JMB, *apparently you or someone of the controller department did order the survey."*

"Oh!... Then it must be someone."

«C'est bien ce que je pensais Charles, *have a good day!"*

Jean-Marie quitta son ami et pressa le pas. Il avait hâte de téléphoner à Gabriel Charpentier pour lui annoncer la bonne nouvelle. La

Cantate pour une Joie que Gabriel et Pierre Mercure avaient composée serait jouée à l'antenne de Radio-Canada. Dans le cadre de «L'Heure du concert/The Concert Hour», comme tous trois l'avaient souhaité. Bientôt. Dans quelques mois. En mars prochain peut-être. Il allait y voir.

1955
Intermède conjugal

« MOI, J'AI ÉPOUSÉ LA MUSIQUE. » Voilà en quels termes JMB exprime à son amie Paulette Smith sa volonté de demeurer célibataire. Au temps où il vivait à Québec, il avait permis à Paulette de venir chez lui en tout temps utiliser son piano pour répéter. Mais, comme elle l'a confié au musicologue Bertrand Guay[1], il l'avait aussi prévenue : « Si vous voulez conserver mon amitié, il ne faut pas qu'il y ait de sexe entre nous. ». Il n'est certainement pas aussi dissuasif avec toutes car une certaine Francette devient sa bonne amie alors qu'il vit encore dans la capitale provinciale. À Montréal, Clotilde Salviati qui est chef de service de l'information à Radio-Canada, lui est entièrement dévouée. Les longues heures de travail au King's Hall, où se trouvent les bureaux de Radio-Canada quand JMB est directeur régional du Québec, sont insuffisantes pour venir à bout du travail à abattre durant cette période de structuration. Salviati l'accompagne chez lui pour terminer en soirée ce qu'ils n'ont pu mener à terme durant la journée. Elle devient sa maîtresse et conserve pendant de longues années l'illusion qu'il l'épousera, espoir qu'elle ne cache pas à ses amies. Elle demeurera célibataire toute sa vie.

JMB entretient ensuite une longue et tumultueuse liaison avec Lulu, une femme mariée que la famille n'aime pas. Les raisons de ce rejet sont plutôt vagues : elle a une mauvaise influence sur lui et ne le lâche pas d'un pouce. La durée de cette liaison couvre une partie des années du premier séjour à Radio-Canada et celles qui suivent le premier départ de la radio d'État. Lulu rend sans aucun doute visite à Jean-Marie à Paris lors de son « bain de jouvence ». Peut-être a-t-elle une influence sur son retour prématuré de Vancouver où Radio-Canada l'a muté. Claire Martin[2], présentatrice à la SRC, se souvient des éclats de jalousie de la dame, même s'il n'y avait pas matière à s'inquiéter, car JMB, dit-elle, n'avait jamais un geste déplacé envers ses employé(e)s. Fort heureusement, Lulu qui avait l'habitude d'entrer à l'improviste dans n'importe quel studio de Radio-Canada – son amant n'était-il pas le directeur des programmes? – n'a pas eu connaissance de ce moment exceptionnel où JMB l'a gentiment consolée. En effet, le jour où on propose à Mme Martin de l'affecter dans un service dont elle n'apprécie pas du tout la superviseure, elle, de nature si joyeuse, fond en larmes. JMB la prend alors sur ses genoux et la rassure en lui disant: « Ne pleurez plus, ne pleurez plus, si vous n'êtes pas intéressée, vous n'irez pas[3]. »

Quant aux conquêtes que cet homme intelligent et charmant aurait faites pour mériter le titre de *womaniser* que lui décernait sa filleule ontarienne, Sarah Jennings[4], ainsi que son ami John Roberts, elles demeurent anonymes. Milieu artistique en pleine effervescence, occupation de postes de pouvoir, aimable caractère du monsieur concerné, les occasions ne devaient pas manquer. Occasions en tous genres par ailleurs. JMB s'exprimait bien avec un accent radio-canadien. Dans ses jeunes années il portait une bague sertie d'une pierre brillante, plus tard remplacée par une chevalière. Hors du travail, quand il fumait, il utilisait un long porte-cigarettes en ivoire. Il était aussi un homme extrêmement cultivé. Est-ce assez pour le croire homosexuel, selon les préjugés de l'époque? Son frère Pierre, qui n'a jamais caché sa propre homosexualité, déplorait l'hétérosexualité de son aîné. Il avait tenté de toutes les manières d'en savoir davantage sur les relations affectives de Jean-Marie mais n'avait jamais réussi à percer son secret, si secret il y avait.

Quand Jean-Marie, après une vie amoureuse qu'on suppose variée et hétérosexuelle, propose le mariage à sa cousine, Denise

Langlois ; celle-ci refuse. Denise, calme et posée, célibataire endur-cie, fait partie de la famille depuis toujours, tout comme son frère Maurice. Pourquoi échanger une amitié sans faille – ils se connais-sent et s'entendent si bien – pour un engagement dont elle ne sait pas s'il va le respecter ? Elle l'admire et l'aime depuis longtemps mais cet attachement ne l'empêche pas de vivre de façon autonome et parfaitement indépendante. Il insiste et elle finit par céder. N'ont-ils pas respectivement 47 et 43 ans ? C'est un âge raisonnable pour se marier entre gens raisonnables. Leur union est donc bénie par le Père Georges-Henri Lévesque en octobre 1955 à Champlain, ville où ils reposent maintenant tous deux.

Cette union apporte beaucoup de stabilité à Jean-Marie. Sur le plan psychologique, entendons-nous. Car il faut préciser que, même marié et heureux en ménage (on nous appelle « les conju-gaux », disait-il avec un sourire satisfait[5]), il ne cesse de bouger. En plus des hôtels liés aux déplacements professionnels ou aux rares vacances de son mari, Denise connaît des logements à Paris, à Toronto et à Ottawa. Les Beaudet reçoivent beaucoup, par plaisir et par obligation professionnelle. D'après Pierre Gravelle[6], un voi-sin et ami des Beaudet à Ottawa, Jean avait créé dans le terrain de sa demeure un jardin de roses dont il était très fier et que, on peut l'imaginer, il faisait visiter à ses invités charmés par les lieux et par leurs hôtes, par ailleurs tous deux excellents cuisiniers. Je peux moi-même témoigner de cette harmonie conjugale aux apparences exemplaires entre deux êtres qui se manifestaient un grand respect.

Cependant, il ne faut pas se méprendre. Si l'homme-orchestre a finalement épousé sa cousine Denise, il a gardé la musique comme maîtresse. Et les exigences de la maîtresse en termes de temps et de disponibilité vont bien au-delà de celles de la femme légitime. Le ménage à trois ne devait pas être simple tous les jours.

FICTION VIII
Un arrêt à Thetford
1955

Denise, telle une reine entourée de courtisans estimés, souriait, inconsciente du danger qui la menaçait.

Jean-Marie et elle avaient décidé de faire un petit voyage à Thetford-Mines pour aller saluer le père de Jean-Marie, Joseph-Eugène, qu'ils n'avaient pas revu depuis leur mariage.

Ils n'étaient pas les seuls visiteurs.

Assis par terre en demi-cercle, au pied du fauteuil où trônait, décontractée, leur nouvelle belle-sœur, quelques frères de Jean-Marie, l'œil allumé, tentaient d'en connaître un peu plus sur la vie conjugale des «jeunes» mariés. Ils étaient aux aguets, à la recherche de l'occasion idéale pour se moquer de leur cousine préférée.

Un courant électrique circula entre eux alors que, naïvement, sans réfléchir aux conséquences de ses paroles, Denise raconta qu'au cours de l'été son mari avait remis en marche son petit poêle au chalet.

«Ah bon, et il y a longtemps qu'il n'avait pas fonctionné ton petit poêle?»

«Est-ce qu'il était rouillé ton petit poêle?»

«Ne me dis pas qu'il y avait des toiles d'araignée dans ton petit poêle!»

«Et comment il s'y est pris Jean-Marie pour réchauffer ton petit poêle?»

«On ne croyait pas notre frère doué pour les travaux manuels!»

«À mon avis, il a utilisé sa baguette de chef.»

Denise rougit. Malgré l'habitude des taquineries familiales, elle s'était fait piéger.

«Ça suffit!!!» Le mari vint au secours de l'épousée.

Il sourit de toutes ses dents: «Vous êtes tous jaloux! Vous n'êtes que des jaloux!!»

Jaloux? Plutôt curieux, les beaux-frères. Dans la chambre à la *bay-window* appelée «la chambre de Charles» depuis que ce dernier y avait succombé à la tuberculose, on avait ajouté un lit simple pour recevoir le jeune couple. Tout le monde savait que Jean et Denise ne dormaient pas dans le même lit. La chambre à coucher de leur logement comportait des lits jumeaux, cela n'avait pas échappé à l'œil inquisiteur des gens de passage. Jean ronflait-il ? Denise ne pouvait-elle pas renoncer à la longue habitude de dormir seule ? La doyenne, Yvette, qui entretenait une relation privilégiée avec Denise, avait déjà officiellement déclaré les deux cousins amoureux, avant même l'annonce de leur mariage. Son opinion sur les membres de la famille ne supportait pas de réplique. Par conséquent, les curieux ou les sceptiques devaient user habilement d'humour pour tenter de cerner la réalité.

1957-1959
Premier représentant de Radio-Canada à Paris

En juin 1957, grand bouleversement dans la vie professionnelle de JMB : il est délégué à Paris pour y représenter Radio-Canada. Cette nomination soulève plusieurs questions. Est-il épuisé par ses tâches de « grand planificateur programmeur » ? Ses échappées en tant que chef d'orchestre sont-elles insuffisantes pour lui faire oublier un lourd travail administratif ? Réalise-t-il enfin un vieux rêve dont il voudrait partager la réalisation avec Denise, sa femme ? Et au-delà du questionnement concernant ses motivations, s'agit-il d'un nouveau poste créé par la Société d'État et, si tel est le cas, quelles en sont les responsabilités ? Répondre à cette dernière question relève d'un travail de détective et les indices se révèlent rares.

Les journaux sont avares de renseignements. Un article publié dans *Radiomonde et Télémonde* le 25 mai 1957, intitulé : « Monsieur Jean Beaudet devient représentant de Radio-Canada à Paris », donne essentiellement un résumé de la carrière de JMB. Comme s'il était le premier à mettre les pieds dans le bureau parisien, on ne mentionne pas le nom de celui qu'il remplace ; on ne précise pas pour autant qu'il est le premier représentant de la Société à Paris. Pierre Beaudet, dans son manuscrit, parle de la création d'un service de nouvelles à Paris, réclamé par JMB depuis deux ans auprès des autorités. Cependant Pierre n'a laissé aucun document pour corroborer ses dires. On sait par une correspondance ultérieure entre l'administration de la SRC et JMB, au moment où ce dernier va rentrer au pays à la fin de 1958, que son travail concernait les réseaux francophone et anglophone. Dans un curriculum vitæ succinct conservé dans le dossier JMB du Centre national des Arts (CNA) à Bibliothèque et Archives Canada, il est indiqué que celui-ci fut le «premier» représentant de la SRC à Paris. Par ailleurs, au cours d'une entrevue radiophonique datant de 1969, JMB explique qu'il a toujours été motivé par les *challenges*: «Quand je suis allé à Paris, par exemple, c'était l'ouverture d'une maison de la radio [Radio-Canada] à Paris[1]. »

Un seul document trouvé aux archives de Radio-Canada à Montréal vient confirmer qu'il s'agit bien d'une nouvelle fonction[2]. Les informations proviennent d'un mémoire, signé par Benoît Lafleur, directeur de la radio à Montréal, daté du 22 mai 1957 et dont le sujet est: «LIAISON PARIS-MONTRÉAL, Représentant de Radio-Canada à Paris». On y explique les difficultés de communication entre la Radio Télévision Française (RTF) et Radio-Canada et la raison d'être de la nomination d'un représentant canadien à Paris:

> La confusion entre Paris et Montréal provient de la multiplicité des demandes que notre service général des programmes et nos services spécialisés adressent à différents secteurs de la RTF.
> La nomination d'un représentant de Radio-Canada à Paris corrige heureusement cet état de choses. Aussi, il a été convenu que M. Beaudet devra être le premier informé de toute demande et de toute démarche de la part du service général des programmes de radio (M. Thibault), du service des émissions éducatives et d'affaires publiques (Revue des arts et des Lettres, Fémina, Commentaires, etc.), du service des Reportages et de la Revue de l'Actualité. [...] les demandes viendront de la télévision aussi bien que de la radio. [...] M. Beaudet a soulevé la question de la nomination éventuelle d'un correspondant de langue française en Europe qui, [...] pourrait se déplacer hors de Paris et de France chaque fois que l'actualité internationale l'exigerait[3].
> Toutes les personnes présentes ont reconnu l'importance d'un tel poste. [...] On ne peut compter sur la RTF qui exerce une censure sur tout commentaire politique diffusé par ses émetteurs. Ceci est

particulièrement vrai, pour n'en citer qu'un exemple, de la ligne de conduite du gouvernement français en Afrique du Nord.

Le poste de correspondant de langue française demandé par JMB n'est pas créé faute de financement; il le sera plus tard. Claire Saint-Georges[4], épouse de Jean Saint-Georges (délégué de Radio-Canada à Paris de 1963 à 1970[5]), accompagnait son mari en Europe avec leurs deux filles. Elle se souvient de la structure de Radio-Canada alors que le bureau situé près du rond-point des Champs-Élysées servait de plaque tournante aux reporters qui venaient du Canada pour couvrir des événements sur le continent européen. Par ailleurs, des reporters permanents ou pigistes, attachés au bureau parisien, assuraient le relais entre la France, plus particulièrement Paris, et le Canada. Si les nouvelles étaient à l'avant-plan de leur travail, la vie culturelle faisait aussi partie des sujets privilégiés. Le délégué de la SRC était en contact étroit et permanent avec les autres communautés radiophoniques d'Europe, la communauté belge étant particulièrement proche. Ses responsabilités incluaient aussi une vie mondaine intense, telle celle de diplomates à l'étranger.

JMB a dû partir à Paris avec tout l'enthousiasme nécessaire pour relever un nouveau défi. Mais certaines choses arrivent parfois un peu tard dans une vie. Ce changement de parcours a peut-être été une erreur d'aiguillage dans sa carrière. Car depuis 1938, année où pour la première fois et non la dernière, il réclame l'ouverture d'une filiale parisienne de Radio-Canada, bien de l'eau a coulé sous les ponts. Il adore toujours Paris, mais y travailler est autre chose. À cinquante ans, avec la feuille de route d'une vie professionnelle bien remplie, on ne prend pas vraiment plaisir aux mondanités, commérages, va-et-vient incessants, futilités en tous genres qui sont le lot d'un représentant étranger dans la Ville Lumière. De plus, les tâches connexes liées à son mandat sont sûrement lourdes à supporter quand on pense à la lenteur et à la complexité de l'administration française de l'époque[6].

Si les spectacles ne manquent pas dans la capitale française, l'homme-orchestre, cette fois, joue son rôle en mode mineur: il ne

fait pas de musique, il ne sert plus la musique, ou alors bien indi-
rectement. On peut imaginer, par exemple, qu'il facilite le travail
de Maryvonne Kendergi[7] qui sillonne la France à la recherche de
compositeurs français qu'elle interviewe et dont elle fait jouer les
œuvres sur les ondes de Radio-Canada. En 1958, il s'occupe aussi
sans doute du Pavillon du Canada à Bruxelles[8]. De l'amphithéâtre
de ce pavillon aux formes géométriques, tout en verre et en métal,
immense hangar inspiré du thème canadien « *man and space* », tous
les jours au cours de l'exposition, on peut entendre, grâce au
Service des transcriptions de Radio-Canada, un concert de musique canadienne avec commentaires en français, en anglais et en
flamand[9].

Mais quelle vie intenable! Expo internationale de Bruxelles,
Festival d'Édimbourg, Concerts Promenade de Londres : c'est un
programme d'administrateur-ambassadeur habitué à plus d'efficacité
cité et à plus de pouvoir. C'est surtout un agenda qui ne convient
pas à un musicien hyperactif. Il n'est pourtant pas si loin le temps
où il avait réussi à monter un orchestre avec une vingtaine de
musiciens étudiants, tous recrutés à la Maison canadienne à
Paris[10]!

Pendant que JMB s'agite en Europe, Nadia Boulanger dirige à
Montréal un concert choral de deux heures sur les ondes de Trans-
Canada, Roland Leduc entame la dixième année de diffusion de
ses *Petites Symphonies* et un nombre sans cesse croissant de chefs
d'orchestre se partagent les ondes! Bref, très vite, la vie sans
contact intime avec la musique et le manque de défis professionnels feront chercher à JMB une porte de sortie pour ce détour
pourtant désiré depuis longtemps, trop longtemps.

FICTION IX
Paris sans musique
1958

Jean décida de se rendre à l'église de la Trinité. Olivier Messiaen y était organiste depuis des années déjà. Il avait tellement envie de parler musique! De création musicale. Pas de chiffres ni d'organisation ni de budget ni de règlements. Comme si la musique était totalement immatérielle, comme si elle était cette énergie qui existe en soi, cette harmonie qui s'adresse directement à l'âme, bien au-dessus des contingences pratiques. N'est-ce-pas?

Monsieur Messiaen est absent pour une durée de deux semaines, lui répondit son remplaçant à l'orgue. Déçu, Jean repartit, marchant sans but à travers Pigalle et refusant avec un sourire les avances des prostituées. Il avait «la tête ailleurs», comme il le confia poliment à l'une d'entre elles. Il descendit vers la gare Saint-Lazare, puis vers les grands magasins, et de là à l'Opéra et au Palais Royal. Il traversa le Pont des Arts, son préféré, oh la vue de Paris du Pont des Arts! et remonta vers l'Odéon.

Il finit par entrer au café Le Carrefour, rue Monsieur-le-Prince.

La patronne à lunettes et sans âge portait une veste verte par-dessus sa veste bordeaux; les deux pièces de vêtement pendouillaient sur sa jupe de couleur indéfinie aux rayures gris foncé. Les deux poings posés sur le zinc, elle demanda à l'étranger ce qu'il désirait boire. Derrière ses lunettes aux montures de métal, ses petits yeux, gris comme les rayures de sa jupe, brillaient de curiosité. L'étranger sortit son porte-cigarettes, provoquant ainsi un instant de silence, et demanda une fine.

Le patron trônait au bout du comptoir, rond comme une barrique, coincé entre deux étagères à bouteilles. La porte des toilettes donnait directement sur la petite salle. Jean pouvait deviner le décor des lieux d'aisance: endroit où entrer dans la noirceur, l'ampoule ne s'allumant qu'une fois la porte verrouillée, système d'évacuation à la turque conçu pour acrobates agiles, plancher glissant et chasse d'eau si puissante qu'il fallait sortir en courant pour ne pas se faire arroser les pieds.

Dans le bistro tout le monde fumait cigarette sur cigarette. Et buvait verre sur verre. Et parlait, s'engueulait avec son voisin, sa voisine. Un homme entre deux âges portait son manteau sur les épaules comme s'il se fût agi de la cape d'Aristide Bruant. Il avait l'air inspiré. Une femme éméchée fixait le mur de temps à autre avec la nette intention de le remettre en place. Deux copines s'enfumaient l'une l'autre en rigolant très fort. La patronne remplissait les verres et son cerveau fonctionnait sans répit comme une caisse enregistreuse. Elle levait le coude aussi souvent que ses clients.

Un petit homme d'origine maghrébine entra sans se faire remarquer dans la fumée et le bruit. Il tirait un charriot rempli de bouquets d'herbes aromatiques : coriandre, persil, menthe. Le vendeur tenta en vain d'intéresser la compagnie à sa marchandise. Jean le regardait avec compassion. L'adrénaline qui le soutenait depuis si longtemps se dissipait dans l'ambiance de ce café, rendez-vous de quartier.

Toute la tension accumulée le lâcha et des piles de paperasses s'envolèrent devant ses yeux fermés. Des bribes de phrases, en anglais, incongrues dans ce cadre parisien, traversèrent son esprit ; elles étaient totalement dépourvues de sens. Des images se bousculèrent dans sa tête bourdonnante, départs et arrivées dans de multiples aéroports semblables, tables de réunion rondes, tables de réunion rectangulaires, politiciens affairés, collègues dont il faut se méfier, sourires des uns, sourires des autres, agendas dont les pages s'envolent comme celles des calendriers d'autrefois à l'école primaire, Denise fronçant les sourcils devant une valise ouverte, un docteur qui signe une ordonnance à la hâte, des ascenseurs silencieux, des inconnus qui lui tendent la main avec une demande dans le regard, et puis, finalement, des partitions, encore des partitions.

Jean ouvrit les yeux. Le petit homme avait quitté les lieux avec son charriot d'herbes.

Il referma les yeux. L'image très nette d'Yves Nat, avec ses cheveux raides coiffés sur le côté s'imposa immédiatement. Le professeur attentif était penché au-dessus d'une partition qu'un élève exécutait. Sur les portées du cahier de musique, Jean reconnut les premières notes de *La Cathédrale engloutie*.

Il souleva à nouveau les paupières et porta les mains à sa figure. Dans le café enfumé, nul ne prêta attention à l'homme au long porte-cigarettes essuyant ses lunettes avec un grand mouchoir blanc soigneusement repassé.

1959-1961
Premier secrétaire du Centre de musique canadienne (CMC)

APRÈS UN AN ET DEMI de vie parisienne, à l'automne de 1958, JMB revient au Canada. Il a été nommé secrétaire général[1] (*executive secretary*: le titre a plus de poids en anglais) du Centre musical canadien qui prendra le nom de Centre de musique canadienne, le 13 octobre 1973. La création d'un tel Centre est un autre de ses rêves: qu'on se rappelle son embarras à Prague, en 1946, quand il ne pouvait distribuer les partitions des œuvres canadiennes réclamées par les musiciens tchèques.

L'histoire de la nomination de JMB au poste de premier secrétaire général du tout nouveau Centre musical canadien a été racontée par Karen Kieser dans un article de *Celebration,* ouvrage collectif publié à l'occasion du 25ᵉ anniversaire du Canadian Music Centre/Centre de musique canadienne[2]:

> Carter [comptable agréé chargé de présenter un rapport de faisabilité au Conseil des Arts du Canada] concluait son rapport par cette conclusion formelle: le succès d'un tel centre reposait entièrement sur le choix d'un secrétaire général bien adapté à ses fonctions. À la réunion suivante [...] seule s'élevait encore cette condition [...] L'assemblée décida que le conseil d'administration consulterait la communauté musicale, que ses membres discuteraient entre eux, choisiraient un candidat et demanderaient l'approbation des organismes membres du Conseil de Musique. En réalité les choses ne se passèrent pas tout à fait ainsi. John Weinzweig se souvient qu'avant même que les membres du

conseil d'administration en aient été prévenus, la nomination était décidée. Sir Ernest [MacMillan] et Arnold Walter avaient pris l'affaire en mains et avaient engagé Jean-Marie Beaudet[3]. Beaudet était, en bien des manières, le candidat idéal au poste. Chef d'orchestre et pianiste canadien en renom qui avait créé bon nombre de compositions canadiennes et ancien membre du conseil d'administration du Conseil de la musique, il apportait sa présence francophone à un milieu décidément trop anglophone, trop torontois pour représenter vraiment un organisme national. Beaudet revint de Paris [...] et, le 15 novembre 1958, devint officiellement le premier secrétaire général du futur Centre de musique canadienne [...] Pour Jean-Marie Beaudet le principal objectif était l'implantation initiale du Centre et notamment de sa musicothèque et des services qu'il apporterait aux compositeurs [...] Les contacts étroits que Beaudet avait maintenus avec la Société Radio-Canada servirent le Centre de plusieurs manières. Le Service international de la S.R.C. avait offert au Centre, dès le début, la série complète de ses enregistrements de musique canadienne et la Société apporta aussi son aide à la co-production des disques CMC-Columbia[4] en assurant les répétitions et la mise en ondes préalable des œuvres choisies lors des concerts publics[5].

Cette collaboration avec la CBC avait été soigneusement préparée par JMB au moment même de son départ de Radio-Canada. De Paris, il écrivait à son supérieur radio-canadien à propos du nouvel engagement qu'il allait assumer :

> [...] *this new venture is a challenge; it may and it will, I hope, accomplish something for Canadian music, Canadian composers and artists and it is a field which, although restricted, is "down my alley". And you know that we will have to depend on the CBC's cooperation to achieve at least some of our aims*[6].

Kieser précise aussi dans son article que JMB « connut son plus grand succès dans le domaine international en affirmant la présence du Centre parmi les centres d'information musicale internationaux et auprès de l'Association internationale des bibliothèques de musique ».

Quand on consulte la correspondance du CMC des premières années[7], on a une bonne idée du travail du premier secrétaire général. Sa connaissance très étendue de la musique canadienne lui permet de ratisser le pays d'est en ouest pour inciter les compositeurs à déposer leurs partitions au nouveau Centre[8]. Il lui faut discuter des droits, trouver de façon concrète comment reproduire les manuscrits reçus, dans quel format, sur quelle sorte de papier, etc. Parfois dans un courrier, JMB interroge un musicien, en lui soulignant qu'un mouvement manque dans l'œuvre envoyée. À d'autres moments, il presse un auteur de se présenter à temps pour que sa composition puisse être acceptée par le jury qui fait les choix. C'est le cas avec Gabriel Charpentier qui n'ose pas, finira-t-il par répondre devant l'insistance polie de JMB, se mettre ainsi à nu en exhibant ses notes devant public[9]. Il le fera néanmoins, profitant, comme le lui propose JMB, du second tour du jury[10].

Quant à André Prévost, il écrit à Pierre Beaudet, dans son témoignage sur JMB (cf. Annexe A):

> J'ai été particulièrement l'objet de sa sollicitude lorsqu'en 1960, il m'invita – alors que je débutais comme compositeur – à déposer mes premières œuvres au Centre de musique canadienne. A ce moment, je poursuivais mes études à Paris auprès de Messiaen et Dutilleux et je fus très touché et encouragé par l'intérêt qu'il me manifesta.

JMB encourage les compositeurs Charpentier et Prévost, oui, mais aussi Sonia Eckart, Harry Freedman, Jean Coutland, Kelsey Jones, Barbara Portland et tant d'autres. Jean Coutland, qui lui est très reconnaissante, dit du CMC: *"I now wonder what we ever did without it*[11]*!"*

Le travail accompli pour le CMC n'empêche pas JMB de rattraper le temps perdu à Paris comme chef d'orchestre. En fait, dès qu'il rentre de France à la fin de 1958, il dirige un extrait de *La Traviata* pour les télés francophone et anglophone[12], puis au début de 1959, *Les Caprices de Marianne*, œuvre récemment créée par Henri Sauguet d'après une pièce de théâtre d'Alfred de Musset avec Pierrette Alarie en vedette. C'est aussi en 1959 qu'il se trouve à la barre musicale de l'immense bateau, *Le Roi David*, diffusé dans le cadre de « L'Heure du concert/The Concert Hour ». Sans oublier l'exécution des œuvres de cinq auteurs canadiens dont quatre québécois, le jour de la Confédération de la même année[13] et les 8 représentations de *Barbe Bleue* d'Offenbach données à la Comédie-Canadienne dans le cadre des Festivals de Montréal en août 1959. Cette opérette est mise en scène par Guy Hoffman, les décors et costumes sont de Michel Ambrogi, la chorégraphie de Michel Comte, et des comédiens-chanteurs ayant une expérience limitée de l'interprétation vocale se retrouvent sur les planches à côté de vedettes lyriques bien connues.

> Jean Beaudet dirige avec souplesse et fermeté la musique d'Offenbach dont il met dans une juste lumière toutes les intentions ironiques ou satiriques : il a une telle sûreté que les interprètes musicalement les moins expérimentés passent avec élégance à travers toutes les embûches de la partition. Le soir de la première, Jean Beaudet a, par deux reprises, remis dans le bon chemin une exécution qui risquait de se démembrer à la suite de fausses entrées ; il l'a fait avec tant de discrétion et de savoir qu'il fallait presque être du métier pour savoir que tout avait failli aller très mal[14].

La première année qui suit le retour de JMB en sol canadien se termine en décembre par la télédiffusion du ballet *Les Clowns*, sur une musique de Jean Françaix[15], dansé par la troupe de Ludmilla Chiriaeff (cf. témoignage en Annexe A) et par la télédiffusion de *La Voix humaine* de Cocteau/Poulenc, œuvre difficile dans laquelle Pierrette Alarie est magnifique. L'intégration de la musique et du texte à laquelle la participation de JMB avait été essentielle est parfaitement réussie[16]. Dans le cas de cette dernière œuvre, il s'agit d'une première en Amérique et d'une première mondiale à la télévision. Au même programme, des œuvres de Lalo.

En 1960, JMB enchaîne avec d'autres œuvres majeures : *Le Dialogue des Carmélites* de Poulenc, une première canadienne en français à la télévison, *La Bohème* de Puccini et *Pelléas et Mélisande* de Debussy. À la radio, il dirige à plus d'une reprise les dimanches après-midis dans le cadre de l'émission « Concert ».

En janvier 1961, le compositeur Clermont Pépin, directeur du Conservatoire de musique et d'art dramatique du Québec, invite à un concert JMB, alors secrétaire général du Centre musical canadien :

Votre présence serait de la plus haute importance étant donné que si la musique canadienne est arrivée à un certain degré de maturité, c'est bien grâce à votre constant dévouement [...] J'entends dire que vous quitterez bientôt le Centre [...] est-ce vrai ? Dans l'affirmative j'espère que votre successeur continuera le travail remarquable que vous avez accompli et que cela ne nous empêchera pas de vous voir à la télévision et de vous voir diriger de la musique canadienne[17].

JMB regrette de ne pouvoir accepter l'invitation car il doit s'occuper de son déménagement de Toronto à Ottawa : les remerciements des compositeurs canadiens sont sans doute gratifiants mais se sont révélés insuffisants pour le garder en place une fois le défi de la création du Centre relevé et sa mise en marche assurée.

JMB rassure cependant son correspondant : « Mon travail à Radio-Canada ne m'empêchera pas de prendre part à certaines émissions et me permettra aussi peut-être d'aider la musique, autant sinon plus que j'ai pu le faire au Centre[18] ». Ses deux dernières lettres sont datées du 30 janvier[19]. Deux jours plus tard, JMB est en poste à Radio-Canada à Ottawa. C'est John Adaskin, violoncelliste et autre grand connaisseur de la musique canadienne, qui lui succédera au CMC.

FICTION X
Trois fois passera
1960

Jean-Marie parcourait le journal d'un œil distrait. Les pages concernant les arts lui paraissaient bien minces. Presque jamais de nouvelles d'Europe. C'est par le biais des courriers d'amis qu'il avait appris la mort récente d'André Bloch, personnage célèbre du Conservatoire de Paris. De la même façon, il avait été mis au courant de la création à Cologne du dernier ouvrage de Stockhausen et il avait rêvé à *La résistible ascension d'Arturo Ui*, monté par Jean Vilar et dont lui avait parlé récemment son ami Roy Royal. Jean-Marie avait désiré son séjour à Paris, il avait souhaité son retour, et il s'ennuyait à nouveau ; une sensation d'inachèvement le tenaillait. Il avait rempli sa mission auprès des compositeurs canadiens et diriger n'était pas, et de loin, un travail à temps plein. Se pouvait-il qu'une certaine excitation, née du pouvoir, lui manquât ? Et puis il commençait à en avoir assez des tâches liées à son poste de secrétaire exécutif au Centre. Il avait passé des heures et des heures la semaine précédente à se renseigner sur une nouvelle encre susceptible d'être plus performante pour l'impression de la musique. Celle qu'on utilisait depuis le début ne satisfaisait pas ses exigences : il arrivait qu'elle fasse de petits pâtés entre les crochets des triples et quadruples croches.

Il était arrivé à l'avance à son rendez-vous. La ponctualité relevait chez lui d'une politesse élémentaire. Cette fois, la curiosité l'avait fait se dépêcher encore plus que d'habitude. L'invitation d'Eugene, surnommé Gene, dans ce restaurant où ils avaient déjà mangé ensemble plus d'une fois alors qu'il était son patron à la CBC, le surprenait. Eugene avait été un bon collègue de travail, mais n'avait jamais été un ami, même s'ils avaient tous deux en partage un goût certain pour la culture et la crainte de la voir s'effondrer au sein de la Société CBC/Radio-Canada sous le poids du lobby commercial.

"How are you Jean-Marie?" La poignée de mains et le sourire étaient francs.

Jean-Marie replia son journal tandis qu'Eugene s'installait en face de lui. Dix minutes plus tard, ils étaient tous deux plongés dans les potins et les souvenirs communs. Jean-Marie prenait grand plaisir à apprendre des nouvelles autant de ses anciens alliés que de ses anciens ennemis. Après avoir fait le tour du jardin de la mémoire et celui du jardin du temps présent, Eugene expliqua à Jean-Marie la nature de la grande difficulté à laquelle se heurtait la CBC/Radio-Canada : encore une fois la CBC pesait trop lourd et Radio-Canada pas assez. Des protestations officieuses s'élevaient contre le favoritisme évident en faveur des programmes anglophones. Bientôt la grogne atteindrait la presse et le grand public. Une autorité bicéphale ne réglerait pas le problème puisque le mandat de l'institution était de réunir les deux solitudes canadiennes. En tant que vice-président à la programmation, Eugene se sentait impuissant à remplir son mandat de façon équitable, les intérêts du public francophone lui étant trop étrangers. Y avait-t-il une solution ? Il en devenait insomniaque, et, insinua-t-il, sans l'avouer tout à fait, son propre poste était mis en jeu.

Jean-Marie l'écoutait attentivement. Au fil de l'exposé de son collègue, les suggestions affleuraient à l'esprit de Jean-Marie qui se taisait, intéressé mais prudent. Jusqu'à ce qu'il hasarde : *"But there is surely some qualified persons, competent in both cultures who can collaborate with you !"*

Eugene sauta aussitôt à pieds joints dans l'ouverture : *"I have spent nights and nights dreaming of a solution and the only person I can think of, is you."*

Jean-Marie fut surpris et demeura silencieux. Il était resté attaché à Radio-Canada qui avait été sa première et sa seule famille professionnelle. Deux fois déjà il avait quitté cette famille et l'idée de jouer à l'enfant prodigue une troisième fois lui était étrangère.

Gene lut dans les pensées de Jean-Marie.

"Don't you want to come back to your old mistress ?"

"I am more faithful than you seem to think, one mistress at a time, and my contract with the Canadian Musical Center is not over before a few months."

Ce n'était pas un problème : Eugene était prêt à attendre son sauveur, le temps nécessaire.

Puis Jean-Marie s'inquiéta d'un possible conflit avec Marcel Ouimet, directeur des programmes pour le secteur francophone. Cette nouvelle objection n'inquiéta pas davantage Eugene qui rassura Jean-Marie :

Marcel Ouimet serait consulté, les définitions de tâches distinguées de façon précise et officielle.

Jean-Marie ne s'engageait toujours pas. Il était tenté, stimulé, oui, mais pas convaincu. Il précisa que, de plus, il voulait être certain de pouvoir rester en relation étroite avec le personnel créatif de Toronto, de Montréal et de toutes les régions.

Eugene abattit alors sur la table sa dernière carte : *"Of course you would be in charge of the arts, music, dance, drama, opera..."*

Jean-Marie saisit la balle au bond : *"Only?"*

Soulagé, Eugene respira à fond. *"Of course! I will discuss this point with Alph, but I am already sure of his answer. He, also, hopes to see you again among us. Is this your last condition?"*

Jean-Marie sourit. *"I have not said yes yet... I have to think it over. My last condition is this one: I want to be free to conduct from time to time. You see music is still my 'bouée de sauvetage'."*

Gene ne comprit pas vraiment ce qu'était une «bouée de sauvetage», mais il acquiesça avec enthousiasme : il entrevoyait la possibilité de retrouver le sommeil sous peu.

1961-1969

Radio-Canada, une troisième fois
Création de l'Orchestre du
Centre national des Arts

D ANS QUELLE MESURE JMB croit-il à l'aide qu'il pourra «peut-être» apporter à la musique canadienne en revenant dans le giron de la SRC, comme il l'a annoncé à Clermont Pépin? À cette époque, le gouvernement canadien se mêle de plus en plus de programmation audio-visuelle. En 1958, la nouvelle charte qui régit la Société et les postes privés (BBG), se révèle un instrument à double tranchant. Si la nouvelle loi favorise le contenu canadien, ce qui est positif, elle accentue la concurrence entre les postes privés et la CBC/Radio-Canada, ouvrant du coup la porte, pour ceux qui savent lire entre les lignes, au règne de l'audiomat sur la culture[1]. Jennings, *controller of broadcasting*, a perdu ses illusions sur sa liberté de fonctionnaire éclairé ; il se considère systématiquement tenu éloigné des réunions de haut niveau[2]. Avec cette nouvelle charte, John Diefenbaker[3] a le nez dans ses plates-bandes. Dès 1959 sera nommé par le gouvernement conservateur un président du conseil d'administration, différent du président de la CBC/Radio-Canada. R.L. Dunsmore sera le premier à obtenir ce poste. Cette décision inquiètera le milieu de la radio et de la télévision, habitué à plus d'autonomie et de pouvoirs.

Les changements à la politique de la société d'État ne semblent pas décourager JMB qui se montre intéressé quand un ancien collègue, E.S. Hallman, dont il a déjà été le supérieur, tente de le recruter lors d'un déjeuner amical à Toronto au début d'octobre 1960. Monsieur Hallman, vice-président à la programmation, a le plus grand respect pour les qualités d'administrateur de son ancien patron et connaît ses domaines de prédilection. Pour mieux le convaincre de « re-revenir » à la CBC, il obtient, pour JMB, à la suite d'une entente négociée avec J. Alphonse Ouimet, la responsabilité première et entière de la programmation qui relève des arts : musique, danse, films, festivals. Certains documents internes font état du fait que JMB aurait aussi hérité d'une responsabilité d'un tout autre ordre : les sports. D'autres notes de service n'y font pas du tout allusion. Il se peut que JMB ait réussi à se débarrasser d'une tâche qui ne correspondait aucunement à ses champs d'intérêt[4].

Si, quelque vingt-deux ans plus tôt, au moment de choisir un premier directeur musical pour la toute nouvelle radio d'État, on se méfiait déjà des élans « tempéramentaux du musicien », au moment des discussions qui entourent la troisième embauche de JMB à Radio-Canada, on craint plus que jamais qu'il ne s'évade un peu trop dans ses activités de chef d'orchestre : l'expérience a prouvé que JMB retourne au pupitre dès qu'il le peut. Aussi, au début de 1961, le nouvel/ancien employeur de ce nouvel/ancien employé prend mille précautions quand vient le temps de rédiger les termes d'un troisième contrat. On fixe et inscrit sur papier à en-tête le nombre de concerts qu'il pourra diriger au cours d'une année : neuf. À l'intérieur de ce nombre, on précise combien de prestations devront être sous les auspices de la société d'État : six. Par conséquent, les concerts donnés « extra-muros » devront être limités à trois. En ce qui concerne les concerts-maison, le contrat prévoit que quatre seulement pourront être télédiffusés et qu'il faudra respecter la parité entre les deux réseaux. Adieu les mots de félicitations des patrons pour l'employé-modèle-ambassadeur-de-la-culture ! JMB accepte les conditions concernant les concerts-maison, mais pour les autres il propose : *"Regarding the outside engagements, we will leave this open for discussion on each case."*

Le titre décrivant sa fonction donne également lieu à certaines négociations. *"Deputy Vice-President – Programming"*, termes qui, selon JMB, conviennent bien à ses responsabilités, n'ont pas apparemment d'équivalent en français[5]. Un compromis est avancé : pour la région francophone, il serait : « Vice-Président adjoint à la Programmation » et pour le reste du Canada *"Assistant Vice-President – Programming"*. La proposition est acceptée : *"I accept the titles, both French and English, as you suggest, and I am not to quarrel over them."*

Au cours de 1961 et de 1962, on retrouve peu JMB sur les ondes. Fidèle à ses préférences musicales, il dirige des œuvres canadiennes au Festival de Montréal : Blackburn, Somers, Vallerand. À la radio il présente *Pirouette* de Blackburn et *Le Magicien* de Vallerand[6] ; et un plus tard, à la radio également, une œuvre française, *Le Martyre de saint Sébastien* de Debussy à l'occasion du centenaire de la naissance du compositeur. Le 6 janvier 1963, dans le cadre de « L'Heure du Concert », il doit diriger *La Vie parisienne* d'Offenbach, une super production avec des vedettes du monde musical et théâtral, où tous seront en costume d'époque, même le chef d'orchestre, qui reçoit la consigne de remplacer ses classiques lunettes à monture d'écaille par de petits verres cerclés d'acier ; il s'agit d'une réalisation de Pierre Mercure, dans une mise en scène de Jean Gascon[7]. Jean-Marie sera responsable des répétitions avec musiciens, chœur et chanteurs de cette prestation d'envergure, mais, victime d'une crise cardiaque, il devra être remplacé en catastrophe par Françoys Bernier[8].

Pendant quelque temps, JMB fait preuve d'une discrétion inusitée sur la scène musicale, ce qui pourrait faire croire qu'il prolonge indûment sa convalescence et va au-delà des souhaits de ses patrons qui lui ont compté ses heures de récréation. En juin 1963, il confie à Sœur Marie-Stéphane qui lui avait demandé de participer à un jury :

> Je rentre au bureau après un congé forcé de maladie et un repos ordonné par le médecin. Vous savez sans doute qu'au début de janvier j'ai fait une crise cardiaque assez sérieuse. Il y a eu rechute avec légères complications. Cependant, je crois que, maintenant, tout va marcher rondement[9].

La crise cardiaque et la rechute qui ont entraîné l'installation d'un stimulateur cardiaque ont certainement été précédées d'une longue période de fatigue, ce qui se comprend. Quand il quitte Paris à la fin de 1958 pour occuper son poste au Centre musical canadien, JMB écrit au service des ressources humaines de son employeur à Radio-Canada :

> *For your information [...] I have not taken any holidays for 1957-58, neither for 1958-1959 up to the end of october 1958. The holidays I took in April here were my 1956-57, the postponement of which had been approved before I left Toronto. [...] Although this may not enter the picture, since I have been here I have been working two Saturdays out of three.*

On sait par ailleurs qu'il ne s'écoule que 24 heures entre la fin de son contrat au Centre musical canadien et le début de son travail à la CBC/Société Radio-Canada au début de 1961. *Laborare et perseverentia* : il arrive que la devise tue son homme, ou presque.

En juin 1963, JMB l'a écrit à Sœur Marie-Stéphane : il va mieux. Quelques mois plus tard, en novembre, pour bien éprouver ses forces retrouvées, il dirige *Gianni Schicchi*, opéra de Puccini, à « L'Heure du concert », avec Napoléon Bisson en vedette. Les années 1964 et 1965 le logent à quelques reprises à la même enseigne, notamment au moment de rendre un hommage à Claude Champagne, de diriger l'opéra-ballet *Les Fêtes d'Hébé* de Rameau, et de consacrer une émission à la musique française, avec Vlado Permeluter au piano. JMB qui a beaucoup d'admiration pour Olivier Messiaen, s'attaque à l'une des plus ambitieuses exécutions musicales de sa carrière. Le 8 novembre 1964, il dirige à la radio l'orchestre symphonique de Toronto interprétant la *Turangalîla Symphonie* de ce compositeur contemporain ; il s'agit d'une première au Canada[10]. Gilles Tremblay est aux ondes Martenot de cette grande fresque en dix mouvements, véritable ode à l'amour. Grâce à lui, on sait tout le stress éprouvé par JMB pendant les répétitions d'une œuvre aussi difficile (cf. témoignage en Annexe A). Au début de 1966, JMB est encore une fois au pupitre, dans une émission dédiée à la musique française, avec des pièces de Pierné, Roussel et Milhau, dans une réalisation de Pierre Morin.

Parmi toutes ces prestations destinées aux ondes, JMB se permet, à l'automne 1964, une petite virée comme il le faisait avec Raoul Jobin, « dans le bon vieux temps ». Cette fois, avec l'Orchestre symphonique de Québec et le pianiste Michel Dussault en vedette dans le *Concerto en fa mineur* de Chopin, il parcourt la belle province, donnant des représentations à Chicoutimi, Rimouski, Saint-Georges de Beauce et Thetford-Mines[11]. Les deux artistes, tous deux originaires de cette dernière ville, y reçoivent un accueil triomphal.

Dans un tout autre registre, le 9 février 1966, il participe à l'émission « Hommage à Pierre Mercure ». Le décès accidentel en France de ce jeune compositeur qu'il apprécie beaucoup et avec qui il a maintes fois collaboré à « L'Heure du Concert » aura sans doute ravivé le mauvais souvenir de la mort de son ami Léo-Pol Morin, survenue, elle aussi, dans un accident de voiture.

Au cours de ce troisième et dernier séjour au sein de la CBC/Radio-Canada, parallèlement à ses tâches administratives et à ses échappées musicales, l'homme-orchestre consacre de nombreuses heures – mieux vaudrait écrire des jours ou des semaines – au projet fou élaboré par un certain monsieur Hamilton Southam[12], impliqué dans l'Association pour les Arts de la ville d'Ottawa. Southam, homme qui séduit par son intelligence et sa culture, a l'habileté et l'entregent d'un diplomate et s'est mis en tête de doter Ottawa d'un Centre des Arts permettant à la ville où il habite de rivaliser avec Montréal et Toronto[13]. Pour parvenir à ses fins, il doit d'abord convaincre le gouvernement libéral d'alors, ce qu'il réussit à faire à la fin de 1963. Le secrétaire d'État, Maurice Lamontagne, crée alors quatre comités consultatifs pour éclairer Southam, lui-même nommé coordonnateur du projet par le premier ministre, Lester B. Pearson. Louis Applebaum[14], qui a débuté sa carrière comme compositeur de musique à l'Office national du film du Canada, est nommé responsable du comité musique, danse et opéra.

Afin de bien comprendre le contexte musical de l'époque à Ottawa, il faut savoir qu'au moment où l'idée germe dans la tête de Hamilton Southam, l'orchestre de la *Société Philarmonique d'Ottawa*, composé d'une soixantaine de musiciens, s'est tu en 1960, après des décennies de présence dans la capitale. Depuis, les mélomanes locaux, et ils sont nombreux, doivent se contenter des concerts offerts par l'Orchestre symphonique de Montréal ou celui de Toronto en tournée dans leur ville.

Le comité mis en place par Louis Applebaum en 1964 est composé de personnalités du milieu musical : Arnold Water, directeur de la Faculté de musique de l'Université de Toronto ; Frederick Karam de l'Université d'Ottawa ; Zubin Mehta, chef de l'Orchestre symphonique de Montréal ; Gilles Lefebvre, directeur des Jeunesses musicales du Canada ; Gabriel Charpentier, compositeur ; Jyk Rasminsky, spécialisée dans les concerts pour enfants ; Jean-Marie Beaudet, assistant vice-président à la programmation de la CBC/Radio-Canada ; et Nicholas Goldschmitt, responsable des fêtes du Centenaire[15]. Les déléguées du milieu de la danse sont Celia Franca, du Ballet national, et Ludmilla Chiriaeff, des Grands Ballets Canadiens. L'opéra est représenté par Herman Geiger-Torel, directeur de la Canadian Opera Company[16].

Au cours de nombreuses réunions, ces personnes qualifiées échangent sur les possibilités et les impossibilités du mandat[17]. Les impossibilités abondent et semblent infranchissables. Jean-Marie, à qui l'impossible n'a jamais fait peur, entrevoit pour la première fois la réalisation du rêve de sa vie : mettre au monde un orchestre dont il pourra ensuite gérer la croissance. C'est un moteur puissant ; il va maintenant consacrer toutes ses énergies à faire partager sa passion et sa vision des choses aux initiateurs du projet : *"The Arts Center could not be just a building. It must have a soul; it must be a living entity, the main element of which would be the orchestra*[18]*."* D'abord pour le comité dont il fait partie, puis pour le coordonnateur en chef, JMB multiplie les documents qui jonglent avec le recrutement des musiciens, le rôle éducatif de l'orchestre, les tournées, la présence du syndicat, et élabore différentes hypothèses de budgets.

En mars 1965, il envoie une longue missive à Southam dans laquelle il propose un orchestre formé de quarante musiciens permanents employés à l'année (48 semaines) et d'une vingtaine d'autres, recrutés chez les jeunes issus des écoles de musique qui seraient également employés du CNA, cette fois sur une base annuelle de 20 à 24 semaines. JMB voudrait être prêt à l'automne 1966, avant ce qu'il appelle «la date fatidique du 1er juillet 1967», jour de la fête en l'honneur de l'anniversaire de la Confédération canadienne[19]. Une date aussi imminente paraît présomptueuse à juste titre, mais, comme JMB l'écrit aux autorités lors des rencontres de négociations et cogitations sur l'avenir du CNA, *"The creation of an orchestra is primarly an act of faith*[20]*"*.

L'automne 1966 se passe et, en 1967, JMB soumet une nouvelle proposition stimulante à Southam et à ses supérieurs de la CBC. Il s'agit d'un orchestre qui, d'une certaine manière, «appartiendrait» aux deux institutions: l'une, la CBC, que JMB n'a pas envie de quitter à cause des liens qu'il y a noués et peut-être aussi à cause du soutien logistique et financier qu'il espère en obtenir; l'autre, ce Centre national des Arts en devenir. Le 6 mars de cette année, en tant qu'*Assistant Vice-President Programming*, il adresse une note de service très officielle au président, vice-présidents à la programmation, aux *general managers* et aux directeurs de la radio tant du côté anglophone que francophone de la CBC/Radio-Canada. La note a pour titre: *"Creation of a National Orchestra"*.

Dans cette note, JMB souhaite en premier lieu que des représentants de la CBC siègent au conseil d'administration de l'orchestre du CNA, conseil lui-même différent de celui qui régit l'ensemble du Centre. Il aimerait que la première responsabilité de ce conseil d'administration bipartite soit le choix par consensus d'un directeur musical, lequel ne devrait pas être le même que le chef du nouvel orchestre. S'ensuit la description de la tâche du futur directeur musical en une dizaine de points, dont le premier: recruter un chef d'orchestre avec lequel se mettre à la recherche de musiciens. Selon cette note, la CBC n'aurait autorité que sur les programmes diffusés sur ses ondes. Il y est également indiqué que la société d'État fournirait 400 000$ des 500 000$ nécessaires pour payer les musiciens, les solistes, la location de la salle, la *music library* et autres dépenses afférentes. Plus réaliste que précédemment sur la date-butoir de la formation de l'orchestre, JMB ajoute en post-scriptum que l'automne de 1968 devrait être la date visée pour la création de l'OCNA, *"even if the Center itself is not ready"*.

Une lettre écrite antérieurement par Southam et destinée à J. Alphonse Ouimet, président de la CBC/Radio-Canada[21], précise le projet. Ce serait un orchestre symphonique appartenant aux deux institutions en tant qu'orchestre « national », qui serait logé au CNA et se produirait à la fois dans la grande salle de 2300 places et sur les ondes. En homme prudent, Southam demande à Ouimet de lui exposer clairement dans une lettre d'intention l'intérêt de la CBC à se lancer dans cette aventure. Nous ne connaissons pas la réponse de Ouimet à Southam. Cependant le budget initialement envisagé devait par la suite se révéler insuffisant. Il y eut certainement d'autres causes à l'échec de cette hypothèse d'un orchestre « national » bicéphale. Quoi qu'il en soit, le projet fit long feu. Que JMB ait tenté ce jumelage est compréhensible. L'orchestre symphonique de la CBC à Toronto a connu ses derniers jours au début de 1964 et JMB regrette que la CBC/Radio-Canada ne soit pas pourvue d'un orchestre symphonique. De plus, pendant tout ce temps de négociation et de réflexion, soit de 1964 à 1967, JMB est un employé à temps plein de la société d'État. À ce titre, il participe au comité de la musique et est en lien étroit avec le comité général qui réunit toutes les forces en cause en vue de la création du Centre.

Le 5 avril 1967, JMB postule officiellement auprès de Hamilton Southam au poste de directeur musical du futur orchestre du CNA, poste dont il a défini lui-même les responsabilités quelques semaines plus tôt dans sa note de services du 6 mars à Radio-Canada. On suppose que JMB satisfait aux conditions requises. Cependant, des exigences, peut-être inattendues pour Southam, accompagnent l'offre de services.

It is essential that I be allowed to accept some conducting engagements provided they do not interfere with my work at and for the Centre. For example, I have just been invited to conduct a few concerts – the number to be determined – for the CBC in Montreal next Fall. Rehearsals and performances are scheduled on Saturdays and Sundays when my services are not normally required at the Centre. I would like to feel free to accept such engagements, with your approval if necessary.

Southam répond quelques jours plus tard, le 11. Il accepte la candidature de JMB et lui commande, comme première tâche, une étude de faisabilité concernant la création de l'orchestre, étude destinée au conseil d'administration. Il lui propose un salaire annuel de 21 000$. D'autre part, il est entendu que JMB sera en congé officiel d'un an de la CBC, congé renouvelable, afin de préserver ses arrières au cas où le projet échouerait ou serait retardé. JMB reste attaché pendant un certain temps à la CBC. C'est pourquoi on trouvera dans sa correspondance des lettres destinées au directeur musical de l'OCNA et adressées au bureau de la CBC à Toronto. Quant à la direction d'orchestre en dehors des heures de travail pour le Centre, Southam reconnaît que: "*The proviso expressed in your letter* […] *is quite acceptable.*"

Un point important ne semble pas entièrement réglé. Il s'agit des dimensions de l'orchestre. Pendant des mois la question empoisonnera les discussions comme le ver dans la pomme. Au tout début des échanges, JMB semble favoriser un orchestre de chambre «extensible» d'une quarantaine de musiciens engagés à l'année, auquel viendrait s'ajouter une vingtaine de musiciens ayant moins d'expérience professionnelle, dont les services seraient requis une vingtaine de semaines par année. Puis le mirage d'un orchestre symphonique, tel qu'il l'imagine sous la double tutelle de la CBC et du CNA, revient dans ses souhaits. Le 6 avril 1967, au cours d'une correspondance concernant le nouveau poste de directeur musical, JMB insiste dans une lettre à Southam: "*I recommand most strongly the creation of a full-scale symphony orchestra for the National Arts Center.*" En effet, explique-t-il, un grand orchestre peut être scindé au moment des tournées, ainsi que des festivals, par exemple celui de Stratford. De plus, les dépenses entraînées par l'apport de nombreux musiciens sont largement amorties par un public plus nombreux. On n'y peut rien, dit-il, Rachmaninov ou Tchaïkovski attirent davantage que Vivaldi ou Haendel. Les mélomanes avertis d'Ottawa ne sont pas assez nombreux pour remplir la salle de 2300 places; afin d'éviter la faillite, il faut pouvoir compter sur une audience plus large et moins sélective.

Un premier jet de l'étude de faisabilité est préparé par JMB et doit être présenté au début de juin 1967 à la direction du conseil d'administration. Dans ce document, tous les calculs sont basés sur l'hypothèse d'un orchestre de 90 musiciens[22]. La rentabilité d'un orchestre de cette envergure n'est pas le seul argument qu'avance JMB quand il essaie de faire valoir son point de vue auprès de son patron. Dans une note de service adressée à Southam, le 20 octobre 1967, il discute des divergences entre Louis Applebaum et lui-même au sujet des dimensions de l'orchestre : *"While his concept might be excellent for Bach and Mozart. I feel that for modern litterature, mine is better."* JMB manifeste donc un souci marqué pour la musique « moderne » ; ce qui veut dire, entre autres choses, pour la musique canadienne contemporaine[23].

Il est possible aussi que JMB ait désiré secrètement être le directeur musical d'un orchestre symphonique d'envergure. À un certain Bob, superviseur télé à la CBC, qui le félicite pour sa nomination au CNA, JMB répond : *"I hope that all your wishes including the creation of a symphony orchestra come true."* Dans une lettre du 17 avril 1967 où il remercie Southam de lui avoir conféré le titre de directeur musical, JMB interroge encore certains termes de sa lettre d'embauche : *"do I understand that my position hinger on the board's decision to create <u>any</u> orchestra?"*

Ces tergiversations sont sur une petite échelle le reflet des remous qui agitent alors le monde politique et le monde musical à Ottawa[24]. Alors que la création d'un orchestre fait consensus, les dimensions de celui-ci provoquent des discussions animées en ville ; les journaux en sont témoins. La capitale n'a-t-elle pas déjà eu un orchestre symphonique imposant qui a pu compter sur un public nombreux et fidèle pendant des décennies ? Finalement, selon les vœux réitérés par Applebaum[25] et entérinés par Southam, JMB, en bon soldat, se rallie à la création d'un orchestre de taille « Mozart » selon les uns, « Haydyn » ou « Schubert », selon les autres, d'une quarantaine de musiciens, formation qui ne nuira pas aux orchestres symphoniques de Montréal ou de Toronto[26]. Un orchestre de cette dimension a la capacité d'interpréter à peu près tout le répertoire romantique, et des musiciens additionnels peuvent être engagés sur une base contractuelle quand certaines œuvres exigent leur présence. Les lettres d'introduction signées par Southam en décembre 1967 pour favoriser l'accueil de JMB auprès des ambassadeurs canadiens dans différents pays d'outre-mer font état d'un orchestre de plus ou moins 45 musiciens[27].

JMB est donc officiellement « prêté » par la CBC/Radio-Canada au Centre national des Arts au cours du mois d'avril 1967 et ce « prêt » durera près de vingt-quatre mois, jusqu'au printemps 1969. La dernière demande de renouvellement de Southam, demande faite tous les six mois, couvre la période d'octobre 1968 à mars 1969[28]. Pendant tout ce temps, JMB est payé par la CBC et conserve le privilège d'y retourner. Le CNA rembourse son salaire à la CBC quatre fois par année et le complète, puisque les honoraires de JMB sont plus élevés dans ses nouvelles fonctions. Même si « l'orchestre national » n'est pas créé sous la double tutelle du CNA et de la CBC/Radio-Canada, les bons contacts que JMB a entretenus depuis toujours, aux échelons supérieurs, avec certains membres bien placés à la société d'État aident à la création de l'orchestre du CNA, tout comme les relations privilégiées qu'il avait maintenues à Radio-Canada avaient été utiles quand il devint secrétaire exécutif au nouveau Centre musical canadien. On peut mentionner, entre autres bénéfices, le contrat signé entre l'OCNA et RCA Victor pour la parution d'un disque par année pendant trois ans. L'entente stipule que les disques coproduits avec le Service international de Radio-Canada seront diffusés à la radio, à travers le monde, au moyen du Service des transcriptions de la SRC, entités que JMB avait contribué à mettre sur pied toutes deux. Le premier disque, présenté en octobre 1970 lors de la fête-anniversaire de l'orchestre, comporte la symphonie *Jupiter* de Mozart, l'aria *Ombra Felice* du même auteur, et cinq chansons du canadien Harry Sommers, *Five Songs for Dark Voice*, interprétées par Maureen Forester avec l'OCNA dirigé par Mario Bernardi[29].

La connaissance des orchestres et des chefs d'orchestres nationaux et internationaux que possède JMB, son esprit à la fois visionnaire et mathématique, son expérience de haut fonctionnaire, sa modestie et son affabilité naturelles lui rallient bien des personnes de milieux différents et sont des atouts importants dans cette nouvelle aventure à la fois gratifiante et stressante. En outre, il a la foi, "*the faith*[30]". Au moment de la rédaction de l'étude de faisabilité commandée par Southam, c'est-à-dire à peine deux ou trois mois suivant le «prêt» de ses services au CNA, JMB, ayant déjà beaucoup réfléchi et étant informé de tous les aspects de la question par sa participation au comité consultatif, est en mesure d'aborder tous les points qui concernent la création de l'orchestre, qu'il s'agisse de salaire, de recrutement, de l'importance d'engager un maximum de musiciens canadiens, de la mission éducative locale, des tournées nationales et internationales, du budget ou de l'agenda. JMB propose déjà l'exécution de six concerts au cours de l'été 1969-1970[31] ainsi qu'un projet de concerts : «Série A», répertoire de pièces orchestrales avec solistes instrumentaux, et «Série B», répertoire avec chanteurs et chanteuses solistes qui fera partie des tournées à l'extérieur d'Ottawa.

Telle qu'elle a été décrite dans le cahier des charges, la première tâche du directeur musical du futur orchestre est de lui trouver un chef. Depuis toujours, les chefs d'orchestre sont des itinérants qui travaillent loin de leur lieu d'origine, là où une ville, une formation musicale, requièrent leurs services. À la fin de 1967, JMB reprend son bâton de pèlerin pour visiter l'Europe et y rencontrer des candidats éventuels. Il recherche "*a top flight conductor, preferably with an established reputation*" et espère que "*one will be signed before auditions begins in the spring but, regardless, he and two adjucators (yet un-named)[32] will travel across Canada to hear and judge promising applicants[33]*". Tout comme pour les dimensions de l'orchestre, plusieurs hypothèses sont avancées sur les qualités nécessaires au futur chef. Un critère prévaut : qu'il soit renommé, capable d'attirer des foules. Mais ce premier désir exige réflexion, car un chef vedette, trop pris pour consacrer tout son temps au nouvel orchestre, nécessitera l'embauche d'un chef adjoint moins expérimenté, responsable des prestations plus modestes. Doit-on également songer à des chefs invités occasionnels ? Finalement, il semble que la quête commence sans exigence trop précise, mettant plutôt à contribution le flair et l'expérience du directeur musical. À un journaliste qui l'interroge sur ses aspirations personnelles, JMB répond qu'il s'estimerait en conflit d'intérêts s'il devait à la fois être le directeur musical du Centre, c'est-à-dire l'administrateur en quelque sorte de la musique, et le chef de son orchestre. Mais il avoue qu'il lui plairait de diriger « à l'occasion[34] ».

Pour comprendre le « conflit d'intérêts » auquel fait allusion JMB, il faut mesurer toutes les facettes de sa tâche de directeur musical. Il est le directeur de toute la musique, (même celle des annonces publicitaires !) du Centre[35]. Ce qui inclut donc, en plus des prestations de « son » orchestre, qu'il soit sur place ou en tournée, le choix et la supervision des opéras, des musiques de ballet ou de pièces de théâtre, ainsi que des concerts des orchestres invités[36]. Si JMB avait cumulé les deux mandats, le « chef d'orchestre » plus subjectif aurait peut-être influencé certaines décisions au détriment du « directeur musical », plus objectif.

Avant son départ et au cours de ses déplacements à la recherche d'un chef, JMB entretient une correspondance soutenue avec Monsieur Southam dont les lettres révèlent un intérêt marqué pour le choix du futur maestro. Southam, qui glane des noms prestigieux auprès de personnalités en vue du monde musical international, fait quelques suggestions. Dans un rapport qui lui est destiné, JMB mentionne les noms de 31 personnes approchées dans le cadre de sa recherche, que ce soit au Canada ou à l'étranger. Ce rapport étant non daté, on ne peut en conclure qu'il s'agit d'un nombre définitif. JMB a en effet repris son agenda de super homme-orchestre. À titre d'exemple, il sera à Prague du 2 au 4 janvier 1968 et à Vienne du 4 au 6 du même mois. Auparavant il est allé à Paris, puis il passera à Londres. Il a l'intention de retourner à Paris en février 1968, comme le montre une lettre adressée à l'agence « Productions Internationales[37] », aux responsables de laquelle il demande de lui organiser des rencontres avec Eugen Jochum, Istvan Kertez, Lorin Maazal, Igor Markevitch et Wolfang Sawallisch. Il est intéressant de noter que ces rencontres parisiennes doivent avoir lieu pendant la semaine car les week-ends JMB dirige... au Canada[38].

L'adrénaline est à son meilleur et le stimulateur cardiaque semble bien fonctionner malgré quelques visites de JMB à son médecin, membre du conseil d'administration du CNA. À la même époque, une lettre à son comptable, Gaëtan Théberge, de Thetford-Mines, nous apprend qu'en septembre, octobre et novembre 1967, tout en travaillant à temps plein à Ottawa et en préparant sa tournée européenne, JMB passe pratiquement tous ses week-ends à Montréal pour y diriger les concerts gratuits donnés par Radio-Canada à la salle Claude Champagne[39].

La consultation de sa correspondance de 1967, année charnière, permet de constater que JMB continue d'avoir d'autres à-côtés : il est souvent appelé à faire partie d'un jury (dont celui du Canadian Film Awards pour la musique de films) ; il rédige des lettres de recommandation très personnalisées, par exemple l'une en faveur de Murray Schafer, l'autre de Maurice Blackburn[40], chacun ayant été informé de la demande de l'autre (tous deux obtiendront une bourse du Conseil des Arts du Canada) ; il donne des conférences et participe à des séminaires, au Canada et aux États-Unis ; il rend de petits services aux uns et aux autres, ainsi en est-il de ces boules Quies[41] qu'il réclame à Jean Saint-Georges, alors en poste à Paris, pour un ami commun qui, atteint de cancer, est devenu très sensible au bruit. En outre, JMB s'excuse d'un mot de sa main lorsqu'il ne peut se présenter à un événement auquel il est invité. Il faut cependant que l'événement en vaille la peine, car bien qu'il soit infiniment courtois, JMB ne pratique jamais l'obséquiosité des arrivistes. Dans une lettre, datée du 1er août 1967, celui-ci exprime le regret de ne pas avoir pu comparaître devant une commission sur l'enseignement des arts au Québec : « [...] un malencontreux accident m'a immobilisé. » Dans le tourbillon de cette année 1967, il n'a pas pu éviter « l'accident » dont il se méfie depuis son enfance. Un jour, il s'abîme les doigts en manipulant une tondeuse à gazon. Cette blessure aurait été sans conséquence chez la plupart des gens. Mais si Jean-Marie peut encore diriger, il ne pourra plus jamais toucher un piano[42].

Cet événement malheureux et l'avalanche de tâches et de déplacements de JMB à cette époque de sa vie inquiètent son épouse Denise qui se fait du souci pour la santé de son mari. Celle-ci l'accompagne souvent, pas seulement en vacances, mais aussi au cours de certains de ses voyages de travail. Toutefois, elle ne peut ni ne veut être toujours avec lui, le rythme de vie de Jean-Marie ne lui convenant pas. JMB qui écrivait avec tant d'assiduité et de facilité lui a sans doute adressé quelques lettres lors de ses absences. Malheureusement ses archives personnelles n'ont pu être retrouvées[43].

C'est à Londres que JMB réussit à convaincre Mario Bernardi[44] d'accepter la charge de chef d'orchestre du CNA. Bernardi y dirige l'orchestre du *Sadler's Well Opera Company*. Ce choix est-il fondé sur une intuition ou sur des affinités entre pianistes et organistes de formation? Le grand amour de JMB pour l'opéra compte-t-il dans sa décision? Evelyn Greenberg[45], qui accompagna au piano quelques vingt-cinq postulants aux postes de musiciens pour l'OCNA, à Ottawa, affirme que JMB se trompait très rarement sur la valeur d'un artiste et sur sa capacité à s'intégrer dans un nouveau milieu. Il était doué d'un mélange efficace d'intuition et d'expérience[46]. Sans doute reconnaît-il chez Mario Bernardi deux qualités très importantes à ses yeux: précision et recherche de la perfection. Avec un orchestre de quarante-cinq musiciens, nul n'a droit à l'erreur. Une fausse note, une entorse au tempo, tout s'entend.

Beaudet et Bernardi s'étaient déjà rencontrés à quelques reprises[47], notamment alors que Bernardi était répétiteur au piano pour l'opéra *Carmen* que dirigeait JMB. Au cours de l'été 1967, JMB, en compagnie de Mr Freiman, président du conseil d'administration du CNA, aborde Bernardi au Festival de Stratford, pour lui parler de l'éventualité de diriger le futur orchestre[48]. Bernardi n'y croit tout simplement pas, peut-être parce que, à l'époque, le nombre de musiciens n'est pas arrêté et que l'idée de diriger ce qu'il appelle "*a full size orchestra*", lui fait peur (cf. témoignage en Annexe A).

Bernardi, en fait, doute jusqu'à la dernière minute. Il doute fortement de la création d'un tel orchestre, puis il doute de sa propre capacité à le diriger et, enfin, il doute de son succès jusqu'au concert d'ouverture. «Je me sens aux commandes d'un gros jet et je ne sais pas s'il va décoller[49]», aurait-il dit. Quand les applaudissements enthousiastes de la salle saluent la fin du premier concert de l'OCNA, le 7 octobre 1969, JMB, qui est «le» responsable de l'embauche de Bernardi, tombe dans les bras de son *general manager*, Ken Murphy, en disant triomphalement: *"He's got them!"*, «Il les a eus!». JMB est très soulagé et Bernardi, sans doute encore plus, lui qui œuvrait dans l'insécurité la plus complète:

> *Throughout this very trying period JM was supportive and encouraging to me. He gave me a lot of confidence that I really did not deserve. I should add that although I had conducted a lot of opera, I was fairly new to the symphonic field. For instance, I had never before conducted any of the music on that first programme!! I really needed someone to give me a boost and JM was there to do it*[50].

C'est donc un risque calculé que prend JMB quand il soumet la candidature de Bernardi à Southam. Ce n'est pas la première fois que le nom du jeune maestro canadien d'origine italienne est évoqué par les deux hommes et l'histoire ne dit pas si Southam fut long à se laisser convaincre. Chose certaine, Southam continue de suggérer des rencontres exploratoires à JMB des mois après que la candidature de Bernardi fut proposée. La phrase *"Hamilton we have our conductor!"*, évoquée dans le témoignage qu'il donne à Pierre Beaudet et que Sarah Jennings cite aussi dans son livre, semble relever des heureux effets d'une mémoire qui gomme les aspérités du passé (cf. témoignage en Annexe A).

Les lettres adressées par JMB à Mario Bernardi (1967-1968-1969[51]) témoignent des qualités toutes paternelles que le vieux chef met à contribution pour calmer l'anxiété du jeune chef-qui-doute. JMB rassure Bernardi sur les horaires et le salaire, il lui facilite ses déplacements, le consulte sur tout ce qui concerne l'installation pratique des lieux, discute de la composition de l'orchestre ainsi que des caractéristiques des instruments qui doivent être achetés, pianos, celesta, harpe, orgue[52], et organise des rencontres avec les candidats et les candidates. Quand Mario Bernardi, au printemps de 1969, après un voyage mouvementé et épuisant, descend de l'avion à Montréal avec sa femme, la chanteuse Mona Kelly, et son bébé de quelques mois, c'est JMB qui les attend à l'aéroport et les conduit à Ottawa à la maison qu'il a dénichée et louée pour eux. JMB aura eu de tout temps la disponibilité nécessaire pour s'occuper des petites choses qui facilitent les grandes réalisations.

Entre le moment de l'embauche de Bernardi comme chef et son installation à Ottawa avec sa famille, JMB et lui auront eu l'occasion de collaborer à plusieurs reprises en vue de recruter les musiciens du nouvel orchestre[53]. Certaines ambiguïtés entourent ces opérations et le souvenir qui en est resté n'est pas toujours juste. Le rôle de chacun est le suivant : JMB est le principal recruteur des postulants et des postulantes. Au moment des auditions, il intervient peu, tâche de mettre le candidat ou la candidate à l'aise et discute par la suite avec le maestro ou avec le comité d'audition ou avec les deux, selon les cas[54]. Il arrive que Bernardi accompagne au piano l'instrumentiste. Soucieux d'équité dans le choix des musiciens, JMB se montre très déçu quand il apprend par le secrétaire du CNA, Pierre Gravelle, que Bernardi ne pourra pas participer à toute une série d'auditions au Canada en raison d'obligations londoniennes : « Tous les candidats, lui écrit-il alors, ont droit à la même évaluation[55]. » Une fois la décision prise, JMB s'occupe de toutes les tâches administratives, ce que Bernardi a appelé, au cours de notre entretien, *the dirty work*.

Sarah Jennings prétend dans son livre[56] que JMB n'assista pas à la rencontre très importante du futur premier violon, Prystawski, avec Bernardi à Londres, attendant plutôt les deux hommes à l'hôtel Dorchester. Il est difficile, voire impossible, d'imaginer que JMB, directeur musical de l'OCNA, n'ait pas été présent lors de l'audition du *concertmaster* qu'il avait lui-même sollicité. Au cours de notre entretien, Bernardi parla de cette audition : « [A]près l'avoir entendu, nous [JMB et lui-même] étions d'accord que le musicien était bon mais que son instrument ne l'était pas et qu'il devait être remplacé[57]. » Au cours de notre rencontre, Prystawski se souvint de la discussion qui eut lieu à l'hôtel Dorchester après l'audition, discussion au cours de laquelle JMB se montra diplomate et persuasif. Jamais Prystawski ne laissa entendre que JMB était absent au moment de l'audition[58].

Une entrevue d'Eric Nielsen avec Prystawski, donne un éclairage juste de l'événement. Le journaliste, qui documente les premiers temps de l'OCNA, dans une série consacrée à cette institution, demande au *concertmaster* de lui raconter comment s'est passé son recrutement pour le nouvel orchestre :

> *Walter Prystawski : [...] I got back to Basel about New Years and, one of the letters that was waiting for me was one from Jean-Marie Beaudet asking if I would be interested in this kind of a position, what was happening, and if I were interested then perhaps we could meet some time at my... at his convenience actually because he was traveling through Europe at the time [...]*
> *Eric Friesen : Right. And then you did meet with Jean-Marie Beaudet, shortly after that? [...]*
> *Walter Prystawski : I managed to get to London on a crucial day to meet and play for both Jean-Marie and for Mario, Mario Bernardi, which was then kind of a decisive thing. [...]*
> *Eric Friesen : Right. So you did an audition essentially for both of them?*
> *Walter Prystawski : Yes. That's right.*
> *Eric Friesen : How did it go?*
> *Walter Prystawski : Well, it was fine. They were happy[59].*

Le temps passant, on a tendance à minimiser le rôle de JMB dans l'histoire de la formation de l'orchestre et à attribuer trop de crédit à Bernardi. Certaines initiatives ont facilité ce glissement de responsabilités de l'un vers l'autre. En effet, à un moment donné, qu'on suppose être à la fin des années 1990, le Centre national des Arts décide d'accoler le terme « fondateur » à chacun des membres de l'orchestre qui ont fait partie des débuts de l'orchestre, ce qui est en soi une proposition heureuse. Ainsi, Joan Milkson est « violoniste-fondateur », Jean-Guy Brault « flûtiste-fondateur », etc. Selon cette logique, Bernardi devient « chef-fondateur ». De là à déduire qu'il est le fondateur de l'orchestre, il n'y a qu'un pas, vite franchi par quiconque n'est pas au courant de l'historique de la création de l'orchestre. Certes, c'est Bernardi qui réussit à harmoniser ces musiciens venus de différents horizons et, grâce à son travail, l'OCNA connut très tôt un grand succès. Cependant ce dernier n'a pas eu la responsabilité personnelle du choix des musiciens, même s'il y a collaboré étroitement[60]. La personne imputable devant les autorités du CNA n'était pas Mario Bernardi, mais Jean-Marie Beaudet. Au sous-sol du CNA, près des salles de répétition, des loges et du local des archives, sont alignées sur un mur les photos de tous les maestros qui ont dirigé l'orchestre jusqu'à ce jour. En tout premier, une photo de JMB sous laquelle on peut lire une notice qui ne laisse aucun doute sur sa responsabilité dans la formation de l'orchestre et sur la collaboration qui s'ensuivit avec le chef choisi :

> Jean-Marie Beaudet (1908-1971). Chef d'orchestre et administrateur musical, Directeur de la musique du CNA, 1967-1971.
> M. Beaudet, vice-président adjoint des Services de programmation de Radio-Canada, était membre d'office du Comité consultatif sur la musique, l'opéra, le ballet, de 1964 à 1965, avant d'être le premier à assumer les fonctions de Directeur musical du CNA. Intervenant clé dans la fondation de l'Orchestre du CNA, il avait rédigé un rapport de faisabilité sur la création d'un orchestre en résidence que G. Hamilton Southam, le Directeur général du CNA, avait recommandé au Conseil d'administration du CNA. En octobre 1967, le conseil a autorisé la création d'un orchestre permanent d'environ 45 musiciens et <u>donné pour mission au Directeur de la musique de recruter un chef d'orchestre et des musiciens</u> « ... c'est à M. Beaudet que l'on doit le choix heureux de Mario Bernardi pour occuper le premier les fonctions de chef d'orchestre. » (G. Hamilton Southam, 1979). Mario Bernardi et Jean-Marie Beaudet ont recruté les musiciens du nouvel orchestre au cours de l'hiver 1968-1969[61].

Cela étant, il semble que la collaboration entre JMB et Bernardi fut harmonieuse et se passa sans heurt significatif.

Au début de l'année 1969, malgré les lourdes responsabilités qui lui sont confiées au sein de l'OCNA, JMB continue à diriger régulièrement l'Orchestre de Radio-Canada qui diffuse concerts et opéras depuis la salle Claude-Champagne, comme c'était le cas en 1967 et 1968. Il ne fait toujours pas de compromis sur les pièces du répertoire proposé[62]. En mars, il dirige l'orchestre de chambre de Radio-Canada à Québec et, en mai, enregistre à Montréal avec chœur et orchestre des œuvres de Champagne, Papineau-Couture,

Mercure et Clermont Pépin en vue d'un concert de la Communauté radiophonique des programmes de langue française, diffusé le 28 septembre suivant. Au cours des étés de 1967 et 1968, JMB est aussi au pupitre de certains concerts dans la région de l'Outaouais et, à quelques reprises, à Camp Fortune[63].

Les derniers mois précédant le premier concert de l'OCNA sont extrêmement stressants ; le témoignage de Bernardi en est le reflet :

> *The launching of the NACO scheduled for the fall of 1969 appeared [...] in those summer months as nothing more than a wishful hope. Everybody, including the press, predicted that it would be a disaster. The* entire *budget of the PR department had been squandered on the opening of the center in June of that year, which meant we had no more money to advertise the fact that a bunch of local hopefuls were trying to form an orchestra – The theatre department had completely failed – The director of the French theatre had been fired[64]. All fingers were pointing at Hamilton Southam as the perpetrator of a gigantic hoax on the tax payers of Canada [...] Everything rested on making a success of the orchestra.*

À l'anxiété causée par les débuts difficiles du théâtre, les déboires financiers de l'entreprise et la mauvaise volonté de la presse qui s'amuse à jouer les prophètes de malheur[65], s'ajoute, pour JMB, l'angoisse créée par la disparité des musiciens. Ces artistes n'ont en commun que d'avoir été choisis et acceptés par deux personnes et d'avoir parfois participé aux mêmes concerts au hasard de leurs liens avec tel ou tel orchestre. Le directeur musical s'inquiète et doute de la pertinence de ses choix. Il se tourmente, car même s'il excelle en tant qu'« accordeur d'égos », JMB ne peut s'empêcher de s'interroger sur la subtile harmonisation à installer entre toutes ces personnalités[66]. Le fameux trac qui le tenaille avant chaque prestation est multiplié par quarante et davantage quand il songe aux concerts à venir.

Cette inquiétude, JMB ne la laissera jamais voir aux musiciens. Quand les répétitions prennent place en septembre 1969, il demande aux uns et aux autres de venir le visiter à son bureau. Comme me l'a raconté Prystawski au cours de notre entretien, la question rituelle est : « Est-ce que tout va bien ? » Le souci du bien-être des artistes était (et l'est redevenu après quelques années difficiles) la règle d'or de l'éthique des pionniers de l'OCNA.

Autre sujet de grand stress : malgré l'ouverture officielle du CNA en grande pompe au mois de juin, un mois plus tard, en juillet, pas un seul billet n'est vendu pour le premier concert de l'orchestre prévu au début d'octobre. Ken Murphy, *manager* de l'orchestre, suggère alors à JMB le nom d'Evelyn Greenberg pour faire bouger les choses[67]. Evelyn Greenberg qui participe au festival de la CBC à Camp Fortune est assise au piano, ce jour de juillet 1969, quand, d'un pas résolu, pointant un long index vers elle, JMB vêtu de blanc, fend la foule en s'exclamant : "You! You are the one!!"

Elle est celle qui va prendre en main la vente des billets pour le premier concert de l'orchestre. JMB sait être persuasif, car dès le lendemain, semblables aux « *belles-sœurs* » de Michel Tremblay qui avaient commencé à coller des timbres dans leur cuisine l'année précédente, cinq amies invitées par Madame Greenberg se réunissent dans sa cuisine pour élaborer un plan formidable. Il faut exploiter ce nouvel outil qu'est la carte de crédit. Peu après, Southam accorde un local à Madame Greenberg, chacune des cinq amies en recrute dix autres qui en font autant, et ainsi de suite. Ces dames font si bien que, en dépit des prédictions catastrophiques, et grâce aux possibilités offertes par le nouveau mode de paiement, la salle est remplie le soir du 7 octobre 1969. Evelyn Greenberg fonde alors l'Association de l'Orchestre du Centre national des Arts, groupe de bénévoles qui secondera l'OCNA dans ses activités sociales et dont elle sera la présidente pendant quelques années.

"*The rest is history*", écrira Bernardi dans son témoignage en parlant de l'après-premier-concert. Oui, le reste appartient à l'histoire. Le premier succès de l'orchestre est suivi de nombreux autres. Le soin que Jean-Marie Beaudet et Mario Bernardi ont mis à choisir leurs musiciens est tel que, très tôt, l'harmonie souhaitée règne ; il y a bien quelques départs la première année, car Bernardi est très exigeant. Cependant l'orchestre assume rapidement son mandat éducatif, entreprend des tournées plus tôt que prévu[68] et permet probablement au CNA de survivre tout en compensant discrètement les performances économiques de ses autres secteurs.

Certes, il y a quelques accrocs au parcours presque parfait. La série de concerts «B» suggérée par JMB met plus de temps que prévu à fidéliser un public. On reproche à l'équipe, lors d'un concert dirigé par Roland Leduc, la venue prématurée d'un chef «étranger» alors que les musiciens en sont encore à s'accorder entre eux. La pièce *Évanescence* composée par le jeune André Prévost et dédiée à Jean-Marie Beaudet, est reçue de façon contrastée, adorée par les initiés, supportée poliment par les autres[69], etc.

Les journaux n'ont de cesse dans l'année qui suit la création de l'orchestre de louanger son chef Mario Bernardi et ses musiciens, et d'apprécier le programme musical élaboré par JMB en collaboration avec le maestro[70]. Dès la première année, deux œuvres sont commandées à des musiciens canadiens par le directeur musical. La pièce brève d'Adaskin, *Diversion for orchestra*, est jouée en première le soir du concert inaugural, le 7 octobre[71] et *Orphée*, de Gabriel Charpentier, est donné le 10 juin dans la salle de 300 places[72].

En 2004, pour les 35 ans du CNA, une exposition est organisée par Gerry Grace, alors archiviste de l'institution. À cette occasion, Southam prononce une allocution mémorable au cours de laquelle il attribue la paternité de l'orchestre à Louis Applebaum. Il ajoute que si Applebaum a été le père de l'OCNA, Jean-Marie Beaudet en a été la mère[73]. L'expression est juste. JMB, qui n'a jamais eu d'enfants, a déjà fait référence à cet orchestre comme étant «son bébé[74]». Il a également confié que, s'il n'avait accompli «que ça» dans sa vie, il en aurait été satisfait. Quand on connaît ses exigences d'ultra-perfectionniste, sa remarque a encore plus de poids.

La correspondance professionnelle quotidienne de JMB s'interrompt subitement le 16 octobre, neuf jours après le concert inaugural. JMB écrit alors au comédien Paul Hébert, concitoyen natif de Thetford-Mines, qui fait partie du Conseil d'administration du Centre national des Arts, pour le féliciter, avec un retard dont il s'excuse, de sa nomination en tant que directeur du Conservatoire d'Art dramatique de la province de Québec. Le dimanche 19 octobre, la radio de Radio-Canada diffuse le premier concert de la série

«Opéras-Concerts»: *Manon* de Massenet dirigé par JMB à la salle Claude Champagne la semaine précédente, soit le 12 octobre. Le 21 octobre, *The Montreal Star* publie un communiqué de presse dans lequel le directeur musical de l'OCNA, Jean-Marie Beaudet, annonce la première tournée de l'orchestre à avoir lieu en territoire québécois.

On est toujours en octobre quand, en route pour le bureau, Jean-Marie se plaint d'une grande fatigue à Pierre Gravelle avec qui il fait le trajet. Au cours de l'après-midi, Jean-Marie s'effondre sur son bureau: rupture d'anévrisme. Après un long séjour à l'hôpital, il rentre chez lui, mais ne retourne pas au travail. En décembre, sa femme Denise et lui partent pour le sud de la France, comme ils le font souvent au cours de la période des Fêtes. JMB a été invité par Jack Bornoff, le secrétaire exécutif du Conseil international de la musique, à un colloque tenu à Cannes. Au cours du colloque, quatre groupes de discussion doivent aborder les problèmes liés à la «promotion de la Musique classique et contemporaine dans le monde moderne». Yehudi Menuhin, président du Conseil, souhaite que JMB intervienne le 17 janvier sur un point précis au cours des sessions de l'après-midi[75]. À l'époque, je vis à Paris. Par courrier, le 17 janvier 1970 précisément, Jean-Marie décommande une visite qu'il devait me faire plus tard dans le mois: il est à nouveau alité, cette fois à cause de troubles cardiaques. Il remet sa visite au printemps «si on [l]e laisse venir[76]!!!»

Dans les annales du CNA, un compte-rendu de réunion plénière datant du début de mars 1970 fait état du mot de bienvenue adressé par Southam à JMB qui reprend le travail après une longue convalescence. Quelques lettres et notes de service plus tard, c'est à nouveau le silence.

Pendant que Ken Murphy se débat avec l'administration et Bernardi avec la programmation, JMB essaie, en vain, de recouvrer la santé. Au premier anniversaire du concert inaugural, Evelyn Greenberg, fidèle à ses engagements, organise une grande fête. Une précieuse photo publiée dans *The Ottawa Citizen*, le 8 octobre 1970, montre un JMB amaigri mais souriant, ouvrant les bras à un Hamilton Southam tout aussi souriant et chaleureux. L'article qui accompagne la photo raconte que Southam chargea JMB de couper les parts de l'immense gâteau d'anniversaire.

Et c'est tout. Les membres de sa famille qui visitèrent Jean-Marie Beaudet pendant les derniers mois de sa vie se souviennent d'un homme affaibli, parfois triste, généralement serein, qui suit sur ses partitions les diffusions de l'opéra les samedis après-midis en battant la mesure. De temps à autre, inquiet, il enfile son paletot pour, dit-il, aller travailler au bureau où des tâches urgentes l'attendent. Il meurt dans son lit, le 19 mars 1971, d'une seconde rupture d'anévrisme. Il a soixante-trois ans. C'est tôt, mais il a vécu les vies multiples d'un homme-orchestre, l'équivalent d'au moins trois fois soixante-trois années.

FICTION XI
À la défense de l'OCNA
1969

Jean fit son entrée dans la salle de conférences.

Cette causerie qu'il adressait aux membres du Conseil canadien de la musique allait faire des vagues, aussi bien dans les médias qu'au sein de son propre conseil d'administration et auprès des membres des gouvernements municipal et fédéral ; il ne l'ignorait pas. L'orchestre du Centre national des Arts était devenu LE sujet des conversations et des discussions dans la ville d'Ottawa.

Jean avait l'habitude de ces apparitions publiques où le messager compte presque autant que le message. Son assurance serait le meilleur rempart contre les inquiétudes savamment entretenues par la presse.

«Monsieur le Président, chers collègues et amis. On m'a demandé de présenter la politique du CNA en quelques minutes. Je crains de ne pas pouvoir lui rendre justice dans le temps alloué et cela me rappelle les temps héroïques de la radio en direct où, à cause de l'horloge qui égrenait inexorablement les minutes face à nous, les mouvements symphoniques qui étaient indiqués rondo allegro devenaient... *prestissimo* et même *il piu furioso possible*[77].»

La salle éclata de rire, soulagée : l'humour de ce conférencier brillant rassurait. Jean-Marie poursuivit en anglais. Pour les archives du CNA, il écrivait ses conférences dans la langue de Shakespeare, mais s'accordait le plaisir de voguer d'une langue à l'autre devant son public et de changer parfois la teneur de ses propos : liberté minuscule dans un océan de contraintes. Aujourd'hui, encore une fois, il devrait se justifier et justifier la politique du Centre, en utilisant ses talents de diplomate pour faire avaler quelques couleuvres à son auditoire spécialisé.

Tout d'abord, le directeur de la musique au nouveau Centre national des Arts voulait faire accepter à l'assemblée que le programme musical prévu pour la prochaine année n'était pas coulé dans le béton. Il voulait jouer ce programme à venir *by ear*, «à l'oreille». Certaines œuvres, bien sûr, étaient déjà choisies, mais il voulait se garder la possibilité de s'ajuster aux réactions du public.

Ce point clarifié avec aisance, Jean entama la longue partie sur le modèle défensif qu'il exécrait. Expliquer que Mario Bernardi, le maestro, était canadien et non italien, que tous deux s'entendaient bien et n'étaient pas en rivalité, que la plupart des musiciens, d'où qu'ils viennent, avaient déjà la feuille d'érable comme emblème, que le Centre avait commandé des créations à des artistes canadiens, notamment aux compositeurs Murray Adaskin et Gabriel Charpentier, que la fosse sur la scène de la petite salle n'avait pas été construite POUR *Orphée* de Charpentier, mais que, au contraire, elle avait inspiré le compositeur, qu'enfin si Roland Petit et Xénakis, tous deux étrangers, étaient invités à participer au spectacle de l'ouverture du Centre en juin, ce n'était pas par mépris pour les artistes locaux, comme l'avait titré récemment un certain journal d'Ottawa, mais parce que le Centre était à vocation internationale.

«Peut-on imaginer que le festival d'Édimbourg aurait la renommée internationale qu'on lui connaît, s'il s'était contenté d'accueillir exclusivement ou presqu'exclusivement de la musique écossaise[78]?»

C'était une bonne entrée en matière pour aborder un point plus délicat. Jean expliqua sans détour que, contrairement à la croyance populaire, l'OCNA n'était pas branché sur une corne d'abondance et ne jouissait pas de fonds financiers illimités. Il lui faudrait remplir la salle de 2300 places pour survivre. Il ne lui fut pas difficile de communiquer à l'auditoire sa propre angoisse. Depuis des semaines, Jean s'inquiétait en pensant à cette petite ville qui jouait, avec sa très active participation, il faut le dire, à la grenouille qui voulait devenir un bœuf. Comment, dans un contexte d'équilibre financier précaire, donner à un public à qui on veut plaire pour le fidéliser des œuvres contemporaines que seuls les mélomanes avertis peuvent apprécier? La réponse était dans un habile compromis, il le savait.

Comme au cours de ses prestations en tant que chef d'orchestre, sa chemise blanche se trempa quand il dut prévenir l'auditoire du Conseil – Conseil où il avait travaillé dans une vie antérieure – qu'il devrait mettre la pédale douce au moment de programmer des compositeurs canadiens, compositeurs qu'il avait pourtant eu à cœur de faire connaître. Il demandait à son auditoire de lui faire aveuglément confiance, ni plus ni moins: il allait jouer et même rejouer des auteurs canadiens, mais il serait celui qui décide du dosage idéal.

«Surprogrammer de la musique canadienne sans discernement peut faire plus de mal que de bien. Il y a des chefs d'orchestre canadiens qui pourraient vous montrer leurs blessures pour le prouver[79]. »

Était-il allé trop loin? Quelle serait la réaction dans la salle? L'OCNA ne pouvait se permettre avant même sa naissance officielle d'avoir le Conseil canadien de la musique à dos. Que de patinage!

"Ladies and Gentlemen, my time is up. I have agreed to try to answer your questions. I am at your mercy[80]."

Il y eut un silence, puis des applaudissements. À nouveau un silence.

« Pas de questions, *no questions?* » Silence.

Puis du fond de la salle, une voix admirative s'éleva:

«Le Centre national des Arts a beaucoup de chance d'avoir Jean-Marie Beaudet comme directeur musical! *Nobody else could be trusted in such an adventure without any questions!*»

C'était gagné!!

RÊVE 3

J'ai encore rêvé à Jean la nuit dernière.

J'étais à la campagne, quelque part dans les champs, probablement derrière la maison de mon grand-père à Thetford-Mines, en haut de la butte qui domine toute la ville. Le temps était clair, on voyait bien au-delà des tas de scories de la paroisse Saint-Maurice. Couchée sur le sol, menton dans les mains, je distinguais comme en survol toute la région, les villages de Black Lake et de Disraëli et même le lac à la Truite et ses environs.

Ce devait être l'été parce que le soleil était agréable et réconfortant. Ça sentait bon la terre.

J'attendais Jean. Je ne l'avais pas vu depuis longtemps, peut-être était-il en voyage. Nous avions rendez-vous.

Comme au cinéma, tout à coup, ellipse et changement de plan : il était là, devant moi, chevauchant La Mode, cette noble et placide bête qui secouait nonchalamment sa crinière grise.

À la fois distant et détendu, ses manches de chemise relevées jusqu'aux coudes, il me regardait avec ses bons yeux moqueurs.

Il me parlait ; je ne l'entendais pas.

Est-ce sur ses lèvres ou dans ses yeux que je lus un « Mission accomplie ! » pendant que La Mode se penchait pour croquer la pomme que je tenais à la main ?

Merci pour la visite, Maestro !

POSTFACE

Au terme de cet ouvrage je demeure aux prises avec les mêmes questions qui m'habitaient dans le noir du tunnel de mon premier rêve.

Rien n'est vraiment changé : le mystère du langage de la musique, le mystère de la transmission de la beauté, de la joie, de la souffrance par des interprètes, demeure entier. Que quelqu'un arrive à se connecter avec l'âme d'autrui grâce à des notes suscite toujours chez moi admiration et interrogations.

Cependant j'ai appris des choses. Je sais maintenant que les années des débuts de la radio puis ceux de la télévision – années d'ouverture et d'aventures où la musique avait la part belle – font maintenant partie de l'histoire. Le vent a tourné, c'est normal : *Times are changing*, JMB l'a écrit et dit lui-même[1].

La participation de l'homme-orchestre qu'était Jean-Marie Beaudet au rayonnement de la musique fut, je m'en doutais, considérable, inestimable. Mais ce que je raconte ici est, j'en suis consciente, sûrement incomplet et parfois même inexact. Une recherche qui se sera poursuivie sur plusieurs années m'a permis de déceler failles et omissions dans les faits rapportés par les archives en tous genres, et contradictions chez les êtres humains, tant il est vrai que la mémoire est une faculté qui oublie ou qui réarrange la vie passée selon le mode propre à chacun.

Malgré tout ce qu'il a accompli durant sa vie, et avec quelle énergie et intelligence, Jean-Marie Beaudet aura presque réussi à passer à travers les mailles de l'histoire. Pourquoi ? Sa double vie de musicien et de fonctionnaire, ses allégeances plus internationales que locales, l'auront desservi. Pas assez Québécois et trop Canadien, pas assez Canadien et trop Québécois. Pas assez longtemps vedette, trop longtemps administrateur.

Quelques jours après sa mort, le 2 avril 1971, Radio-Canada lui consacra une émission où s'exprimèrent en termes chaleureux des personnalités du monde artistique telles Pierrette Alarie, Maryvonne Kendergi, Wilfrid Pelletier, Hamilton Southam, Jean Vallerand, etc. Ces témoins eux-mêmes ont maintenant disparu et, aujourd'hui, le nom de Jean-Marie Beaudet ne dit plus rien à Radio-Canada, qui a pourtant retenu de celui de Miville Couture pour son restaurant. En 1995, une pétition mise en chantier par Pierre Beaudet et signée par plus de quatre cents personnes, dont certaines très connues dans le domaine des arts, fut déposée à Radio-Canada où on cherchait alors un nom pour le Studio 12. Une lettre de Monsieur Sylvain Lafrance, alors vice-président de la radio française, exprime à Pierre Beaudet les regrets de l'institution à devoir l'informer qu'on a préféré la candidature de Jean Desprez.

Jean-Marie ne s'en serait sans doute pas offusqué. Il en aurait peut-être même été amusé. Après tout, si Laurette Larocque, première femme à écrire des radio-romans, avait pu accéder à l'antenne, c'est bien parce qu'il avait accepté ses projets en tant que premier directeur régional pour le Québec, se serait-il dit… Je me plais à penser que c'est peut-être lui qui avait suggéré un pseudonyme masculin – Jean Desprez – à cette pionnière de la radio.

Une chose est sûre, peu importe le temps que je mettrai à fouiller le passé, les faits sont irréversibles. Je n'étais pas aux concerts familiaux chez mes grands-parents, je n'y serai jamais. Je n'ai pas assisté au départ de Jean pour la France, le paquebot à bord duquel il a fait la traversée s'est éloigné depuis longtemps. Je n'ai pas vu non plus son jardin de roses, maintenant disparu. Le 7 octobre 1969, lors du concert d'ouverture de l'OCNA, j'étais ailleurs. Pire que tout, je ne l'ai jamais entendu interpréter *La Cathédrale engloutie* de Debussy et il ne ressuscitera pas pour me faire le cadeau d'un récital privé. Voilà c'est dit : il ne ressuscitera pas. J'ai beau le chercher, j'ai beau essayer de lui redonner vie, il ne ressuscitera pas pour répondre à mes questions.

J'ai tenté par ce témoignage de lui donner sa juste place dans notre vie culturelle et voulu allumer la curiosité et l'intérêt de ceux et celles qui s'intéressent à la musique, à l'histoire, et à notre patrimoine. Pendant plusieurs décennies au siècle passé, la vie musicale au Québec et au Canada fut intense, portée par une ferveur populaire qu'on ne peut plus imaginer. D'autres ouvrages viendront, je l'espère, ajouter des touches au tableau encore bien incomplet des artistes qui ont nourri notre société.

1903. Lucina Langlois et Joseph-Eugène Beaudet, parents de Jean-Marie Beaudet, au moment de leur mariage. Source : archives familiales

1915. Thetford Mines. Grand-père, parents, oncles, tantes, cousines, frères, sœurs de Jean-Marie Beaudet. Jean-Marie en première rangée. Source : archives familiales

1925. Jean-Marie Beaudet à 17 ans: Source: APJB

INVITATION

Avec cette invitation il sera perçu :
5 francs au Parterre
2 fr. 50 au Balcon pour taxes diverses.

On peut louer ses places sans augmentation de prix
à l'ECOLE DE PIANO DE PARIS, 40, Rue de Boulainvilliers

SALLE ERARD
13, Rue du Mail

SAMEDI 25 JANVIER 1930
à 8 h. 3/4 très précises

CONCERT

donné par

l'Ecole de Piano de Paris
(Conservatoire International de Musique)

Directeur Pierre LUCAS

PROGRAMME

1. Concerto pour deux pianos . . (1º Mouvement) J. S. BACH
   Mlle Louise Baudelot et M. José Antonio Rodriguez

2. Concerto pour piano et Orchestre (1º Mouvement) J. S. BACH
   M. Max Geiger accompagné par M. Jean-Marie Beaudet

3. Concerto pour piano et Orchestre (1º Mouvement) MOZART
   Mlle Marthe Pinault accompagnée par Mlle Fernande Desachy

4. Concerstuck pour piano et Orchestre . . . . . SCHUMANN
   M. Jean-Marie Beaudet accompagné par M. Max Geiger

5. Variations Symphoniques . . . . C. FRANCK
   Mme Porquerel accompagnée par M. José Antonio Rodriguez

6. 5e Concerto pour piano et Orchestre (Toccata) . C. SAINT-SAËNS
   Mlle Marguerite Rousset accompagnée par Mlle Dominique Jeanès

7. 3e Concerto pour piano et Orchestre (1º Mouvement) C. SAINT-SAËNS
   Mlle Fernande Desachy accomp. par Mlle Marthe Pinault

8. Fantaisie pour piano et Orchestre (1º Mouvement) Cl. DEBUSSY
   Mlle Dominique Jeanès accomp. par Mme Marcelle Ruff-Longeray

9. Fantaisie pour piano et Orchestre . . . . . Louis AUBERT
   Madame Marcelle Ruff-Longeray
   accompagnée par **Monsieur Louis AUBERT**

L'ordre du Programme ne constitue pas un classement des exécutants
mais a été établi d'après la date de composition des œuvres.

PIANOS ERARD

1930. Invitation au concert donné par les élèves de l'École de Piano de Paris (Conservatoire International de Paris). Source: APJB

No Pièce "A"

Académie de Musique de Québec

Concours du **PRIX D'EUROPE** 1929 à Québec
vendredi le 21 juin 1929.

Concours de 1929 à Québec	1 Orgue	2 Chant	3 Piano	3 Orgue	4 Piano
1° Solfège (15)	12 1/5	10 3/5	14 4/5	14 4/5	10 1/5
2° Dictée musicale (15)	12	8	12	12	6
3° Harmonie orale (5)	4 4/10	3 3/5	5	5	3
4° Harmonie écrite (10)	6	3	5	5	6
5° Histoire de la musique (5)	3	2	3	3	4
6° Repertoire (25)	18 3/5	21 3/5	23 4/5	22 4/5	19 4/5
7° Pièce imposée (25)	18 4/5	20 4/5	20 4/5	21 4/10	19 4/5
Total des points (100)	75 1/10	68 4/5	82 4/5	83 4/10	68 4/5

(signé) E. Lebel
Secrétaire. du jury

Membre du jury.

1929. Résultats du concours Prix d'Europe. Jean-Marie Beaudet est le candidat numéro 3.

Source : P379, 1960-01-224_4, P1/Reproduction interdite sans l'autorisation de BAnQ/Fonds
L'Académie de musique de Québec/Bourse Prix d'Europe 1929/L'Académie de musique de Québec, juillet 1929

1940. Photo officielle. Source: APJB

1941. Pierrette Alarie et Jean-Marie Beaudet en répétition.
Source: Médiathèque et Archives Radio-Canada, Photothèque. Photo: Henri Paul

1944. Jean-Marie Beaudet au travail à la SRC.
Source: Radio, CBC: Jean-Marie Beaudet, Conrad Poirier, 30 novembre 1944. Bibliothèque
et Archives Nationales du Québec, Centre d'archives de Montréal, Fonds Conrad Poirier, P48, S1, P23109

1947. Premier départ de Radio-Canada. Jean-Marie Beaudet entouré de Roger Baulu, Miville Couture, René Lecavelier, Gérard Arthur, etc. Source: Photo: Roméo Gariépy/Collection Cinémathèque québécoise

1954. «L'Heure du Concert». *The Medium* de Menotti. Jean-Marie Beaudet et la soprano Trudy Carlisle dans une loge au moment du maquillage de l'artiste. Source: APJB

1955. Jean-Marie Beaudet et Denise Langlois, le jour de leur mariage à Champlain.
Source : archives familiales

1955. L'équipe de *L'Heure Espagnole* de Ravel. Sur scène: Jean-Paul Jeannotte, Gabriel Charpentier, Pierre Mercure, André Rousseau, Pierrette Alarie, Gilles Lamontagne, Jean-Marie Beaudet, Jean-Piere Hurteau, Jan Doat et Marie-Thérèse Paquin. Source: Médiathèque et Archives Radio-Canada, Photothèque. Photo: Henri Paul

1955. Décor de *L'Heure Espagnole*. Source: Médiathèque et Archives Radio-Canada, Photothèque. Photo: Henri Paul

1965. Jean-Marie Beaudet dirigeant l'orchestre de Radio-Canada.
Source : Médiathèque et Archives Radio-Canada, Photothèque. Photo : André le Coz

1969. Mario Bernardi, chef d'orchestre, et Jean-Marie Beaudet, directeur musical, pendant la construction du Centre National des Arts à Ottawa. Photo : John Evans, Photographie/Archives, CNA

Quebec Ladies' Musical Club

Ninon Vallin

Soprano

Au piano :

M. Jean-Marie Beaudet

Chateau Frontenac 21 Novembre 1933
8.30 P. M.

1933. Programme du Quebec Ladies' Musical Club. Ninon Vallin, soprano; au piano: Jean-Marie Beaudet.

Source: Bibliothèque et Archives Canada, MG 31-D50, dossier Jean-Marie Beaudet, programmes de concerts

1933

2237
Canadian Radio Broadcasting Commission
1 - 4 - 5
SEP 18 1933
RECEIVED
CENTRAL REGISTRY

Chateau St.-Louis,Qué.
le 16 sept.1933.

Monsieur J.Arthur Dupont,
Commission Canadienne de la Radiodiffusion,
Ottawa,Ont.

Cher Monsieur Dupont,

N'ayant pas eu de nouve.les définitives au sujet de l'opérette,je commence à m'inquiéter.Monsieur Daunais de Montréal,nous avait fixé la date du 24 septembre pour l'éxécution.Je vous serais très reconnaissant de confirmer cette date.Les répétitions sont commencées depuis la semaine dernière. Demain,mes deux solistes femmes arriverent et nous aurons deux répétitions,dont une avec l'orchestre.

Je serais désolé d'apprendre que j'ai fait tous ces frais et démarches inutilement.Nous pourrons donner une audition à M.Daunais dans le courant de la semaine,jeudi par exemple s'il pouvait venir à Québec pour cette date.S'il préfère samedi ce sera la même chose.

Et mon orchestre?Vous pourrez l'entendre à l'opérette,mais je préférerais une bonne audition,soit tout un programme complet avec annonces et tout le fourbi.Je l'ai beaucoup amélioré.J'ai renvoyé des musiciens que j'ai remplacés par d'autres plus habiles.Dites-moi sincèrement si cela vous intéresse d'avoir une audition et quand nous pourrions la donner. Il n'y a pas de raison pour que Québec n'ait pas deux demi-heures d'heure "Nocturne"comme Montréal et Toronto.

Je propose de nouveau Louis Francoeur comme annonceur de l'opérette.Si vous avez quelqu'un d'autre cela m'est égal.Vous connaissez Francoeur et vous savez qu'avec lui il n'y a pas d'inquiétude à avoir ni au point de vue du fond ni au poin t de vue de la forme.C'est une simple suggestion.

Croyez,cher Monsieur Dupont à l'assurance mes meilleurs sentiments,

J. H. Beaudet

J.-M.Beaudet

P.S.Dites-moi ce que vous comptez donner comme cachet que je puisse faire une distribution aussi exacte que possible. Je crois qu'il avait été convenu avec M.Daunais que nous aurions la même somme qu'à Montréal.

1933. Lettre de Jean-Marie Beaudet à J.-Arthur. Dupont, directeur de la Commission Canadienne de Radiodiffusion. Source: APJB

1937

CBC Internal Memo

CONFIDENTIEL

From:

J.M. BEAUDET

To:

M. FRIGON

Subject:

Depuis mon arrivée à Radio-Canada, je me suis efforcé de ne pas vous ennuyer avec mes affaires personnelles, croyant que les affaires de la Société avaient une plus grande importance.

Aujourd'hui, je suis à même de constater que, vis-à-vis l'organisation anglaise de la Société, le réseau français n'a pas assez de prestige et qu'on essaie de lui mettre le grappin, c'est-à-dire de le contrôler.

Cela tient, je crois, à deux choses qui sont assez connexes:

lo. Vis-à-vis M. Bushnell, je n'ai pas l'autorité suffisante pour régler certaines questions parce que je ne connais pas la routine interne de la Société. Ainsi, je viens d'apprendre que le budget des causeries pour le réseau anglais est un item séparé du budget général, alors que nous, nous devons prendre pour ces items, des fonds à même les allocations des programmes.

J'ai causé de cette chose avec M. Bushnell. Il m'a répondu qu'on nous donnerait un budget séparé mais que ce budget serait contrôlé par Ottawa et que M. Buchanan aurait la haute main sur les causeries. Or je ne crois pas qu'il puisse en être ainsi.

N'y aurait-il pas moyen de prendre une décision et surtout de faire comprendre à M. Bushnell - à moins que je ne sois dans l'erreur - que ma situation, par rapport au réseau français, correspond à la sienne, par rapport au reste du réseau; que nous devons traiter sur un pied d'égalité. (On vient d'organiser la cédule des programmes du jour sans me consulter, sans me donner mon budget, sans me demander si j'avais des heures disponibles ou des suggestions à faire. Et maintenant que la chose

CBC 82

1937. Note de service de Jean-Marie Beaudet, directeur des programmes pour la région du Québec, à Augustin Frigon, directeur-adjoint de la CBC/Radio-Canada. Source: APJB

1937

CBC Internal Memo

From:

To:

Subject:

- 2 -

est faite, on m'écrit pour s'excuser. J'ai fortement l'impression qu'on me traite comme une quantité négligeable). Est-il possible qu'on me mette au courant de ces détails et de maints autres que j'ignore ?

2o. Si je me place et au point de vue anglais et au point de vue français, une des raisons qui fait que je manque d'autorité, c'est que je n'ai pas le salaire correspondant aux responsabilités qui m'incombent. Même pour le bureau ici, cela ferait un énorme changement. Il est certain que MM. Dupont et Gagnier sachant le salaire que je reçois, abusent de leur supériorité monétaire. Si je dois contrôler tout ce qui se fait, si je dois prendre les responsabilités, il me semble juste que le salaire corresponde à ces responsabilités.

S'il était possible de mettre un ordre définitif dans notre propre maison, cela ne nous donnerait que plus de prestige auprès des autres.

Depuis mon entrée à la Société, il me semble que j'ai fait preuve de bonne volonté sinon de compétence. Je travaille dans l'intérêt de la Société. Je dirige des programmes et j'en dirigerai d'autres. Je prends part, comme artiste, à certaines émissions, et ce, sans surplus de rénumération et sans que mon travail de bureau en souffre.

Si mon travail n'est pas satisfaisant, ce qui pourrait fort bien être, je compte bien que vous me ferez part de vos observations.

Je vous écris ces remarques sans prétention aucune et sans esprit de critique. Je voudrais savoir au juste où je vais et où je puis mener les autres, car je ne vous cache pas qu'en ce moment, je suis un peu affolé par la tournure que prennent les événements.

Je vous envoie un mémoire séparé au sujet du personnel. Je serais heureux d'avoir votre opinion à ce sujet.

Y a-t-il possibilité, sans que cela vous ennuie, de discuter de ces choses de vive voix et à fond ?

Sincèrement vôtre,

JMB/TH

Directeur provincial

Le 24 septembre 1937.

CBC M

Verso de la même note de service.

1938

Staff - Private

CBC Internal Memo

Subject: Re Jean-Marie Beaudet.

From:

E.L. Bushnell

To:

General Manager

Gladstone
Murray

        I agree that there will probably be a feeling
about the non-representation of the French-speaking
section in the Programme Department and probably
Beaudet is as well qualified to fill this position as
anyone on the staff at the present time. I think he
is a good musician but like the most of them is
inclined to be fairly temperental and rather highbrow in his tastes. Just how qualified he is to
take charge of the lighter type of music which must
always form a part of our schedule I do not know.
I am inclined to think that this is a position which
need not be filled for some little time to come and
in the meantime we can see just how Beaudet gets along
and whether he intends staying in the broadcasting
business or decides on a solo career. Right at the
moment he seems to have some difficulty in making up
his mind. He is probably waiting for us to offer him
some inducement to stay with us.

        I don't know how Dr. Frigon feels about Mr.
Pelletier now but I am of the opinion that if he had
six months with the BBC he would be fairly well
qualified to take over the post of Regional Programme
Director in the Province of Quebec. He is not as good
an organiser as he might be but seems to have other
qualifications which would entitle him to consideration
for this post.

                                E.L. Bushnell,
                        General Programme Supervisor.

Toronto,
May 18/38.

CBC 82

1938. Note de service de Bushnell, "*general program supervisor*", CBC/Radio-Canada,
à Gladstone Murray, "*general manager*". Source: APJB

Sous le haut patronage de Son Excellence le Gouverneur général
et de Son Altesse Royale la Princesse Alice, comtesse d'Athlone.

ECOLE TECHNIQUE D'OTTAWA

LE MARDI 30 JANVIER 1945 — TUESDAY, JANUARY 30th, 1945

L'Alliance Française d'Ottawa

présente

un grand concert de bienfaisance au profit du Comité
anglo-français d'Ottawa d'assistance à la France

R A O U L   J O B I N, ténor

JEAN BEAUDET   au piano

PROGRAMME

I

Auprès de Toi	Bach
La Violette	Scarlatti
Sound an Alarm (Judas Macchabée)	Haendel

II

Tambourin	Vieille chanson française
Le Manoir de Rosemonde	Henri Duparc
Phidylé	Henri Duparc
Beau Soir	Debussy
Noël des enfants qui n'ont plus de maison	Debussy

III

Le rêve (Manon)	Massenet
La fleur que tu m'avais jetée (Carmen)	Bizet

IV

Old Mother Hubbard (à la manière de Haendel)	Hutchinson
In God we Trust	Mana Zucca
Two Little Shoes	Mana Zucca
Grieve Not Beloved	LaForge

V

E lucevan le stelle (La Tosca)	Puccini
Pays merveilleux (L'Africaine)	Meyerbeer

Piano fourni par la maison C. W. Lindsay

Direction : *National Concert and Artists Corporation*

Marks Levine,	**711, Cinquième avenue,**
Directeur gérant	**New-York, N.-Y.**

1945. Concert donné à l'Alliance Française d'Ottawa. Raoul Jobin, ténor; au piano: Jean Beaudet.
Source: APJB

Témoignages à la mémoire de Jean-Marie Beaudet, recueillis par Pierre Beaudet

Il a été impossible de reproduire tous les témoignages reçus. Dans certains cas, seuls des extraits sont présentés afin d'éviter les redites. Que tous ceux et celles qui avaient pris le temps d'écrire à Pierre Beaudet avec l'espoir de participer à la biographie de Jean-Marie Beaudet, soient ici remerciés.

Les témoignages sont classés par ordre alphabétique et les textes rédigés en anglais n'ont pas été traduits, comme c'est le cas pour l'ensemble du présent ouvrage. Nous avons laissé les textes dans leur présentation typographique d'origine, sans en revoir non plus l'orthographe ni la ponctuation. Ce choix est maintenu en ce qui concerne les « notes » de l'Annexe B.

21,10,92

Cher Monsieur,

[...] I will begin these few words of reminiscences by saying that I had a warm liking of your late brother which is still fresh in memory and sentiment. – I recall him as a very warm, intelligent and generous human being, a fine colleague, a musician – pianist and conductor – of very considerable and uncommon talent for the "new" music.

[...] Now, allow me to say a few words of our collaborations.

1. Shortly (perhaps within a year) of my immigration to Canada (in January 1949) I undertook to organise a recital of "new" (or "almost new") works at McGill to be given in Moyse Hall. The "new works" (all employed two pianos) were to be Bartok's Sonata for 2 pianos and Percussion and Stravinsky's Sonata for 2 Pianos. I looked around for collaborators. Upon advice, I approached Jean-Marie, who was already a much respected public figure then, while I was but a little noticed "Neo Canadian" at the time. – Yet, without any hesitation he agreed to participate, and did this with an encouraging enthusiasm I recall vividly, for which I was especially grateful at the time. With this he had shown trust, generosity and a love for the work(s) in question. – As the Bartok's piece could use a conductor (Ansemet conducted Bartok himself, with his wife and 2 percussionists in the 1936 (?) performance of the work on the stage of the Hungarian Opera, which I attended...) we needed yet another pianist. Perhaps Jeanne Landry would agree to do it, Jean-Marie suggested and offered to contact her in the matter. Jeanne also agreed to participate. – Then Jean-Marie and Jeanne suggested that the programme should be completed by Debussy's Blanc et Noir. I liked this, and, thus, we had our plan:

Debussy: Blanc et Noir (Beaudet/Landry)
Stravinsky: Sonata for 2 pianos (Anhalt/Beaudet)
Intermission
Bartok: Sonata for 2 pianos and percussion (Beaudet/Landry; L. Charbonneau/ ?Nadeau; Anhalt, conductor)

If memory serves well, we gave this concert during the 1950-51 concert season (or was it 49-50?). There was a considerable response to it, which was perhaps due to the fact that it was the Montreal premiere for both the Stravinsky and Bartok works. – I should add that the latter piece has very taxing piano parts and Jeanne L. and Jean-Marie knew them and played them with virtuosity and deep understanding. This was the result of dozens of hours of work, including numerous rehearsals. – If I recall it correctly, the players were not paid for this; it was all for the love of music and for the love of these important works.

2. After the 1958 (or was it 1959?) premiere of my <u>Symphony</u> in the Plateau Hall in Montreal (which I conducted) the CBC in Toronto put the work on his program in 1960, I believe. (It might have taken place late in 1959.) The CBC Symphony was to be conducted by Jean-Marie. — I arrived in Toronto for the rehearsals and the taping (recording) of the performance for the air. All this took place in the old cinema building on Parliament Street, near Winchester St. which served as a recording studio. — Within minutes of the beginning of the rehearsal it became clear that Jean-Marie knew the score of the work very well and conducted with empathy and understanding, [...]

Sincerely,

Istvan Anhalt

Jean-Marie Beaudet, IN RETROSPECT

My memories of Jean-Marie Beaudet consistently evoke a picture of a happy, energetic and productive gentleman. Our relationship goes back a long way and touches at least three of the many facets of is career: his CBC era, his period as the founding Secretary of the Canadian Music Centre and then as the first Music Director of the National Arts Centre.

The "firsts" are noteworthy and significant characteristics of his works. At the CBC, his influence was vital. He steered its heavy bureaucracy into accepting policies and programs that put the CBC in the vanguard of musical achievements in this country and kept it there for decades. He was one of the earliest to consistently promote Canadian compositions not only on the CBC but in several international centers. In New York and in European capitals he conducted and cultivated interest in their works through full concerts of Canadian composer's music. One should remember that in the early 40's Canadian composers were both few in number and relative neophytes. This was a full decade before a handful of us formed the Canadian League of Composers and we might not have done so even then if our music had not been energetically championed by the likes of Beaudet.

The CBC, especially during his tenure there, launched commissions of major works, even operas, which were Jean-Marie's particular passion. Long before the Canada council came into being, it was the CBC that initiated and sustained a flow of new works, exposing them to the ears of audiences throughout the country. One must not underestimate the importance of this policy in helping mold the self-confidence that is so vital to an emerging creative community!

In those exciting 40's when Jean-Marie was Music Director of the CBC and I held the parallel position at the National film Board, our stimulating dialogues began, especially about the Canadian creative scene and about how to encourage greater acceptance of new music by Canadian society. In those days, our youthful enthusiasm seemed to put everything worthwhile within reach.

The Canadian Music Centre was the offspring of the Canadian Music Council and the Canadian League of Composers. When it finally saw the light of day, Jean-Marie Beaudet was the obvious choice as the fledgling organization's first executive secretary. The operation was set up in a room over the city's Music library at Avenue Rd. and St.Clair in Toronto and there our dialogues continued. And there he nurtured and nursed the Centre, helping it to mature eventually into what is now probably the best music centre in the word.

In the mid-60' the National Arts Centre in Ottawa emerged out of the chrysalis of ideas, hopes and plans that went into its creation. As Music Advisor to the NAC's [coordinator] G.Hamilton Southam, I had recommended the establishment of the Centre's own orchestra, a smallish one of some 45 players instead of a full-blown symphonic aggregation. This proposal stimulated heated debate in Ottawa and even higher temperatures in Toronto and Montreal. It was argued that such a new orchestra would form undesirable competition for the symphony orchestras in the two major cities and could exclude them from the tours to Ottawa they had enjoyed for years. Ambitious Ottawans, however, reasoned that their new and wonderful Centre deserved only the best and the biggest, so why not a full symphony orchestra of their own? Eventually, for practical and mostly financial reasons, the smaller orchestra that I had proposed for the Centre was approved and Jean-Marie became the first head of Centre's music.

He was immediately called on to make some fundamental decisions and the boldest was probably in appointing Mario Bernardi as the first conductor of the new-born orchestra. Beaudet and Bernardi auditioned and installed the charter orchestra and what a superb ensemble it turned out to be!

Jean-Marie was one of those precious few whose life-work made a real difference to our country. His devotion to his principles and his vision made it easier for us to discover and understand ourselves. To have known him was a privilege; to have been able to dream with him about his inventive and productive ventures was doubly gratifying.

Louis Applebaum
March 19, 1993

Jean-Marie Beaudet – A Remembrance

[...] One of the outstanding musical personalities of which I was aware was Jean-Marie Beaudet whom I remember most as a very fine conductor and champion of Canadian music. I deemed it a privilege to be included in his choice of Canadian composers whose music he featured on his orchestral and traditional, thus reaching a wide audience. Because of his many special musical accomplishments – including his very capable administrative talent at the CBC, his influence covered a wide spectrum making the music voice of the CBC nationally much better known than it had been before.

It is important to remember that the vital contribution of Jean-Marie Beaudet to Canada's musical life should be fully acknowledged.

Violet Archer
Professor of Music Emeritus, 1978-
Professor and Chairperson of Music Theory and Composition, University of Alberta, 1962-78

Mon Cher Pierre,

[...] L'humble témoignage que je vous offre ici se bornera à une impression générale que je retiens de ce vaillant promoteur de la musique qu'il m'a été donné de présenter souvent à la radio et à la télévision. C'était un charme de l'interviewer, car il parlait de son art avec éloquence et subtilité.

Essentiellement, je garde un souvenir de l'artiste et de l'homme sensé et sensible qu'était Jean-Marie Beaudet, un musicien accompli qui a joué un rôle de premier plan à Radio-Canada à une époque déterminante dans la vie de notre Société d'État. On en était à établir les normes culturelles qui en feraient un organisme porteur des valeurs véritablement françaises dans tous les secteurs d'activité. La musique se devait d'avoir un meneur, un chef de file compétent et respecté. C'est l'image première qui me vient à l'esprit quand je pense à lui. Fortement imprégné par un séjour de plusieurs années en France, Jean-Marie Beaudet incarnait, pour moi et pour ceux qui le côtoyaient à titres divers, l'esprit européen bien adapté à nos besoins pour nous démarquer du grand ensemble nord-américain dont nous sommes largement tributaires. Mais ce rôle, il ne l'a pas joué uniquement à titre de musicien, de chef d'orchestre, mais aussi dans les postes administratifs qu'il occupa tout au long de sa carrière. Si la musique a occupé une place prépondérante sur les ondes de la radio, puis, à la télévision dès son avènement en 1952, ce fut grâce à son influence et à sa très grande compétence en la matière. Ayant eu à faire la présentation de «L'Heure du concert» qui passait au réseau anglais et français de Radio-Canada, j'étais un observateur privilégié de ce milieu et je peux dire que les hardiesses artistiques d'un Pierre Mercure n'auraient sans doute pas été possibles sans l'apport d'un tel supérieur. De plus, sans en avoir une preuve formelle, je crois bien que les modestes budgets de la télévision se sont accrus grâce à ses interventions en haut lieu. La détermination de ce champion de la musique a fortement marqué la production musicale tant à la radio et à la télévision qu'à Radio-Canada International dont les enregistrements distribués et diffusés partout dans le monde ont fait connaître et apprécier des dizaines de compositeurs canadiens en même temps que nos principales formations d'un bout à l'autre du Canada. Sera-t-il possible de revivre un jour pareil sommet de créativité artistique? Tout cela pour dire que Jean-Marie Beaudet fut un pilier solide dans l'édifice culturel de notre pays. [...]

Henri Bergeron le 27 octobre 1994

(Radio-Canada 1952-1985)

June 15 - 1993

Dear Mr. Beaudet,

I am sorry that I didn't keep my promise to write to you about your brother Jean-Marie before now. I have two very large problems!

The first is that I have <u>very limited</u> time for everything but learning scores and conducting. Without a word-processor it is specially time-consuming. The second problem is that I simply can't remember many details of what happened 25 years ago and earlier. [...]

I do remember playing rehearsals for him for a TV production of "Carmen". In those days even TV operas were done "en direct", which made it a very nerve-racking experience. No safety net! Also the orchestra and conductor were in a different studio — sometimes in a different building.

My job was to help as much as I could to relay the conductor's beat for the singers of the floor. On that particular occasion the dress rehearsal took place on the <u>same day</u> as the broadcast — something that is <u>never</u> done in an opera house (where there is always a free day in between the dress and the show). The singers were hardly fresh for the show. Also the set was terribly awkward — it was built in two studios, utilizing even the passage way between the two. All this made the job of the conductor very difficult indeed. But Jean-Marie was very cool and calm, at least outwardly! He inspired confidence, which is what a conductor should do at all times, if nothing else. He was a very easy person to work with and to like. He had a subtle sense of humour, and a peculiar little cackle whenever something amused him.

My next serious contacts with him all had to do with the NAC project. I first heard of it one night in Ian Lindsay's house in Stratford, Ont. – it was perhaps the summer of 1965. Lawrence Freiman and Hamilton Southam talked at length about their dreams around the as-yet unbuilt theatre facility in Ottawa, including an orchestra. Quite frankly, I thought they were drea-ming in technicolor, that their ideas were hopelessly unrealistic. A year later, I think, Jean-Marie came to Stratford to talk about the same ideas. (In those days I was working for Sadler's Wells Opera and living in London, England. The only time I was in Canada was in the summer in Stratford). By now JM had been named Music Director of the NAC, in charge of overseeing the formation of an orchestra – a full-size one, I remember. He wondered whether I would be interested to come and conduct it for certain periods of the season. I said yes, of course, but still did not believe that it would ever happen. The next thing I heard was that it would be a small orchestra (45 players or so) and that I was being offered the job of leading it as it main conductor. This interested me very much because

  1.   The repertoire was of particular interest to me;
  2.   I wanted to get out of doing just opera;
  3.   I would be coming back to Canada;
  4.   It was a very exciting prospect to start an orchestra from the very beginning.

[...]

J.M. came to London (I can't remember how many times) to plan the first season with me. I was to do the bulk of the conducting and J.M. was to be exclusively the super-administrator. We worked in the library of my club (The Savage Club) when there was peace and quiet in convenient proximity to JM's hotel (The Dorchester, I think). His wife Denise was also in London with him and she became very good friends with my wife Mona. We finally arrived back in Canada in mid-May 1969. Air Canada was on strike, which meant that we were assigned to another airline (Air Lingus) and, in great discomfort, we arrived in Montreal – our daughter was 3 months old –. From there we were driven to Ottawa (there were no flights because of the strike) by JM. I remember that drive on the old highway with a very cranky and hungry little baby. The airline had not provided a cot for her or the means to leak her formula. I wondered then what we were getting into! But in Ottawa JM had found us a splendid house (for rent) [...]

Throughout that summer I was constantly with JM planning for the future. He was, of course, very helpful with repertoire and the general running of an orchestra, having so much more experience than I in the field. Mona and I were his frequent guests for meals at his beautiful house. He and Denise were the perfect hosts, making us feel right at home.

The launching of the NACO scheduled for the fall of 1969 appeared to me in those summer months as nothing more than a wishful hope. Everybody, including the press, predicted that it would be a disaster. The entire budget of the PR department had been squandered on the opening of the Centre in June of that year, which meant we had no money to advertise the fact that a bunch of local hopefuls were trying to form an orchestra. The theatre department had completely failed – the director of the French theatre had been fired. All fingers were pointing at Hamilton Southam as the perpetrator of a gigantic hoax on the tax payers of Canada. My own contract with the Centre, although for 3 years, had a clause whereby I could be dismissed with 1 month's pay.

Everything rested on making a success of the orchestra. Throughout this very trying period JM was supportive and encouraging to me. He gave me a lot of confidence that I really did not deserve. I should add that, although I had conducted a lot of opera, I was fairly new to the symphonic field. For instance, I had never before conducted any of the music on that first programme!! I really needed someone to give me a boost and JM was there to do it. The rest is history. The first concert was an unqualified (almost) success and our future seemed assured.

Alas, man proposes and God disposes JM died within weeks of that auspicious start. It seems cruel and unfair that he should not have been allowed to enjoy the fruits of all his work of many years. I can honestly say that it would not have been possible without him, without his expertise, encouragement, consistency and sense of humour. I considered him a good friend and his death touched me deeply.

Mario Bernardi

Jean Beaudet, homme de grande culture et musicien accompli, possédait de surcroît des qualités d'administrateur que deux institutions prestigieuses, Radio-Canada et le Centre national des Arts, ont mises à profit. Il a ainsi révélé la double nature, sensible et organisatrice, de son tempérament.

On a vanté ses talents de pianiste, d'organiste et de chef d'orchestre. C'est à ce titre que j'ai mieux connu Jean, bien que je me souvienne avoir réalisé à la radio quelques récitals au temps où il accompagnait les artistes réputés de l'époque, entre autres, lors d'une admirable prestation de Jeanne Desjardins, un nom qui évoquera de beaux souvenirs aux aînés. Jean était un pianiste très recherché.

Je me rappelle davantage le chef au podium quand ma fonction de réalisateur à Radio-Canada me permit de mieux connaître l'homme et de collaborer avec le musicien.

Ses projets allaient très souvent au-delà du répertoire conventionnel, désireux qu'il était de présenter des œuvres méconnues. C'est ainsi que nous avions assemblé une distribution de premier choix pour «Les Enfants à Bethléem» de Piarné, non pas une œuvre majeure, mais qui renferme de belles pages et que l'on ne jouait plus.

Un article publié récemment dans une revue spécialisée soulignait la hardiesse de Guido Cantelli qui, dans les années 1950, osait exécuter les fragments symphoniques du «Martyre de Saint-Sébastien» de Debussy, un ouvrage ne trouvant pas alors grande audience, selon l'auteur. A cette même période, il y a donc plus de quarante ans, Jean Beaudet nous proposait de faire entendre ces pièces à la radio ; ce fut fait avec grand succès en un studio aménagé au Victoria hall de Westmount. Ce devait être une première audition de cette œuvre qui fait maintenant partie du répertoire usuel des orchestres.

En un temps où l'assentiment à la musique canadienne n'était pas acquis, on sait avec quel dévouement Jean a défendu les œuvres de nos compositeurs. Les nombreux enregistrements du service des transcriptions de Radio-Canada en font foi.

[…] Jean Beaudet, tout compétent qu'il fût, d'un port noble, était facile d'approche, affable, respectueux des convenances bien qu'il les transcendât. […]

Mai 1993

Jacques Bertrand

———

Hommage à Jean Marie Beaudet

[…] Je garde un souvenir chaleureux de l'amitié que me portait le chef d'orchestre, pianiste et musicien émérite qu'était Jean Marie Beaudet. Notre première rencontre eut lieu un lundi soir d'été chez Alfred Laliberté, un grand pianiste québécois qui ayant séjourné quelques années en France en était revenu avec une foule d'idées pour favoriser la connaissance de la musique contemporaine chez les nôtres. Ainsi tous les lundis soirs il ouvrait grandes les portes de son studio à tous ses amis et aux amis de ses amis. Ces soirées inoubliables étaient entièrement improvisées, et quelles improvisations! Jean-Marie Beaudet revenait lui aussi d'un séjour en France. Ces lundis nous lièrent d'amitié et un beau soir je fis part à Jean Marie d'un projet d'émissions que je voulais soumettre à l'attention de commanditaires éventuels. Je préparais un programme très spécial mettant en vedette les plus grands des artistes de chez nous. Ce projet de série [...] allait coûter fort cher. Jean-Marie le savait fort bien mais il n'hésita pas à m'encourager. [...] Grâce à l'intervention de Jean Marie les frais encourus par la préparation de ce pilote furent assumés par Radio-Canada. [...] Malheureusement les prix de production leur [les commandiataires] parurent trop élevés et le projet fut rangé sur la tablette de l'oubli. Mais la confiance de Jean Marie envers moi m'avait profondément touché. [...]

Ferdinand Biondi

Avril '93

HOMMAGE A JEAN BEAUDET

J'ai connu Jean Beaudet en 1944, au Collège de Lévis où j'étais alors étudiant en classe de Philo, tout en y étudiant la musique et le piano sous la direction de l'abbé Alphonse Tardif. Beaudet, lui-même ancien élève du Collège, aimait parfois y revenir pour rencontrer amis et anciens professeurs. Cette fois-là, l'abbé Tardif en profita pour me présenter à Beaudet et me faire jouer un peu de piano devant lui; Beaudet sembla intéressé et c'est grâce à lui que j'obtins mon premier engagement public en 1946, invité de Radio-Canada pour souligner le 2e anniversaire de l'émission Radio-Carabins diffusée alors de la salle de l'Ermitage de Montréal.

A l'époque, Beaudet fut aussi très impressionné par le talent d'une jeune pianiste, élève d'Henri Gagnon, son ancien professeur.

Cette jeune pianiste, Renée Morisset, fut recommandée par Beaudet et devint collaboratrice d'artistes comme Arthur Leblanc ou Raoul Jobin.

Un peu plus tard, je rencontrai souvent Jean Beaudet au cours de ses visites à Québec, alors qu'il dirigea pendant quelque temps la classe d'orchestre au Conservatoire de musique de Québec.

[...] Son grand talent lui permit d'être aussi à l'aise au plan artistique qu'au plan administratif et son influence fut importante auprès des jeunes musiciens et compositeurs du Québec. [...]

Victor Bouchard, Q.C., pianiste.

Québec, 10 octobre 1993.

Québec, le 1er avril 1993

JEAN-MARIE BEAUDET

Jean-Marie Beaudet était un artiste accompli pour qui j'avais beaucoup de respect. Musicien raffiné et d'une grande sensibilité, il possédait une chaleur humaine qu'il savait nous communiquer.

J'ai toujours été touché de l'attention qu'il m'accordait et de sa générosité lorsque j'ai eu recours à ses conseils en différentes occasions. C'est lui qui m'a appris à faire les «fioritures» et les «ornements» alors que je préparais les rôles de l'Evangéliste (récitant) dans les Passions de St-Mathieu et St-Jean de Jean-Sébastien Bach.

Il connaissait parfaitement le répertoire français, Jean-Marie avait une direction claire et il savait m'inspirer lorsque je chantais sous sa direction des œuvres de Rameau, Lulli, Gluck, etc.

Jean-Marie Beaudet était un magnifique accompagnateur et chanter avec lui au piano me procurait de véritables joies artistiques et musicales. [...]

Pierre Boutet

Président
Opéra de Québec

Dear Pierre:

[...] It is with a certain nostalgia that Lotte and I recall our association professionally and our friendship personally. As a pianist, he shared the stage with the McGill String Quartet in the performance of the Schumann, Franck and Fauré quartets. As a conductor, he did much to encourage the presentation (in concert and radio) of Canadian Music. On these occasions, I was frequently his concert-master.

As a friend, he performed my works in premiere performances and I recall particularly his prompting me to complete my "Concordia Salus" which he later conducted in Prague, Tchekoslavakia during the 1946 Festival, immediately following the war.

In general, he was a motivator, energetic and multi-faceted, with his feet on the ground and with dreams for the future. [...]

I remain,

Sincerely,

Alexander Brott

UN SOUVENIR PRÉCIEUX

Il commandait le respect et montrait une assurance extérieure infaillible. Son autorité était celle d'un chef…chef de nature et chef de par sa passion (toute intérieure) pour son métier de musicien, métier, devenu mission!

Jean-Marie Beaudet était musicien; il était à la fois et à tour de rôle, directeur, promoteur, interprète musical et… chef d'orchestre. Nos chemins se sont croisés pour la première fois alors que débutaient les années 50 et les nombreuses activités musicales des émissions de télévision dont la plus importante fut « L'Heure du concert ».

Ce jour-là, il s'agissait pour moi de rencontrer les responsables de l'équipe – Mercure, Charpentier, Gauvin, Bernier et autres – et leur soumettre le choix d'une œuvre qui, selon moi, s'harmoniserait bien avec d'autres pièces musicales prévues pour un programme spécial de musique française.

J'avais déjà auparavant conçu le ballet « Les Clowns » sur la partition de Jean Françaix : « Le Roi Nu ». Remonter cette œuvre pour « L'Heure du concert » avec au pupitre Jean-Marie Beaudet et avec d'autres danseurs semblait pour moi un nouveau défi!

Mon idée a su plaire à tous. Et me voilà soudain seule avec ce nouveau collaborateur analysant la partition musicale, identifiant reprises et coupures en prévision de mes besoins chorégraphiques. Dès le début de cette rencontre (devenue inoubliable par la suite), j'ai eu la nette conviction de me trouver face à un chef sévère qui défendait à la lettre l'œuvre musicale telle que conçue par le compositeur!

Il faut dire que tout le long de ma carrière, j'ai rencontré grand nombre de collaborateurs-chefs d'orchestres qui aimaient ou n'aimaient pas du tout accompagner danseurs ou chanteurs…de peur de sacrifier par moment la fidélité, donc qualité de l'œuvre, au profit des besoins techniques et rythmiques des interprètes de scène, qu'ils soient virtuoses ou non.

A quoi donc devrais-je m'attendre de cet homme devant moi dont les premiers commentaires laissaient prévoir qu'aucun compromis n'était envisageable?! Pourtant, à ma très grande surprise, alors que je me préparais mentalement à lui soumettre les souvenirs de mes expériences avec les chefs tels qu'Antal Dorati, Ernest Ansermet et Igor Markevitch, – trois chefs qui ont choisi et brillamment réussi à servir deux maîtres à la fois (les compositeurs et les chorégraphes), mon nouveau collègue, monsieur Beaudet, s'est brusquement tourné vers moi pour me soumettre une proposition des plus étonnantes : « …Madame, puisque vous serez sur le plateau durant l'enregistrement de l'émission et qu'il s'agit d'une seule représentation, pourquoi ne pas vous placer de telle sorte que je puisse, si nécessaire…vous voir lever progressivement la tête pour m'indiquer le besoin d'accélérer ou baisser la tête pour que je ralentisse le tempo?! Quoiqu'il en soit, Madame, je verrai à ce que la qualité de l'interprétation de l'œuvre demeure!»

Me voyant perplexe et muette, il a alors vivement ajouté en souriant une phrase inoubliable :«…mais si tout va bien, Madame, surtout ne bougez pas la tête; et si vous le voulez bien: clignez des yeux…cela me rassurera!»

Cette émission a eu lieu le 3 décembre 1959…

Je n'ai pas eu besoin ni de lever, ni de baisser la tête…Le mariage entre la musique et la chorégraphie s'est avéré à tel point excellent que dès la fin du programme, j'ai reçu de Pierre Mercure, le directeur et réalisateur de l'émission, le message suivant:

«Ludmilla…j'ai été frappé à quel point vous étiez FRANCAIX (par votre chorégraphie sur la partition «Le Roi Nu»…Tout comme vous étiez aussi STRAVINSKI dans «Les Noces»)…Merci!»

Me retournant ensuite vers Jean-Marie Beaudet, j'ai ressenti à mon tour le besoin d'exprimer ma gratitude à celui qui avait si merveilleusement fait vibrer l'œuvre musicale de Jean Françaix. Et pour affirmer l'harmonie et la complicité qui s'étaient installées entre nous…tous deux…sans bouger la tête, nous nous sommes échangés un clin d'œil!

Que de tels clins d'œil demeurent!

Merci Jean-Marie Beaudet!

Le 18 octobre 1993

Ludmilla Chiriaeff

March 11, 1993

Dear Mr. Beaudet,

[…] My memories of your brother Jean-Marie Beaudet are images from my late teens and very early twenties. I remember a gentle sweet man who always made a point of having time to help and advise me. I know that I was not alone in this impression.

The first time that we met was backstage at a performance for C.B.C. Talent Festival in Montreal. I was getting ready to perform with the orchestra and was putting on tails for the first time in my life. I managed almost everything but was left finally with a long piece of white material – the tie itself. I had never tied any sort of bow tie. And I was a little bit nervous. At that moment, as I went in desperation into the corridor from my dressing room an older gentleman (every one looked older to me at age 17) and his wife came along. It was Jean-Marie. He introduced himself and he obviously recognized my problem because he gently took the tie and did it up for me, all the while chatting with me in the most comforting way. I've never forgotten that little kindness and the delicacy with which he put me at ease and then helped me onto the stage.

After that it seemed that he was around for most of the important events of my life for the next few years, culminating with my being offered the principal flute position in the National Arts Centre Orchestra that he founded. My audition was in Ottawa during an incredible blizzard (typical!) and I ended up having to travel back to Toronto with the committee: Jean-Marie Beaudet, Mario Bernardi, Lorand Fenyves and Wilfrid Pelletier. I had known Pelletier well as a student in New York having been invited often to visit him and Rose Bampton, his wife. During the plane ride he sat next to me and told me in no uncertain terms that he thought I should refuse the position that they were going to offer me. He felt that I should remain and make a career in the United States. Well, your brother overheard a bit of our conversation and after we arrived in Toronto and everyone had a meal together he took me aside. The result is that I did accept the job and to this day I thank him for his words.

We worked together and spoke often during the first days of the orchestra's life but then, as you know, his health failed. Two of us from the orchestra, Robert Oades and I were pall-bearers at his funeral. [...]

Yours sincerely,

Robert Cram

———

Mon cher Pierre,

[...] [Jean-Marie Beaudet], musicien promis à une carrière brillante par son érudition et son immense talent, ses années d'administration artistique ont été les plus fécondes de l'ère radiophonique de Radio-Canada.

Il y avait largement accueilli musiciens, comédiens et écrivains de la nouvelle écriture et du jeu dramatique radiophonique.

C'est sous sa baguette de chef d'orchestre que s'est épanoui cette extraordinaire floraison d'auteurs dramatiques qui, pendant 20 ans, ont nourri les ondes d'une dramaturgie québécoise, à raison de 8 et 10 romans-fleuves par jour, sans compter les radio-théâtres du soir, dans lesquels ressuscitaient pour nous les Corneille, Racine, Molière, Musset, Hugo et les contemporains de lettres du monde entier.

Merci mon cher Jean, merci.

Sans vous il n'y aurait peut-être pas eu ce qu'il a été convenu d'appeler les belles années de notre jeunesse : « L'Âge d'Or » de la radio!

Mimi D'Estée

16 octobre 1992

- Jean Beaudet -

Lorsque j'ai pris mon premier cours avec Jean, c'était aux Trois-Rivières, chez les Ursulines qui avaient eu la brillante idée de l'engager. Il y venait aux deux ou trois semaines.

Conscient de ma facilité technique, il ne m'a jamais fait travailler dans ce sens – Il s'est borné à me donner quelques changements de doigtés dans une ballade de Chopin, et c'est tout. Il me faisait confiance pour le respect du style, et pour le souci du détail-

Mais alors, ce qu'il a décortiqué ma musicalité naissante, pour ne pas dire absente parfois ; je me limitais aux P. aux Forte, aux crescendos et decrescendos, aux ritardando ! Avec Jean, il fallait comprendre l'œuvre, l'assimiler et la vivre – A partir de ce moment, la musique a pris un tout autre sens pour moi. La technique, le brio, et même l'instrument sont devenus « accessoires », pour faire place à la Musique réelle.

C'est grâce à Jean Beaudet, si j'ai remporté le Prix d'Europe en '50, c'est grâce à Beaudet si j'ai pu rencontrer et travailler chez Yves Nat, et combien d'autres merveilles encore – Jean Beaudet était très exigeant et_____pas toujours facile ! Mais, quelle source inaltérable de dévouement, de courage, de détermination, de minutie et de sensibilité-

Tout ça en fait le maître attachant que l'on ne peut oublier-

Jean Beaudet fut sans contredit l'un de nos rares musiciens complets.

Josephte Dufresne

oct' 92

Montréal

Le mercredi 16 juin 1993

Cher Pierre,

J'ai rencontré pour la première fois ton frère Jean en 1959, à l'occasion d'un concert, donné à Thetford-Mines, notre ville natale à tous les deux, pour cette première saison du nouvel orchestre symphonique de Québec. Nous devions y interpréter ensemble le deuxième concerto en do mineur de Rachmaninov que nous devions donner en tournée par la suite à St-Georges de Beauce et Chicoutimi, les villes de Québec et de Lévis étant couvertes par Wilfrid Pelletier. Quelle découverte ce fut pour moi tant sur le plan de l'être humain, possédant une culture hors du commun que sur celui du chef d'orchestre dont la rigueur de pensée, alliée à la souplesse du mouvement, la noblesse de la gestuelle à la clarté conceptuelle donnaient, à cet ensemble, pourtant à ses débuts, des souffles de grand orchestre.

J'avais joué, l'année précédente, ce même concerto avec Charles Munch, Wilfrid Pelletier et Jean Deslauriers et je me dois d'avouer jusqu'à quel point ce fut tout aussi facile et agréable avec Jean qu'avec Charles Munch (qui, par ailleurs avait une réelle estime pour son collègue du Canada comme s'était-il plu à me le dire lors de son passage à Boston) et tellement moins pénible qu'avec Wilfrid Pelletier qui lui, toujours sur la nostalgie d'une carrière de pianiste-virtuose qu'il n'avait jamais pu faire, partait dans ses rêves et ne nous écoutait pas toujours.

Le premier concert, nous réunissant dans notre ville natale, a vite pris une allure de victoire de championnat sportif. Après la répétition de l'après-midi, les journalistes de Thetford-Mines, mais aussi de Sherbrooke et de Québec nous attendaient pour des entrevues et nous avons joué un court programme pour les étudiants où nous avons dû signer au moins deux cents autographes. Au repas du soir que Jean prenait chez un membre de sa famille qui avait profité de l'occasion pour réunir la plus grande partie de ses nombreux frères et sœurs, il leur dit, en parlant de moi : « Vous allez voir que c'est un costaud !... » Ils ont tous été bien étonnés de voir arriver sur scène un frêle jeune homme d'un mètre soixante quatorze, pesant à peine ses soixante-deux kilos...Le triomphe fut de taille et on ne nous a permis de quitter la réception qu'à quatre heures du matin.

Puis ce fut la tournée! Quel constant plaisir de côtoyer ce grand homme qui était dans une très belle phase de sa carrière! Quelle encyclopédie de culture et quel musicien! Lors d'une collaboration subséquente, on nous avait demandé de faire, pour le gala du vingt-cinquième anniversaire de la fondation de la radio de Radio-Canada, les deuxième et troisième mouvements du concerto en fa mineur de Chopin. Quel bonheur ce fut de trouver enfin un chef qui collait admirablement à tous les caprices de rubato d'un jeune pianiste imaginatif. Jamais je n'ai retrouvé ce bonheur musical avec les nombreux chefs qui devaient être mes partenaires par la suite. La même complicité musicale devait se reproduire entre nous deux dans le mi mineur de Chopin que nous devions jouer, accouplé avec la « Rapsodie sur un thème de Paganini » de Rachmaninov, pour le soixante-quinzième anniversaire de la ville de Thetford-Mines et en tournée avec l'orchestre symphonique de Québec.

La dernière fois que j'ai vu le grand homme, c'était à l'inauguration du Centre national des Arts à Ottawa, en 1969. [...] Nous nous sommes assis à la même table et avons partagé les derniers moments qui devaient nous réunir : il devait nous quitter peu après.

Il est tellement agréable de pouvoir se souvenir avoir côtoyé et partagé de lumineux moments avec un grand homme et de remercier la vie de nous les avoir donnés. Merci, Jean Beaudet! [...]

Michel J. Dussault

Cher monsieur,

[...] C'est alors que j'étais étudiante au Conservatoire de Musique de la Province de Québec que j'ai d'abord connu votre frère.[...] C'était à une époque où la musique avait droit de cité à Radio-Canada et votre frère en était une figure de proue. Pour nous tous jeunes musiciens il était une source d'inspiration. [...] je n'ai pas fait carrière mais je suis allée travailler au Conseil des Arts du Canada à Ottawa. [...] En tant qu'agent au Service de la Musique et de l'Opéra j'ai maintes et maintes fois fait appel à votre frère. Toujours son aide m'a été des plus précieues et des plus éclairées. Il était généreux de son temps, impartial, d'une grande compréhension à l'égard des jeunes et savait déceler le talent. Son engagement et son exemple ont marqué une pléïade de musiciens canadiens. [...]

Yvonne Gaudreau

23 mars 1993

HOMMAGE À JEAN-MARIE BEAUDET

Rendre hommage à Jean-Marie Beaudet c'est se rappeler sa riche personnalité, sa compétence indéniable, son intelligence vivante, son jugement sûr, son goût infaillible, son sens inné de la musique, et ce, avec une humilité exceptionnelle de ses connaissances, une simplicité déroutante comme être humain et un amour extraordinaire de l'Art. Pianiste, organiste, chef d'orchestre et haut fonctionnaire, monsieur Beaudet était également professeur pédagogue expérimenté. Ses précieux conseils m'ont permis d'accéder à une carrière professionnelle et polyvalente, le prenant comme exemple d'une réussite intéressante.

Patient, il ne s'inquiétait pas de ce que je maîtriserais un nouveau doigté pour la semaine suivante. Parlant de doigté, il était primordial d'en avoir un qui permette l'expression musicale, d'où une technique au service de la musique. Peut-être tenait-il cela de son professeur parisien Yves Nat avec qui j'ai étudié 2 ans, parce que l'adaptation à ce nouveau professeur s'est faite très naturellement.

Jean-Marie Beaudet possédait une oreille à toute épreuve. A l'écoute, il décelait un mauvais doigté, i.e. l'usage d'un doigt faible pour souligner un sforzando ou une accentuation.

Du rythme, il en parlait non pas d'une façon robotique, mais comme d'une rythmique musicale proportionnelle et toujours précise. A mes double-croches inégales, il me dit «Vous n'aimeriez pas jouer avec orchestre un jour? Il faudrait être <u>ensemble</u> avec les doubles croches des instrumentistes!»

[…] Un jour à Radio-Canada étant répétitrice pour l'opéra «Samson et Dalila» de Camille Saint-Saëns sous la direction de maestro Beaudet, (j'en étais à mes premières armes avec les réductions d'orchestre d'opéra), n'ayant pas l'habitude de la direction, je le suivais assez mal ayant plutôt l'idée d'accompagner le chanteur qui n'avait pas un très bon tempo; monsieur Beaudet me prend à part à la pause café pour me signaler de le suivre, lui, plutôt que le chanteur. J'avais bien apprécié le respect et le tact de ce grand maestro en considération de sa «pupille», répétitrice inexpérimentée. Ce sont des qualités que j'essaye d'appliquer face à mes étudiantes et étudiants.

Jean-Marie Beaudet avait toujours un crayon à la main, ou derrière l'oreille, ou encore, entre les dents, quand il donnait un exemple au piano! Il faut toujours noter les bonnes idées. […]

En 1956, de Paris j'écris à Jean Beaudet se trouvant pour la SRC à Ottawa. Le but de ma lettre: une recommandation de sa part pour que je puisse prolonger mon séjour en Europe. C'est avec empressement qu'il me répond «Je serai très heureux de vous recommander pour l'obtention d'une bourse et je vous souhaite tout le succès que vous méritez».

De tous les instants, Jean Beaudet est disponible pour aider et conseiller, faisant abstraction de son horaire très chargé.

Malgré un travail acharné et à la recherche d'une certaine perfection technique, pour cet artiste «une interprétation musicale ne devient valable que si la sensibilité du musicien transmet un message». A chacun de ses concerts: mission accomplie, rejoignant ainsi cette citation de Beethoven: «La musique vient du cœur et doit aller au cœur», laquelle est devenue mon leitmotiv.

Le souvenir qui me reste de Jean Beaudet, c'est celui de vouloir toujours réaliser un chef-d'œuvre. Héritage précieux et…difficile à atteindre.

Merci, cher professeur. Je vous estime toujours beaucoup, beaucoup!

Monik Grenier professeur,

département de musique, UQAM,
[…]

JEAN BEAUDET

Avant de dire quoi que ce soit, qu'il me soit permis de rappeler que j'ai connu Jean Beaudet, étant cadre intermédiaire au siège social de RC, affecté successivement à la direction de l'Information, celle des Affaires (*corporatives*) françaises et celles des relations avec l'Étranger. Jean Beaudet était membre de la haute direction à titre de Vice-président associé aux Programmes. La période concernée est de septembre 1961 à 1966 approximativement.

Il faut rappeler qu'au début des années soixante le siège social de RC compte peu de francophones parmi la haute direction ; [...]

Pour le cadre intermédiaire, tout nouveau que j'étais, je me suis rendu compte immédiatement du rôle important que jouait Jean Beaudet. Tranchant sur son entourage il m'apparaissait comme le parangon de l'*honnête homme* décrit par mes professeurs du séminaire de Québec : un gentilhomme exigeant l'excellence en tout, mais indulgent pour toute dérogation à ses normes ; un homme cultivé que non seulement la musique, mais que la littérature, que la peinture et que le théâtre habitaient. C'était l'homme désintéressé, toujours prêt à se dévouer ; l'intellectuel et l'artiste raffiné, mais modeste, discret et plein d'indulgence envers ces fonctionnaires souvent incultes, étroits d'esprit, ambitieux et prêts à sacrifier principes et normes d'excellence pour plaire à tout un chacun.

On peut facilement imaginer les conflits constants entre les réseaux, entre les collègues de Toronto, de Montréal et la direction du siège social. Quand nous avions des difficultés un brin de causette avec Jean Beaudet procurait des solutions permettant à tous de s'en tirer avec élégance. Venant consulter Jean Beaudet, souvent découragé, et, quelquefois rempli d'amertume envers mes collègues de l'autre culture, jamais je ne suis sorti de son bureau, sans avoir reconquis une certaine sérénité [...] Très peu d'intellectuels ou d'artistes peuvent concilier leurs talents avec les exigences des tâches administratives. Jean Beaudet savait persévérer et allier à son idéalisme une savante dose de réalisme. Sa détermination et sa ténacité lui permettaient d'obtenir l'impossible. Entourés de collègues imbus des enseignements de l'école se sociologie de Chicago, qui me semblaient obsédés par les sondages, la statistique et peut-être aussi les contraintes des règles des « *relations publiques* », Jean Beaudet ne me semblait guidé que par la mission de RC : un certain mécénat pour mousser les arts, favoriser le *beau*, d'une façon équitable, pour les Canadiens partout au pays. Quand j'y songe, quelle générosité il montrait !

Esprit éclectique par excellence mais d'un goût sans défaillance, héritier de la plus pure tradition humaniste française, il a donné tout ce qu'il a pu pour transmettre ces trésors aux auditeurs de RC de Vancouver à Saint-Jean (T.-N.) Bien nombreux sont les jeunes musiciens que Jean Beaudet a découverts et protégés ; bien nombreux aussi sont ceux qui ont pu travailler leur art grâce au climat résultant de son action infatigable. Par exemple, la vice-présidence aux programmes réservaient des fonds pour créer des émissions de prestige pour participer aux concours internationaux tenus en Europe, en Asie et aussi aux États-Unis. Grâce aux fonds obtenus par Jean Beaudet, on a pu créer à Montréal des émissions d'envergure qui furent primées en Italie, en Allemagne, au Japon, etc. [...]

Je me rappelle avec plaisir d'une lettre du comte Gian Franco Zafrani, président du Prix Italia, qui faisait l'éloge de Jean Beaudet et de sa contribution au succès de cette organisation. Inutile de dire que Jean Beaudet n'a jamais mentionné, ni fait la moindre allusion à ses réalisations dans le domaine de ses relations avec les radiodiffusions nationales étrangères. [...] Il s'appliquait à découvrir des œuvres nouvelles, les plus modernes, exigeant que l'on prépare la documentation en anglais, en français, en allemand, en italien, et en espagnol afin de mieux rejoindre les membres d'un jury international. Il savait comment intéresser les étrangers aux artistes canadiens. [...]

Jean Beaudet rêvait de former un *Orchestre de Radio-Canada*. Les fonds semblaient astronomiques à nos politiciens du Conseil d'Administration et son projet n'aboutissait pas. Le centenaire de la Confédération et la fondation du Centre des Arts à Ottawa fut l'occasion que saisit Jean Beaudet pour réaliser son rêve. [...] on lui confia la mission de créer un Orchestre national pour le centenaire. C'est une belle réalisation de Jean Beaudet, réussite admirable étant donné les obstacles financiers et les problèmes administratifs à surmonter. Il s'est tué à la tâche.

Parmi tous ceux qui hantaient le Siège social de RC durant ces années personne ne pouvait l'égaler. Les meilleurs que j'ai connus ne peuvent lui être comparés ; il me semble qu'ils avaient tous, malgré leurs talents variés, des lacunes. Voilà ce que je peux clamer sans me tromper.

Ludovic Hudon

07/03/93

[…] Au cours des années 1950-1960, (la grande époque de la radio et de la télévésion à Radio-Canada) grâce à lui, nous avons dû travailler des œuvres de Rameau, Massenet, Ravel, Debussy, Honegger, Sauguet, et combien d'autres. En 1955, me choisissant pour chanter Pelléas au côté de Suzanne Danco, il donne l'impulsion à ma carrière qui m'ouvrit les portes de Paris et de l'Europe. […]

Mon cher Jean, merci de tout ce que vous m'avez apporté.

Jean-Paul Jeannotte o.c.

———

JEAN-MARIE BEAUDET

Ce nom me rappelle d'abord et avant tout, les profonds sentiments d'amitié qui nous unissaient tous les trois.

Cette belle amitié se complétait par la grande admiration que nous avions pour son réel talent de musicien et d'interprète.

Nul autre que lui n'était aussi précieux à Raoul pour ses conseils judicieux concernant l'interprétation des œuvres des grands maîtres.

Aujourd'hui je suis en mesure de juger tout ce que Raoul lui disait, lorsqu'ensemble ils faisaient des tournées de concerts à travers l'Amérique du nord.

Personnellement je n'ai jamais oublié qu'il fut le premier pianiste à me faire admirer et aimer Debussy lorsqu'après son retour de voyage d'études à Paris, boursier du Prix d'Europe 1929, il interpréta : « La Cathédrale engloutie » au Château Frontenac.

Ce fut une découverte pour l'auditoire québécois – Jean Marie fut un pianiste de très haut niveau, possédant une sonorité qui lui était propre, d'abord comme soliste, puis, comme pianiste accompagnateur. Il soutenait les interprètes et il était en demande par les plus grands. Ninon Vallin l'appréciait particulièrement.

Je me souviens du premier concert de la Commission canadienne de la radio le 2 décembre 1932 où Jean-Marie Beaudet, organiste à l'église St Dominique de Québec, accompagnait Raoul Jobin dans « Minuit Chrétien » qui fut entendu jusqu'en Amérique du sud. Dix ans plus tard, des auditeurs du « Teatro Colon » se souviennent de l'avoir entendu sur les ondes.

Jean Marie était devenu un membre de notre famille. Nous le recevions fréquemment à la maison entre les tournées, que ce soit dans notre appartement de New York, ou durant l'été, à Ste-Pétronille de l'Ile d'Orléans.

Hélas ! Il nous a quittés trop tôt. Il aurait pu rendre tant de services à ses contemporains : Grâce à lui, plusieurs compositeurs canadiens ont pu être joués. Il a fait découvrir à Raoul les mélodies d'Henri Gagnon, de Léo Pol Morin et de Sir Ernest MacMillan.

Lorsque nous sommes retournés vivre à Paris après la guerre nous l'avons un peu perdu de vue.

Nous suivions quand même avec intérêt l'évolution de sa carrière à Radio-Canada, d'abord comme directeur musical de la radio, de la télévision à Montréal puis, administrateur à Toronto et Ottawa.

Jean-Marie était un passionné de la musique française qu'il défendait avec brio. Nous, qui l'admirions tant, nous étions toujours étonnés par l'humilité et la grande modestie qu'il avait devant les chefs d'œuvre du répertoire.

Nous avons appris sa mort avec beaucoup de chagrin lorsque nous étions retournés à Paris. Mon mari était alors conseiller culturel à la Délégation du Québec.

Thérèse D. Jobin

Le 17 mai 1993

Cher Pierre,

[...] Ayant étudié le chant avec Anna Malenfant, combien de fois l'ai-je entendu dire : « Tu sais Constance, notre plus grand chef canadien c'est Jean-Marie Beaudet. » Alors depuis ce temps je rêvais de chanter sous sa direction. [...] J'eus la grande joie d'interpréter le Stabat Mater et le Dialogue des Carmélites de F. Poulenc et le Roi David d'Honegger avec Jean-Marie. À ce moment-là, je me suis rappelé les paroles de Malenfant. Comme elle avait raison! Jean-Marie avait cette grande musicalité, souplesse et personnalité qui nous enveloppaient pour s'unir à lui dans la musique. Ce fut merveilleux! [...]

Constance Lambert

11/5/92

Je suis heureuse de l'occasion qui m'est offerte de rendre hommage à la mémoire de Jean Beaudet.

Je n'oublie pas qu'à mon retour d'un séjour d'études à Paris, en 1948, il fut celui qui donna le coup d'envoi à ma carrière en me proposant de participer avec lui à une série de récitals à deux pianos sur les ondes de Radio-Canada, expérience qui se poursuivit sur plusieurs années.

Jean Beaudet était un merveilleux musicien, pianiste et chef d'orchestre, plein de sensibilité, d'un raffinement exquis et d'une vaste culture. Il possédait cette aura, dirais-je «européenne», que l'on retrouvait chez les québécois d'une certaine époque, hélas, en voie de disparition, où l'on s'honorait volontiers de ses racines françaises. C'était un esprit fin, rompu à la conversation, qui cachait sous des dehors d'ironie légère, voire parfois du cynisme, un fond de bonté et de gentillesse que le faisait aimer de tous.

Jean Beaudet a été une figure privilégiée de la musique du Québec, un témoin important de son développement culturel entre le Refus Global et la révolution tranquille.

Gardons un souvenir ému de ceux qui ont été, comme lui, les artisans d'une tradition d'art et de culture dont nous nous réclamons aujourd'hui avec une légitime fierté.

Jeanne Landry, octobre 1993

HOMMAGE A JEAN-MARIE BEAUDET

J'ai eu le privilège d'entendre pour la première fois le pianiste Jean-Marie Beaudet, le 8 avril 1942, à l'occasion d'un concert présenté à l'Ecole Technique d'Ottawa, par le «BLOC UNIVERSITAIRE».

J'y ai entendu Violette De Lisle, soprano coloratura, et Hervé Baillargeon, flûtiste, et, si ma mémoire est fidèle, on m'avait demandé de tourner les pages pour le pianiste. [...]

· Étant moi-même jeune violoniste, j'ai été fort impressionné par Jean-Marie Beaudet. Il était si attentif aux artistes solistes et si soucieux de se marier aux moindres nuances musicales souhaitées que je me suis dit : «un jour je lui demanderai de jouer pour moi».

Mais, n'approchait pas qui voulait Jean-Marie Beaudet, il gardait une certaine distance, il était un monsieur très important pour la musique à la Société Radio Canada. Les années ont passé puis, un jour, j'ai été invité à jouer du violon à un récital du célèbre ténor Raoul Jobin à la salle du «Gesù», mon désir se réalisait, le pianiste était Jean-Marie Beaudet.

En 1955, le mouvement des Jeunesses Musicales du Canada accueillait, à Montréal, le Congrès de la Fédération Internationale des Jeunesses Musicales. L'événement le plus marquant, fut, sans aucun doute, l'inoubliable concert de l'Orchestre National de Radio Canada (Toronto), sous la direction de Jean-Marie Beaudet.

[...] C'est Gilles Potvin qui nous avait recommandé le jeune pianiste invité à jouer le 3e concerto de Beethoven. Jean-Marie Beaudet nous révélait, en première, avec Orchestre, à Montréal, celui qui allait devenir le pianiste canadien le plus connu du monde, le célèbre Glen Gould.

Jamais je n'oublierai les remarques des deux fondateurs du Mouvement Jeunesses Musicales, messieurs Marcel Cuvellier de Belgique et René Nicoly de France. En route pour les coulisses du théâtre, ils m'accompagnaient pour y féliciter Jean-Marie Beaudet et Glen Gould. Nicoly me dit : « Ne m'envoie jamais ce pianiste pour les concerts JMF », et Marcel Cuvellier de répondre : « Mon cher, il n'aura jamais besoin ni de vous ni de moi pour sa carrière ». […]

Ma vie active auprès des Jeunesses Musicales et auprès de tant d'autres mouvements m'a plus tard donné l'occasion de mieux connaître et d'apprécier le grand artiste qu'était Jean-Marie Beaudet, organiste, pianiste, chef d'orchestre intelligent et avisé pour qui la Musique Canadienne d'alors n'avait aucun secret. Il fit reconnaître nos compositeurs à une époque où notre société doutait encore de leur valeur. Sa contribution étalée sur quelques décennies d'activités intenses fut immense à plus d'un titre.

En 1959-1961, pour bien ancrer l'initiative d'un centre de musique canadienne, nous devions nommer un directeur prestigieux ; les noms de nombreuses personnalités canadiennes ont été considérés. Fort d'une solide formation musicale et d'une profonde connaissance du milieu musical de tout le pays, haut fonctionnaire chevronné, Jean-Marie Beaudet nous est apparu la personnalité toute indiquée pour relever ce défi.

[…] Jean-Marie Beaudet était un artiste sensible, un musicien exceptionnel, un « gentleman », voilà le souvenir que j'en garde.

Gilles Lefebvre, o.c.,c.q.

Président du Conseil des arts de la Communauté urbaine de Montréal

Fondateur des Jeunesses Musicales du Canada et du Centre d'Art Orford JMC

Montréal, le 16 mars 1993

JEAN BEAUDET

Son intelligence toujours en éveil, sa vaste culture, sa distinction naturelle, en faisaient une personnalité marquante du monde musical québécois et canadien. […]

C'est au moment de mes études au Conservatoire de musique de Québec que j'ai eu le plaisir de jouer moi-même sous sa direction. Nous, les jeunes, nous nous sentions en sécurité : sa direction précise, les entrées indiquées au bon moment d'un geste ou d'un coup d'œil, et puis son acuité auditive exceptionnelle nous impressionnaient. Je me souviens qu'il insistait toujours sur la précision rythmique et sur la proportion exacte de durée à donner à chacune des notes, que ce soit dans un accelerando ou un ritardando. Avec Jean-Marie Beaudet, les silences avaient autant d'importance que les notes. La musique respirait.

Bien avant 1960, monsieur Beaudet a joué en soliste et a dirigé l'Orchestre symphonique de Québec. Lorsque l'OSQ est devenu professionnel, sous l'impulsion de Françoys Bernier, Jean Beaudet a été chef invité pour une bonne quinzaine de concerts, de 1960 à 1969. Il a dirigé à Québec, Lévis, Chicoutimi, St-Georges de Beauce, Trois-Rivières et Thetford, sa ville natale. Avec nous, il a interprété un grand nombre de compositeurs de Bach à Weber, en passant, entre autres, par Mercure, Debussy, Ravel, Fauré, Hindemith, Tchaïkovski. Sous sa direction, les symphonies de Schubert devenaient des œuvres de prédilection. Je lui dois l'affection particulière que j'ai pour ce compositeur.

Je tiens à mentionner quelques solistes qu'il a accompagnés au podium de l'OSQ : les pianistes Michel Dussault et Robert Casadesus, le violoniste Christian Ferras et le violoncelliste Pierre Fournier.

Personnalité attachante, musicien exceptionnel, Jean Beaudet a imprégné la mémoire de ceux qui l'ont connu. Je garde un souvenir vivace de cet artiste à qui je dois de profondes émotions musicales.

François Magnan

Québec, 5 avril 1993

Souvenirs de Jean Beaudet

Bien avant de travailler avec le chef d'orchestre Jean Beaudet et l'équipe de réalisateurs Pierre Mercure et Françoys Bernier à l'occasion de l'émission télévisée de Radio-Canada, « L'Heure du concert », qui présentait en première nord-américaine l'œuvre de Francis Poulenc, « Dialogues des Carmélites », son nom m'était familier depuis ma toute petite enfance dans la belle ville de Québec.

Dans les années 30 la vie musicale dans la Vieille Capitale était intense. Les familles Gagnon, Bernier, Létourneau, Talbot et Larochelle faisaient école. Il y avait les musiciens et les studios de professeurs de la haute-ville et ceux de la basse-ville qui rivalisaient de qualité. Chaque année les récitals d'élèves étaient courus du Tout-Québec et les gagnants du Prix d'Europe étaient assurés d'une gloire locale. [...]

Son nom me devint vite amical de même que celui du ténor Raoul Jobin qui était l'orgueil de ses concitoyens depuis qu'il chantait à l'Opéra de Paris.

A Québec, c'est de l'église St-Dominique que fut inauguré le premier concert de la Commission canadienne de la Radio, le 24 décembre 1932. Jean-Marie Beaudet était à l'orgue et Raoul Jobin chantait un Minuit, Chrétiens ! qui fut rediffusé jusqu'en Amérique du Sud. Des auditeurs argentins de cette nuit-là se souvenaient de ce Noël lorsque le ténor de Québec fit ses débuts au Teatro Colon de Buenos Aires dix ans plus tard. [...]

Quelques années plus tard, lorsque je rencontrai Jean Beaudet, je crus retrouver un ami de toujours. Sa belle intelligence, sa sensibilité rayonnante et sa vaste connaissance de la musique française me fascinèrent aussitôt.

Très rapidement les affinités se dessinèrent et, ensemble, nous avons fait les Wednesday Nigth de Radio-Canada, tout spécialement la musique française du 18è siècle, celle de Campra (l'Europe Galante) et de Lulli (Te Deum) puis il devint un ami. Debussy, Ravel, Monteverdi, Rameau, Mozart et Wagner devinrent les sujets de nos conversations. Il m'encouragea fortement à travailler le répertoire vocal français du 18è siècle et une bourse du Conseil des Arts du Canada me favorisa dans cette orientation vocale et musicologique à Paris, en 1965.

Toutefois je le connus et l'appréciai davantage en travaillant la biographie de Raoul Jobin dont il fut toujours le parfait pianiste accompagnateur dans les tournées nord-américaines en plus d'être un très cher et fidèle ami, et celles des mozartiens Pierrette Alarie et Léopold Simoneau pour lesquels il demeura un musicien de première grandeur.

Jean-Marie Beaudet était le musicien anti-star par excellence. Sa gentillesse, sa belle éducation et son sens de l'humour le rendaient accessible à tous ceux qui l'approchaient et désiraient avoir recours à ses conseils et à ses connaissances. Sa grande culture musicale s'étendait du répertoire de musique ancienne à la musique contemporaine. Il s'intéressait aux mouvements de musique à l'échelle internationale et il créa plusieurs ouvrages de compositeurs canadiens.

C'est à Paris que j'appris son décès, lors d'une réunion amicale de musiciens canadiens en tournée, chez Raoul Jobin alors attaché culturel à la Délégation du Québec à Paris. Le choc de cette nouvelle atterra les musiciens présents et tous avouèrent perdre un ami et le Québec un grand homme.

Pour moi, il demeure lié à l'image qui me reste d'un récital de Ninon Vallin au Palais Montcalm de Québec en 1947. La grande cantatrice française avait le plus raffiné des pianistes et jamais je n'ai réentendu la mélodie de Reynaldo Hahn, «D'une prison», chantée et interprétée avec autant de sobriété, de sensibilité et d'intensité contenues.

Inoubliable!

Renée Maheu, C.M.

Soprano et biographe.

Sutton, le 16 octobre 1992

Monsieur Beaudet

Il fut un bon patron. Je n'en ai pas eu de meilleur. Quand je l'ai connu, j'étais déjà au micro de Radio-Canada depuis un an, mais à Québec. Puis, j'ai été mutée à Montréal et là, M. Beaudet est devenu mon patron immédiat.

Il était de ces personnages qui laissent un souvenir vif. Il surprenait par la diversité de ses talents : musicien sensible, excellent administrateur, patron efficace et singulièrement attentif. A l'époque dont je parle, il dirigeait le réseau français de Radio-Canada. Puis ce fut Vancouver, Ottawa, ailleurs aussi peut-être, je n'en sais rien. Il remplissait ses fonctions avec beaucoup d'autorité, mais il exerçait cette autorité avec une infinie politesse.

J'ai travaillé plus précisément avec lui toute une saison dans une émission intitulée « Canadiana » et qui formait la partie la plus importante de la programmation du dimanche soir. Musique, interviews, sketches. La musique, c'était sa partie. Ses musiciens l'aimaient et le suivaient bien. L'actualité fournissait la matière des interviews – peintres, littérateurs, anthropologues. Parmi tous ces grands personnages certains se disaient sans doute qu'on ne les avait pas entendus depuis longtemps de sorte qu'il n'y avait pas moyen de les faire taire. Je me souviens, entre autres, d'un folkloriste qui avait, quand on lui faisait signe de s'arrêter, une façon singulière de regarder ailleurs et qui se mettait à illustrer ses propos de chansons huronnes ou iroquoises. M. Beaudet et moi partagions le même fou-rire et chez moi, c'est vite désastreux. « Cessez de rire, ça va être à vous ». Je ne sais comment il faisait mais c'était radical. Que ne l'ai-je eu près de moi dans des circonstances semblables où mon manque de sérieux a fait bien mauvais effet !

Après avoir quitté Radio-Canada je ne l'ai pas souvent revu. Je me souviens d'un dîner chez lui, à Ottawa, où nous fûmes invités mon mari et moi. [...]

Je l'ai rencontré, par hasard, trois ou quatre fois dans le train Montréal-Ottawa. Nous parlions un peu, mais nous allions travailler chacun dans son fauteuil. Parfois, il parlait plus longuement et faisait quelques confidences sur son travail, ses voyages, ses amours anciennes, ses séjours d'avant-guerre à Paris. Peut-être parce que j'étais une romancière et que c'est un état qui suscite ces propos-là.

La dernière fois, je le regardais de loin lire de la musique en remuant imperceptiblement l'index. Après un certain temps, il est venu s'asseoir près de moi.

« Maintenant, quand j'ai envie de musique je lis des partitions, je n'ai même pas de piano, je ne joue plus que dans la tête. »

Il me montra la musique qu'il venait de lire en m'indiquant certains passages…à moi qui ne sais même pas lire mes notes. Il aimait parler et ce qui séduisait d'abord chez lui c'était sa voix. Il avait une façon unique de poser légèrement les mots, comme sans y toucher. Une voix qui s'est imprimée dans ma mémoire. Il me suffit d'y repenser pour l'entendre. [...]

Claire Martin

Québec – août 1993

Dear Mr. Beaudet

Thanks for your note about your brother whom I liked and admired very much.

I shall never forget his performance of my Symphony n° 1 on CBC. It was the world premiere (around 1954 or 1956).

It was supposed to be conducted by W. Pelletier. But Mr. Pelletier had to leave suddenly (24 hours before the performance). Your brother – who saw the score only for two days – took over the dress rehearsal and performance which was really <u>magnificent</u>.

I met your brother several times but what I just wrote will always stay in my mind.

With kindest regards

Oskar Morawetz
M.C., O. Ont., Mus. Doc.

Pour moi, Jean Beaudet fut celui qui dirigea la première de ma symphonie n° 1 et qui fit connaître avec Noël Brunet ma Sonate en Sol pour violon et piano en Europe : à Paris, à Rome, etc.

Aux alentours des années cinquante, nos musiciens d'orchestre montréalais avaient grand besoin de ce faire expliquer le langage des jeunes compositeurs du Québec et Jean Beaudet savait le faire avec autant de compréhension que de tact. Comme j'allais souvent aux répétitions d'orchestre entendre la préparation des œuvres de mes collègues aussi bien que des miennes j'ai souvent constaté et admiré son habileté à tout expliquer aux interprètes de cette époque. Puis, comme secrétaire général de la musique canadienne, il sut avec beaucoup de doigté naviguer à travers les réclamations des compositeurs de toutes tendances aussi bien que de différentes régions et j'ai pu le constater bien des fois, étant moi-même activement impliqué dans les activités de ce

Centre, de bien des façons. Jean Beaudet a joué un rôle très important dans la musique canadienne et on se doit de ne pas l'oublier : le 19 mars 1971 fut un deuil pour la musique canadienne.

Jean Papineau-Couture

Oct'92

JEAN-MARIE BEAUDET

C'est dans une salle de répétitions de la télévision de Radio-Canada – alors que j'étais script-assistante aux émissions musicales – que j'ai rencontré, pour la première fois, et que j'ai appris à connaître le pianiste et chef d'orchestre Jean-Marie Beaudet.

Je le revois prodiguant des conseils aux chanteurs et aux musiciens de l'orchestre. J'ai aussi découvert l'homme qui se cachait derrière le musicien : élégant, raffiné, et possédant un sens de l'humour tout à fait remarquable. Son aménité est encore présente à la mémoire de toute l'équipe technique de la télévision.

Parmi toutes les œuvres qu'il a dirigées, à « L'Heure du concert », alors diffusée aux réseaux français et anglais de Radio-Canada, je me souviens tout particulièrement de deux productions. La première : une émission réalisée par Françoys Bernier « Les Dialogues des Carmélites », musique de Francis Poulenc, texte de Georges Bernanos. C'était alors l'époque des émissions « en direct » avec tous les risques que cela comportait : les solistes en studio, boulevard Dorchester, les musiciens, sous la direction de Jean-Marie Beaudet, à la salle Victoria à Westmount. Ce fut, en dépit de toutes ces difficultés, une réussite totale, dont une grande part revenait au directeur musical, Jean-Marie Beaudet, musicien en tout point remarquable.

La seconde : une émission réalisée par Pierre Morin et consacrée au célèbre baryton Gérard Souzay.

Monsieur Beaudet y était à la fois chef d'orchestre et interviewer – une autre facette moins connue de la diversité de ses talents.

Debussy, Ravel, Fauré et Poulenc, ne pouvaient rêver d'un meilleur ambassadeur de la musique française, dans notre pays. [...]

Pauline Paré

réalisatrice
émissions musicales radio FM

2 novembre 1992

Cher Ami,

[...] Il était plus que temps de faire connaître et remémorer au grand public l'action féconde du grand musicien et administrateur que fut votre frère. [...]

Tout au long de ma carrière, surtout dans cette période de la vie où l'on passe du stage d'étudiant à celui, combien plus fragile, de jeune professionnel, nos chemins se sont croisés, et chacune de ces occasions a été pour moi non seulement un enrichissement mais aussi une aide précieuse.

Je me souviens notamment, d'avoir assisté, tout jeune, à ses récitals. Je me souviens aussi d'avoir présenté à Radio-Canada en 1949, mon second concerto pour piano et orchestre, sous sa direction. C'est lui également qui présenta au public montréalais, au début des années cinquante, « Guernica » et qui, en 1956, dirigea « Le Rite du Soleil Noir » lors d'un concert symphonique au Plateau, avec d'autres œuvres de compositeurs canadiens.

Mais c'est peut-être sur le plan humain que mon souvenir de sa personnalité demeure le plus vivace. Alors que j'étudiais à Toronto nous avions fait une longue marche dans un de ces parcs qui font l'orgueil de la Ville-Reine et avions causé de la carrière de pianiste et de compositeur, des problèmes inhérents et des solutions à ce genre de double carrière. [...]

Clermont Pépin
Compositeur

C. Pépin. oc., o.q., m.a.p.

le 19 octobre 1993

Juillet '93

[...] nous sommes arrivés ensemble à l'Ecole Supérieure de Musique d'Outremont (aujourd'hui Vincent d'Indy). Je n'oublierai jamais le trac de ma première leçon. Quel événement! une leçon de maître! Pour réaliser très vite que ce grand chef d'orchestre, pianiste et organiste, était très simple, affable, distingué, exigeant mais délicat. J'ignorais à l'époque que j'enseignerais toute ma vie, d'abord par plaisir; plus tard j'ai dû y ajouter l'obligation. S'il savait comme ses leçons ont porté fruits!... Ce fut d'abord la détente par la pesanteur de l'avant-bras et son prolongement par l'enfoncement du doigt dans la touche. Il a transformé ma sonorité ce dont je suis éternellement reconnaissante, et que j'ai fièrement transmis à mes élèves en leur rappelant sans cesse que je devais cette base essentielle de tout bon pianiste à M. Beaudet. Puis ce fut l'importance des gammes pour l'égalité nerveuse des doigts, qu'il prenait rarement, mais auxquelles il tenait beaucoup. Il nous enseignait à tourner le métacarpe, ou à soulever le poignet haut, ou à donner un *sf* sur touche noire avec le pouce si le texte s'y prêtait, toutes choses défendues au couvent d'où je venais, n'oublions pas que nous sommes au lendemain de la guerre, il y a plus de 45 ans de cela. Peut-être tous les grands professeurs enseignent-ils comme cela, [...]. Je n'oublierai jamais son «Sentez vos syncopes. Si vous ne les entendez pas, nous ne les entendrons pas». Cela ferait peut-être sourire les élèves d'aujourd'hui mais pour moi ce fut une ouverture qui est un des grands secrets de l'interprétation : s'écouter. Je ne l'ai pas saisi tout de suite, mais je l'ai assimilé toute ma vie, en en faisant, avec la détente, la base de mon enseignement.

J'ai eu aussi le plaisir, je dis bien le plaisir, de l'avoir comme professeur d'orgue. Mais là, je le connaissais, j'étais plus à l'aise, je savais sa manière. Son beau sourire, son silence attentif, puis le «C'est bien!...» suivaient avec délicatesse les remarques qu'il devait faire et surtout ses conseils et ses trucs de travail, sa compréhension de l'œuvre qu'il suggérait, mais n'imposait pas.

Cher M. Beaudet, si vous saviez le bon souvenir que j'ai de vous! ou est-ce un souvenir, puisque je conserve toujours votre enseignement vivant en le transmettant! C'est la meilleure manière de vous remercier.

Jacqueline Poirier

Jean-Marie Beaudet

Près d'un quart de siècle après nous avoir quittés, Jean-Marie Beaudet demeure parmi nous grâce au souvenir qu'il a laissé à ceux qui l'ont connu et dont l'action multiple et efficace se fait encore sentir là où il est passé.

Il ne m'a pas été donné de collaborer de très près avec lui sauf peut-être à l'Opéra Minute, entreprise bien modeste mais à laquelle il s'est intéressé de façon sincère, offrant lui-même ses services comme directeur musical, sans la moindre exigence monétaire il va sans dire. Homme sensible et généreux, Jean-Marie Beaudet était un artiste dans toute l'acception du mot. Il avait horreur du chacun pour soi et de la vaine gloriole. [...]

Gilles Potvin, C.M.

Membre de la Société royale

du Canada mars '93

Le 21 juin 1993

[…] Je n'étais encore qu'un adolescent lorsque j'ai connu Jean-Marie Beaudet. Evidemment, sa réputation était déjà grande à l'époque et il était considéré, à juste titre, comme l'un des plus grands musiciens canadiens en tant que pianiste et chef d'orchestre. Ses multiples activités sur la scène canadienne et québécoise ont largement contribué à l'épanouissement et au succès d'un nombre important de musiciens, jeunes et plus âgés, de notre milieu culturel. Son influence a été prépondérante et je puis affirmer qu'il a été l'un des principaux artisans de l'évolution musicale de notre pays, ici et à l'étranger.

Quant à moi, j'ai été particulièrement l'objet de sa sollicitude lorsqu'en 1960 il m'invita – alors que je débutais comme compositeur – à déposer mes premières œuvres au Centre de musique canadienne. A ce moment, je poursuivais mes études à Paris auprès de Messiaen et Dutilleux et je fus très touché et encouragé par l'intérêt qu'il me manifesta. Plus tard, en 1969, c'est de nouveau Jean-Marie Beaudet qui me commanda «Evanescence» pour l'Orchestre du Centre national des Arts à Ottawa, œuvre qui fut créée et endisquée sous la direction de Mario Bernardi. Cette commande fut très importante pour moi et me fournit l'opportunité – en lui dédicaçant l'œuvre – de rendre modestement hommage à l'homme et au musicien que j'admirais tellement. Malheureusement, il ne put lui-même, à cause de sa santé, diriger la première de l'ouvrage, mais pour moi cette composition lui appartenait et soulignait mon attachement à cet homme remarquable.

Il est malheureux que les circonstances ne nous aient pas permis de travailler à nouveau ensemble. Son départ a consterné tous les musiciens mais ceux-ci se souviendront toujours de son envergure et de sa générosité : plusieurs d'entre nous ne seraient pas ce qu'ils sont sans la présence combien stimulante de ce grand artiste et humaniste. […]

Bien à toi,

André Prévost, O.C. Compositeur

1992-11-06

Dear Mr. Beaudet :

Herewith, a brief note on Jean-Marie.

I arrived in Canada in 1955 from Australia, after living in Great Britain for a few years, and met Jean-Marie shortly afterwards. During my tenure as Superior of Music, and later as Head of Radio Music for the CBC, I saw

Jean- Marie on a regular basis. His interest in Canadian music was profound and on-going, and I feel his role as a pioneer in bringing Canadian music to the public is not fully appreciated.

He was a pioneer in the presentation of music on radio and television. In the early days of radio broadcasting, he told me that the normal procedure for presenting broadcasts was for him to conduct orchestras wearing earphones with the French Network feed in one ear and the English Network in the other – conditions which boggle the mind today, especially when it is remembered that all broadcasts went live to the networks!

I engaged Jean-Marie to present the Turangalîla-Symphonie of Messiaen with the CBC Toronto orchestra. It is a huge "canvas" and was considered to be a baffling work in those days. However, I felt his insightful interpretation did much to make this elusive work accessible to a wide public and, of course, he did the same thing with many other contemporary works.

When I wanted the CBC English Radio Network to become a producer of recordings, devoted to Canadian performers and composers, he was one of the first people to support me. At that time he was assistant vice- president in charge of programming for the CBC. However, he left the CBC to become music director at the newly created National Arts Centre and it took me until 1966 to accomplish my goal.

As an administrator, I always found him extremely well informed and visionary. Apart from that, he was a man of great personal charm and warmth and very good in dealing with colleagues who were unsympathetic to the art.

After he retired, I asked him if I could research his CBC files, but he told me that when he left the CBC to go to Paris, very many of his files were thrown away – something which I am sure researchers today profoundly regret. [...]

Yours sincerely,

John P.L. Roberts, Dean

Faculty of Music, University of Calgary

J'ai connu Jean Beaudet durant les années 1949-50. C'était alors mes premiers pas dans la carrière d'artiste; à cette époque, Radio-Canada avait encore ses studios sur la rue Ste-Catherine. J'ai travaillé souvent sous la direction de Jean. Je me souviens, en particulier, de la présentation en concert de Pelléas et Mélisande, opéra de Claude Debussy, avec Suzanne Danco, Jean-Paul Jeannotte, Robert Savoie et moi-même. Cette expérience de mon premier Debussy dirigé par Jean fut inoubliable. Jean était un musicien de grande classe. Il m'a imprégné le sens de l'interprétation, la rigueur du rythme, la valeur des mots. Il était un chef d'orchestre qui donnait confiance à ses solistes, il respirait la musique ; il était toujours très agréable et compréhensif envers ses artistes.

Jean était aussi un magnifique pianiste accompagnateur. Sa mort a laissé un grand vide dans le monde de la musique, a-t-il été remplacé ? J'en doute.

Je conserve le souvenir d'avoir connu un homme d'une grande énergie et d'enthousiasme, d'un homme honnête, consciencieux et respectueux, d'un grand musicien pianiste et chef d'orchestre, enfin d'un homme visionnaire.

Merci Jean

Joseph Rouleau, O.C.

Université du Québec à Montréal

Département de musique

Sept '93

---

28 février'93

C'est par l'intermédiaire d'une camarade, pendant la dépression, qu'Arthur Dupont, alors directeur de la commission canadienne de rediffusion (CCR) m'invita à devenir réceptionniste de cette organisation en mai '34 ; j'en devins une employée permanente en '35 ; j'étais toujours attachée à cette commission quand elle devint corporation en novembre '36. De ce fait, je suis en mesure de raconter les débuts de la commission canadienne de la radio montréalaise (CCRM) ainsi que la formation de CBF, du réseau français et de CBM, quand cette corporation devint la Société Radio-Canada. De la même façon, je suis tout aussi renseignée sur les débuts de Jean-Marie Beaudet et sur toute sa carrière à compter du moment où il fut nommé directeur régional de cette nouvelle organisation.

Si je ne m'abuse, J-M. Beaudet fut engagé au printemps '37 par le Dr Augustin Frigon, qui, était alors le directeur général adjoint. C'est Gladstone Murray qui agissait en tant que directeur général. Les bureaux de Beaudet occupaient à peu près tout le quatrième étage de l'Edifice King's Hall. Il y avait son bureau, le bureau de la secrétaire Thérèse Hay et la salle de conférence qui devint bientôt mon propre bureau. John Stadler, ingénieur diplômé de Mc Gill, venait d'être nommé manager ; il me proposa le poste de préposée au trafic en service exclusif de M. Beaudet. Nous étions alors vingt employés et je me rendais utile partout où l'on me demandait de le faire. Le personnel augmenta après l'arrivée de M. Beaudet.

En tant que directeur des programmes, Jean-Marie Beaudet avait une autorité transcendante ; ses projets et ses opinions obtenaient toujours le consensus et il les proposait avec un enthousiasme irrésistible. Il a toujours eu une vue d'ensemble de la culture qui dépassait les bornes du Québec et même celles du Canada. C'était son défi, pour ainsi dire et même s'il entreprenait avec peu, il savait qu'il pourrait faire beaucoup grâce aux nombreux talents qui l'entouraient. Il s'entretenait fréquemment avec le Dr Frigon dont les bureaux étaient alors à l'édifice Keefer. La secrétaire de Monsieur Frigon, Louise Simard, devint plus tard son assistante. Frigon avait une confiance aveugle en son directeur de programme et il ne minimisait en rien ses capacités. Chaque semaine, Beaudet allait à Toronto pour discuter des programmes avec les autres directeurs. Il était, je dois le dire, le seul employé – et le premier – qui pût voyager par avion, et encore fallait-il qu'il obtienne chaque fois la permission.

Les premiers programmes que Beaudet soumît pour CBF et le réseau français, de même que pour CBM, commençaient à huit heures du matin et se composaient de nouvelles, d'une causerie religieuse, d'interviews, de sketches, de musique classique et populaire, de chansonnettes et quoi encore?... Les programmes musicaux d'envergure nous parvenaient de réseaux américains: Toscanini de la NBC; l'Opéra du Métropolitain de l'ABC, et, de CBS, l'orchestre philharmonique de New York; ce dernier ne passait pas à CBF puisque c'était CKAC qui détenait les droits pour CBS. De la BBC, à Londres, originait: «London Calling» et plus tard, beaucoup d'autres émissions que retransmettait CBM. Comme la diffusion était presqu'entièrement bilingue au début, les annonceurs se devaient de l'être.

A l'époque, il n'y avait pas de réalisateur; les annonceurs devaient choisir leurs disques, écrire leur texte et improviser dans le cas des entrevues. Avec le temps, il y eut plus de programmes en direct. L'orchestre symphonique était diffusé depuis l'auditorium «Le Plateau»; les récitals de chant et de piano, les sketches quotidiens cinq fois la semaine et même les récitals d'orgue nous parvenaient de la salle Tudor chez Ogilvy's. Les nouvelles étaient préparées par des journalistes à la pige jusqu'en 1941 dans la salle de nouvelles de Montréal fondée pour les journalistes français et anglais dans le but d'alimenter CBF, le réseau français, et CBM.

Tout nous parvenait alors de l'agence Canadian Press. Petit à petit, des réalisateurs furent embauchés et l'on créa des départements. C'est Beaudet qui fut l'organisateur de tout ce branle-bas et il fut merveilleusement secondé par Stadler. Ils avaient tous les deux le même âge, partageaient les mêmes points de vue et venaient tous les deux d'un même milieu culturel supérieur. Beaudet travailla beaucoup aussi avec Arthur Dupont, le précédent directeur de la commission radiophonique de rediffusion canadienne qui agissait maintenant comme directeur commercial. Le réseau français et CBM prenant de l'importance, il fallut plus de personnel que les annonceurs et les réalisateurs. On construisit de nouveaux studios. CBF, CBM et le studio C s'installèrent au troisième étage, d'autres au premier, lesquels furent détruits lors de l'explosion.

L'on mit sur pied des départements : la discothèque, le bureau des comptes, le bureau des annonceurs etc. On engagea des scripteurs pour entreprendre des continuités et des sketches ; pour les partitions, des copistes ; plus de comptables pour les bureaux de paie, plus de promoteurs pour la publicité, plus de sténo et que sais-je ? Ceci en dehors de tous les autres besoins musicaux : les programmes, les titres, les artistes et même les annonceurs étaient suggérés par Beaudet. Les réalisateurs, non seulement acceptaient ses suggestions, mais recherchaient ses avis et conseils. Beaudet demeurait coopérant, dévoué, charmant et très recherché pour ses talents. Intuitionnant presque ce que chacun souhaitait, dans la mesure du possible, il cédait aux suggestions de chacun.

Notre propre salle de nouvelles vit le jour en '41. Marcel Ouimet la dirigeait avec Florent Lefebvre, Benoit Lafleur, Paul Barette et d'autres dont j'oublie les noms. Robert Elie se joignit à nous plus tard. A cette époque commença la « Revue de l'actualité ». Les sketches (radio-savons et continuités) envahirent les ondes quotidiennement : « Un homme et son péché » de Grignon, « Rue Principale » d'Eddy Beaudry qui mourut trop tôt dans un accident d'avion en mission journalistique pour le réseau français. Il y avait Jovette Bernier avec Jacques Des Baillets, Jean Desprez et plus tard plusieurs autres séries dramatiques.

Du côté musique, c'est encore Beaudet qui ouvrit le bal, par un soir, de tempête, à la Salle du Plateau, le 7 décembre '37, précisément. Malgré le mauvais temps, le public se rendit assez nombreux. Ce soir-là, l'annonceur était Gérard Arthur.

Avec les années, Beaudet fit beaucoup pour faire connaître les compositeurs français d'un océan à l'autre, présentant entr'autres, « Le Roi David » d'Arthur Honegger, « L'Enfance du Christ » de Berlioz, « Dialogues des Carmélites » de Francis Poulenc et tant d'autres…Il créa pour les jeunes artistes : « The Singing stars of Tomorrow » et « Sérénade pour cordes » avec Jean Deslauriers. Grâce à lui débuta au réseau français « l'Opéra du samedi », diffusé depuis l'opéra métropolitain de New York ; à ce moment-là, il invita Léo-Pol Morin, célèbre musicien et critique, à présenter un commentaire hebdomadaire faisant le pendant, au réseau du quiz de New York diffusé par CBM.

Avec Gérard Arthur comme maître de cérémonies, commença la si populaire émission « RSVP » mettant habituellement en vedette Louis Francoeur, le Dr Panneton (Ringuet) et le Dr Roméo Boucher. Pendant la guerre, Beaudet proposa « La situation ce soir » avec Francoeur qui fut suivie par toute la province, assidûment. La déclaration de la guerre apporta maints changements et plus de travail ; ce fut sans doute à ce moment que l'on inaugura les traductions simultanées des discours de Churchill, toujours avec Francoeur.

Il y eut « Les obligations de la victoire », émission permettant à un grand nombre de vedettes canadiennes, américaines et européennes de présenter leur numéro. «Les fureurs d'un puriste» avec le poète Paul Morin, datent de ce temps ainsi qu'un tas de nouvelles émissions. Beaudet tenait absolument à ce que l'on parlât et à ce que l'on écrivît le français de façon impeccable. Il avait les yeux partout, discutant avec le superviseur, le technicien et organisant quotidiennement des réunions avec le service technique, la publicité et l'équipe de l'horaire des programmes. Ceci se passait tôt le matin et j'étais toujours présente.

Avant que Gérard Arthur ne déménage de Québec à Montréal, je travaillai étroitement avec M. Beaudet et même après qu'il fut là; j'étais le lien entre le bureau de Beaudet et celui de l'horaire des programmes, le service technique et le département du trafic à Toronto. Si aujourd'hui, on pouvait avoir accès aux horaires des programmes de l'époque ('36,'37,'38), l'on se rendrait compte, et ça jusqu'à la fin de la guerre, du travail accompli par J-M. Beaudet pour le Québec et pour tout le Canada. Les directeurs de programmes qui prirent sa succession continuèrent exactement dans l'esprit qu'il avait créé. C'est bien pourquoi il m'est difficile de comprendre pourquoi l'on institue un «Studio Raymond David» ou un «Studio Jean Desprez» alors qu'il n'en existe aucun pour les pionniers que furent Beaudet et le Dr Frigon dont les assistants toujours vivants sont absolument abasourdis de constater l'oubli où sombre tout ce travail initial.

Depuis les tout débuts de sa carrière avec la SRC (alors CCRM), Beaudet rêvait d'organiser et de faire connaître «l'orchestre symphonique de R-Canada», à l'exemple des orchestres de la BBC ou de la NBC. Ce rêve, il ne le réalisa vraiment que plus tard en créant l'orchestre du Centre national des Arts à Ottawa. A ce moment, il me semble il y avait très peu d'orchestres symphoniques au Canada si l'on exclut ceux de Toronto, d'Edmonton, de Calgary, de Vancouver et de Québec. Ce que Beaudet souhaitait, c'était de voir travailler plus de musiciens, plus de chanteurs, de maison d'opéras ainsi que tout ce qui évolue autour de la chose artistique. Je crois qu'à vouloir trop, trop tôt, il se brûla, occupant à la fois les commandes administratives et musicales. C'était un excellent administrateur, mais sa vie, c'était la musique. […]

Février'93 *Clotilde B. Salviati*

Hommage à Jean-Marie Beaudet, pianiste, chef d'orchestre, administrateur.

[…] c'est au cours des années 1945-1946 que je connus M. Jean-Marie Beaudet, alors attaché à la direction du réseau français de Radio-Canada.

Cet homme révélait une puissance de travail peu commune car tout en se vouant à ses responsabilités administratives, pour autant, il ne délaissait pas la pratique de son art; se produisant comme pianiste-soliste avec le même dynamisme, ou dirigeant les grands orchestres, soit à l'opéra, car, à ce moment-là, on avait souvent recours à lui pour accompagner, soit à l'orchestre ou au piano, les artistes internationaux prestigieux se produisant à Montréal. [...]

Personnellemnt, j'ai pu admirer chez cet artiste exceptionnel, le chef consciencieux, voire même méticuleux, lorsque je jouai aux ondes Martenot, le vaste poème symphonique avec chœur et orchestre de Claude Champagne, sous sa direction habile.

Il arrive fréquemment que des hommes doués d'un tel talent, se révèlent souvent un peu dépourvus de qualités humaines. Mais au contraire, ce que j'ai hautement apprécié chez Jean-Marie, c'est sa gentillesse, sa générosité et sa bonté. Indéniablement il aimait les artistes, s'effaçant volontiers devant ceux-ci. On aurait dit qu'il ne savait pas, lui-même, toute la portée de ses dons et de son intelligence. [...]

Georges Savaria

28 octobre 1992

92-10-20

Mon cher Pierre,

[...] La première fois que j'ai travaillé avec M. Beaudet, j'étais tout jeune débutant et Jean-Marie Beaudet était pour moi un grand personnage, musicien, chef d'orchestre dont la réputation n'était plus à faire. Je débutais…j'avais un trac fou.

Devant un engagement très important, un rôle de premier plan, mes petites voix internes me provoquaient un manque de confiance à en perdre tous mes moyens, surtout à la première lecture au piano avant d'arriver devant l'orchestre.

Loin de moi d'en juger si M. Beaudet était un bon ou un mauvais chef, j'étais assez préoccupé par «mon rôle».

J'ai donc du «faire face à la musique». M. Beaudet m'a tout de suite mis en confiance en travaillant avec moi comme un complice pour accomplir du bon travail. Sa confiance y était déjà là lors des premières répétitions d'orchestre et j'ai pu donner le meilleur de moi-même à la représentation.

C'était le rôle de Thésée dans Hyppolite et Aricie de J.P. Rameau.

J'ai également chanté le rôle de Galland dans Pelléas et Mélisande de Claude Debussy et Marcel de la Bohème de Puccini.

Jean-Marie Beaudet était devenu un critère, car j'ai travaillé avec de grands maîtres et je comparais non seulement le chef, mais surtout l'Homme, l'homme qui te fait entièrement confiance et qui te fait grandir dans ton art.

Quarante ans plus tard, je peux dire de Jean-Marie Beaudet qu'il était un bon chef mais aussi un bon homme.

Sincèrement

Robert Savoie

JEAN-MARIE BEAUDET

My collaboration with Jean was an enriching experience...both musically and personally.

He was, in a way, a 20th century Renaissance Man...educated and culturated with an eager and inquisitive mind, able to assume the role of artist, pedagogue, administrator or leader.

He seemed always to be busily occupied with something interesting... coming from some business...hurrying on to something else...yet he always took the time to stop and listen...to generously take time for your question or your problem and to offer his counsel drawn from a long and rich experience, without ever any pretence of superiority.

He was as patient with people as he was impatient with irrational situations.

My picture memory of him is of a tall, gentle person who, however serious he might appear, always seemed to have a twinkle in his eye...that beneath a serious facade he could never deeply angry or unforgiving.

His contribution to the musical and cultural heritage of Canada and Quebec was of prime importance. His spirit will always be present in future generations.

Calvin Sieb,
Ottawa 9 mars, 1993

Le couple Alarie-Simoneau a laissé deux témoignages. Le premier est extrait d'un livre que Renée Maheu lui consacre et le second, d'une lettre expédiée à Pierre Beaudet.

1.

«Jean-Marie Beaudet, diront-ils [Pierrette Alarie et Léopold Simoneau], est une figure de proue dans la vie musicale montréalaise. Nous lui devons beaucoup. Premier directeur musical de Radio-Canada, il a été un pionnier de la musique à la radio et plus tard à la télévision. Il a consacré sa vie à défendre la cause de la musique au Canada, et s'il avait vécu en France comme il l'espérait en 1929 lorsqu'il était boursier Prix d'Europe pour le piano et l'orgue, il aurait sûrement fait une belle carrière internationale. Il était de la trempe des grands musiciens, et nous en avons côtoyé plus d'un…

À Paris, il avait étudié avec Yves Nat, Marcel Dupré et Louis Aubert. Il possédait une sensibilité sans égale pour la musique française et il a été un des premiers pianistes, avec Léo-Pol Morin, à jouer Debussy et Ravel au Canada. À *L'Heure du concert*, il a dirigé de grandes œuvres françaises aussi bien que des opérettes d'Offenbach. Il disait: "N'oubliez pas que dans Offenbach il y a Bach!…" Il encourageait les compositeurs canadiens et il fit reconnaître la musique canadienne en Europe. Lors de tournées en Amérique du Nord, il accompagna Raoul Jobin, Georges Thill, Ezio Pinza, Marjorie Lawrence, Ninon Vallin, et nous deux…

Il a été un des premiers témoins de notre carrière et il nous a dirigés fréquemment durant toutes nos années d'activités. Nous savions que Wilfrid Pelletier l'avait sollicité à plusieurs reprises pour aller défendre à ses côtés le répertoire français au Metropolitan de New York. […] il préférait défendre la musique française chez lui, dans son pays, et aider les jeunes musiciens.

Sa disparition a coïncidé avec une diminution des grands concerts et ouvrages lyriques présentés à Radio-Canada. Il serait juste qu'une salle de concert porte son nom à Montréal et qu'une discographie exhaustive lui soit consacrée. Jean-Marie Beaudet demeurera pour toute une génération de chanteurs, musiciens et compositeurs le musicien par excellence, et non pas un marchand de la musique. Il croyait en son art, il en vivait, et nous partagions cet amour. Nous ne le dirons jamais assez: il dirigeait avec amour et modestie…»

Maheu, *Pierrette Alarie Léopold Simoneau deux voix, un art*, Libre Expression, Montréal, 1988, p. 201 et 202.

2.

Le 19 Nov. 1992.

[…] Le rôle de Jean-Marie Beaudet fut crucial au début de nos carrières internationales. Extraordinaire pianiste-accompagnateur, il nous fit découvrir l'exceptionnelle musicalité et le style des œuvres lyriques que nous exécutions avec sa collaboration. Il fit découvrir à Pierrette, par exemple, les quatre mélodies inédites de la jeunesse de Debussy qu'elle exécuta si souvent en tournée avec lui au piano. Quand il chanta pour la première fois le grand cycle de Schumann, «Dichterliebe» au Club Musical Des Dames

A Montréal, J.M.B. accompagnait Léopold ; celui-ci affirme que ce tour de force aurait été impossible sans sa précieuse contribution musicale aussi bien que stylistique.

Les engagements avec orchestre sous sa direction à la télévision, à la radio, lors de concerts et productions d'opéras seraient trop nombreux pour les énumérer et les détailler ici. Impossible cependant de passer sous silence les inoubliables productions télévisées de «L'Heure Espagnole» de Ravel et «La Voix Humaine» de Poulenc. Cette dernière a valu à Pierrette l'«OSCAR» de la Meilleure Chanteuse classique en 1959.

Ces productions ont été des joyaux de la belle époque de la télévision à Montréal alors que précisément J.M.B. présidait à la destinée artistique de Radio-Canada.

Pierrette se souvient que «La Voix Humaine» fut le plus grand défi sur le plan interprétation de sa carrière. Le texte de Jean Cocteau surement l'inspirait mais elle n'arrivait pas à le marier à la musique de Poulenc. Ce n'est qu'après de longues et inlassables séances musicales que J.M.B. réussit à lui en faire ressortir les subtilités et l'intensité.

Très finement cultivé, J.M.B. était de commerce des plus agréables. On ne pouvait pas ne pas l'aimer. Nous gardons de lui un souvenir admiratif et affectueux.

Pierrette Alarie Léopold Simoneau

[...]

TÉMOIGNAGE SUR JEAN-MARIE BEAUDET

Penser à mon ami Jean-Marie Beaudet, et j'y pense souvent !, c'est revivre les belles heures et les exquis moments d'une affection réciproque longue de quarante années. Nous étions dans la vingtaine lorsqu'elle s'amorça, grâce à la musique. Tous deux élèves d'Henri Gagnon, et donc tôt initiés au mouvement, alors récent, des musiciens impressionnistes français. C'est dans le célèbre studio du 8 rue Saint-Flavien, ouvert généreusement à notre pratique que souvent, le soir, nous en jouions à deux pianos les œuvres.

Ses carrières de pianiste-soliste, d'accompagnateur et de chef d'orchestre imposaient à mon ami Jean des voyages outre-mer et ailleurs, ce qui espaçait forcément nos rencontres. À vingt-et-un an, gagnant du «Prix d'Europe» pour l'orgue et le piano, il passa tout de suite deux années en France. Cette séparation fut suivie de bien d'autres. Lorsqu'étant à l'étranger le cafard le frôlait d'un peu trop près, il me téléphonait sans compter les onéreuses minutes que lui coûtait son appel. De toute façon, après chaque absence nous nous retrouvions avec joie, inchangés mais enrichis, et plus aptes à nous comprendre, car sa culture et la mienne s'apparentaient étroitement.

Sur le plan social Jean Beaudet était d'un abord facile, nullement pédant mais, au contraire, soucieux de respecter l'opinion de ses interlocuteurs. Qu'il dût diriger ou corriger, il affirmait fermement mais sans rigidité. Exigeant en matière de perfection technique, il laissait cependant à la personnalité de chacun la liberté de s'exprimer. Il causait en homme du monde. Advenant que le ton de l'entretien s'échauffât, il avait une façon bien à lui de provoquer d'un trait d'esprit ou d'une réflexion comique, un éclat de rire qui allégeait l'atmosphère.

Ses succès d'artiste lui attiraient l'enthousiasme de nombreuses admiratrices. Devant cette avalanche louangeuse il me disait, un sourire au coin de son œil fin : « Moi j'ai épousé…la Musique ! » […]

À son retour de Paris, après son stage d'étude sous la direction d'Yves Nat et des grands maîtres de l'orgue à ce moment-là, il fut nommé organiste attitré de l'église Saint-Dominique, à Québec. Il habitait à quelques pas de chez moi, au Château Saint-Louis, un appartement dont il m'avait laissé la clé avec gracieuse permission de travailler sur son piano de concert. Préparait-il quelque récital, il m'invitait à l'écouter au préalable, chez lui ou à la Basilique Notre-Dame.

L'intimité de ces « avant-premières » a été pour moi le contact le plus précieux et le plus heureux de ma vie. Jamais je ne me le rappelle sans un élan d'affectueuse gratitude envers celui qui m'a ainsi privilégiée. Je suis heureuse que l'occasion me soit fournie de rendre ici témoignage à une amitié sans ombres.

Paulette Smith
Ce 25 mars 1993

---

19 March 1993

Monsieur

Thank you for asking me to write a few words about Jean-Marie Beaudet. His memory is very dear to me, after all these years.

The National Arts Centre, The National Arts Centre Orchestra, and music-lovers across Canada, owe him a great deal. He was the first musician to join the Centre's small staff, a couple of years before we opened in early June 1969. He came to us from a senior position with the CBC with the specific task of forming the 44-member orchestra which Louis Applebaum had persuaded us was the right one for the Centre.

Our decision to create a small classical orchestra in the Mannheim tradition was hotly contested. There was opposition from all those who thought we should have one twice that size to win public support, and from those who thought we should have none at all, but rely on five or six visits a year from the Montreal and Toronto symphony orchestras.

Jean-Marie staunchly believed in what the Centre was doing. The courage, intelligence and professional knowledge he brought to the defence of our musical ideas, in the years before the NACO's first concert gave such dazzling proof of their correctness, was an immense relief to all of us.

But Jean-Marie did more than defend our ideas – he realized them. I shall never forget the day when he told me: «Hamilton, we have our conductor...»It was, of course, Mario Bernardi, whom he persuaded to join us from the Sadler's Wells Opera in London in June 1968. After that he and Mario, with the help of such distinguished musicians as Wilfrid Pelletier, Roland Leduc, Lea Foli and Lorand Fenyves held auditions across Canada and the United States, and even in England, and finally assembled the unique and quite wonderful National Arts Centre Orchestra we have today.

Sadly, Jean-Marie heard only its triumphal opening concert in October 1969. He fell ill that same month, was never able to resume his duties on a full-time basis, and died in March 1971. As I wrote in the Centre's annual report that year: «The orchestra which he helped to create stands as a fitting memorial to a life dedicated to the achievement of the highest possible standards of musical performance in Canada».

Your Brother was a fine musician...and a lovely man.

Yours sincerely,

GH Southam

Le témoignage suivant n'a pas été adressé à Pierre Beaudet mais à Josée Beaudet.

September 21, 2008

Hello Mrs Beaudet,

[...] As a prelude to the subject of Jean-Marie Beaudet I would like to tell you that I arrived to Montréal in March 1966. [...]

From 1966 to 1969 I was a member of the Montréal Symphony Orchestra; during this time I played in many occasions for the CBC radio and CBC Television Orchestras, under different conductors like Jean-Marie Beaudet, Wilfrid Pelletier and others whose names escape my memory. That happened only 42 years ago...

As a conductor, I do remember that Jean-Marie Beaudet impressed me with his solid knowledge of the scores, his competent and serious respect of the composer's instructions and being not showy at all. He had good rapport with the musicians and in general acted like a gentleman.

I auditioned for NACO in December 1968, in Montréal. The jury included Mario Bernardi, Wilfrid Pelletier, Toronto's renowned violin teacher… Fenyves and a few others (again, my memory!) but it was your uncle that conducted the operations; he selected the pieces for me to play from the list I presented and while all others members of the jury were seated not far away in the theatre (possibly l'École Vincent-d'Indy?) he was standing on stage at some distance from me, very attentive and with a friendly face. A few questions from him and from some of the others members followed; Mario Bernardi surprised me when he spoke a few words in Spanish (my first language!) may be my curriculum vitae? A few days later I was invited to meet your uncle at the Queen Elizabeth Hotel, where we had a pleasant conversation and some more serious talk that was conductive to being offered the position of principal viola chair in the future National Arts Centre Orchestra. […]

With all respect and my very best wishes,

Lazaro Sternic

Hommage à Jean-Marie Beaudet

Assez grand, chauve, la voix bien timbrée, une grande vivacité d'esprit émanait de sa personne. Ce musicien, pianiste et chef d'orchestre donnait l'impression de pouvoir saisir une situation, lire une nouvelle partition avec rapidité en en captant tout-de-suite les point essentiels.

Mes premiers souvenirs datent du début de mes études au Conservatoire de Montréal, au début des années 50, où il dirigeait et animait l'orchestre. Ce sont des impressions furtives, car je n'ai jamais eu à travailler sous sa direction à cette époque. Plusieurs années plus tard, vers 1963, après mon retour d'Europe, nous voici un soir dans un studio de Radio-Canada préparant la Turangalîla-Symphonie, d'Olivier Messiaen pour laquelle on m'avait demandé de jouer les Ondes Martenot-solo, Paul Helmer assurant le piano principal. On devait la réalisation de cette première au Canada à Irving Glick.

Jean-Marie Beaudet avait un trac fou: « Ah! Comme je me trouve téméraire de diriger une telle œuvre! » s'exclama-t-il. Nous nous mettons au travail tous les deux, et le calme revient peu à peu au fil de la Symphonie. Comment, en s'immergeant dans le texte, ne pas s'oublier soi-même, et ses craintes, en se laissant emporter par les forces torrentielles de la musique? Le lendemain matin à la première répétition de tout l'orchestre, je trouvais un chef d'une grande précision et d'une grande maîtrise, et ces qualités augmentaient au fur et à mesure des dix mouvements, s'établissant dans l'œuvre comme un levain: magie de la musique, « Joie du sang des étoiles! »

Le concert fut un succès. Ce musicien exceptionnel avait eu l'occasion de donner sa pleine mesure dans une œuvre magistrale. Peut-être se révélait-il à lui-même sa propre dimension, qui était capacité de dépassement?

Tel est le sens de ce bref hommage. Le souvenir, au-delà de lui-même, prend signe de dépassement: vivante exemplarité.

Gilles Tremblay

le 14 novembre 1993

Chronologie des concerts de Jean-Marie Beaudet en salle, à la radio et à la télévision, établie avec la collaboration de Claudine Caron, musicologue

Le musicien Jean-Marie Beaudet fait carrière comme organiste, pianiste soliste, pianiste accompagnateur, ainsi que comme chef d'orchestre. La chronologie des quelque 390 concerts qu'il a présentés en salle, à la radio et à la télévision a pour objectif de rendre compte de ses prestations, lesquelles furent à l'époque au centre de la vie musicale montréalaise, québécoise et canadienne, en faisant appel à de nombreux musiciens dont on a pris soin ici de mentionner les noms.

Les recherches archivistiques qui ont mené à l'établissement de cette liste de concerts donnent un aperçu de ce qu'a pu être la contribution de Jean-Marie Beaudet à la vie musicale canadienne entre 1932 et 1969. Son vaste répertoire, constitué d'œuvres pour orgue et piano, de mélodies et de lieder, de musique pour orchestre et d'opéra, va du mouvement baroque à la création musicale canadienne, en passant bien sûr par les grands opéras romantiques. Sur scène, Jean-Marie Beaudet accompagne les chanteurs et les musiciens de l'heure tels que Pierrette Alarie, Raoul Jobin, Arthur Leblanc et Léopold Simoneau. Il est très tôt l'un des principaux acteurs à la radio de la société Radio-Canada et le sera plus tard à la télévision avec les monumentales productions diffusées dans le cadre de l'émission «L'Heure du concert», de même qu'à l'Orchestre du Centre national des Arts d'Ottawa.

Répertorier tous les événements de la carrière d'un musicien de l'envergure de Jean-Marie Beaudet, à une époque où les projets paraissent illimités, est impossible. Sont présentés ici ceux pour lesquels les programmes originaux, de même que les articles de journaux et de périodiques attestent des événements. Ce travail sera une pierre de plus parmi celles déjà posées dans l'historiographie de la musique canadienne afin de documenter sa richesse et ses qualités propres.

Configuration des entrées

Date Titre du concert/Titre de l'émission. Société/Réseau. Salle/Studio (ville).
Réalisateur. Interprète, instrument. Source
Programme
*Dans les programmes donnés par plusieurs musiciens, indique que l'œuvre est interprétée au piano par Jean-Marie Beaudet.
**indique que l'œuvre est jouée en création mondiale.
[?] marque notre ignorance du renseignement en cause.
Note

Liste des abréviations des fonds d'archives, des journaux et des revues utilisées pour la chronologie musicale

AC	*L'Action catholique*
APJB	Archives privées de Josée Beaudet
BAÉRTC	*Bulletin de l'Association des études sur la radio-télévision canadienne*
BAnQ	Bibliothèque et Archives nationales du Québec
BG	Archives privées de Bertrand Guay
BG-OSQ	Bertrand Guay, monographie sur l'Orchestre symphonique de Québec (2002)
C	*Le Canada*
CBCT	*CBC Times*
CMC	Centre de musique canadienne
D	*Le Devoir*
FJMB	Fonds Jean-Marie Beaudet, Bibliothèque et Archives Canada
FRJ	Fonds Raoul Jobin
Lefebvre 1996	Marie-Thérèse Lefebvre, *Jean Vallerand et la vie musicale du Québec 1915-1994* (1996)
LSRC	*La Semaine à Radio-Canada*
Maheu 1988	Renée Maheu, *Léopold Simoneau, deux voix, un art* (1988)
Maheu 2004	Renée Maheu, *Arthur Leblanc : le poète acadien du violon* (2004)
PA	*La Patrie*
PE	*La Presse*

[Décembre 1930] Maison du Canada. Cité universitaire de Paris. Jean-Marie Beaudet, piano d'accompagnement; Arthur Leblanc, violon. Maheu 2004

20 octobre 1932 Festival Chopin. Hôtel Ritz-Carlton (Montréal). Jean-Marie Beaudet, piano; Cédia Brault, mezzo-soprano; Victor Brault, ténor; Jean Leduc, piano; Roland Leduc, violoncelle. PA
Frédéric Chopin, *Sonate pour violoncelle et piano, Nocturne n° 5, Mazurka n° 6, Scherzo en do dièse mineur*, op. 39, *La Messagère, Vœu de jeune fille, Chant lithuanien, Chant funèbre de la Pologne, Fantaisie*, op. 49, *Berceuse* et *Ballade n° 1*.
Note: Programme préparé par Victor Brault. Conférences de Thomas Archer et d'Henri Dombrowski.

21 octobre 1932 La Société symphonique de Québec. Palais Montcalm (Québec). Jean-Marie Beaudet, piano d'accompagnement; Jeanne Dusseau, soprano; Roméo Jobin, ténor; Henri Vallières, piano d'accompagnement. APJB

Charles Gounod, *La Reine de Saba – Marche* et *Cortège*; Georg Friedrich Haendel, *Judas Maccabaeus – Air*; Teresa Mana-Zucca, *Lies*; Edvard Grieg, *Le Cygne*; Alfred Bruneau, *L'Attaque au moulin*; Franz Schubert, *Symphonie n° 6 – Adagio-Allegro, Vivace*; Claude Debussy, *L'Enfant prodigue – Air de Lia*; Henri Duparc, *Phidylé*; mélodies populaires de la Basse-Bretagne (arr. Bourgault du Coudray); *En Automne*, [?]; Jules Massenet, *Hérodiade – Air de Jean*; Piotr Ilitch Tchaïkovski, *Casse-noisette – Marche, Danse des mirlitons* et *Valse des fleurs*; *O Canada*; *God Save the King*.
Note: Concert pour l'inauguration de la salle de concerts du Palais Montcalm, présenté sous le patronage de son honneur le lieutenant-gouverneur et de l'honorable premier ministre de la province et de son honneur le maire de Québec.

13 décembre 1932 Club musical des dames. Château Frontenac (Québec). Jean-Marie Beaudet, piano; Roméo Jobin, ténor. BG

15 décembre 1932 « Récital d'orgue par Jean-Marie Beaudet, organiste à Saint-Dominique ». Basilique de Québec (Québec). FRJ
Charles-Marie Widor, *6e Symphonie – Allegro*; Jean-Sébastien Bach, *Réveillez-vous, nous dit une voix d'en haut* (choral), *Passacaille et thème fugué*; Louis Vierne, *3e Symphonie – Adagio, Arabesque*; César Franck, *Pièce héroïque*; Marcel Dupré, *Prélude et fugue en fa mineur, Prélude et fugue en sol mineur*.
Note: Sous le distingué patronage de l'honorable H.-G. Carroll, lieutenant-gouverneur. Organisé par la Faculté de droit.

21 février 1933 Quebec Ladies' Musical Club. Château Frontenac (Québec). Jean-Marie Beaudet, piano d'accompagnement; Ninon Vallin, soprano. FJMB
Georg Friedrich Haendel, *Ch'io mai vi possa*; Christoph Willibald Gluck, *Iphigénie en Tauride – Songe et prière*; Jean-Philppe Rameau, *Hébé – Air des fêtes*; Maurice Ravel, *Sainte*; Francis Poulenc, *Airs chantés*; Gabriel Fauré, *Chanson du pêcheur* et *Mandoline*; Claude Debussy, *Ariettes oubliées, Fantoche* et *Air de*

Lia; Joaquin Nin, *Canto andaluz* et *Polo*; Enrique Granados, *Cantar* et *No Iloreis ojuelos*.
Note: Programme préparé par Mmes W.H. Delaney et Marie M. Gagnon.

25 février 1933 [Récital] Salle Tudor (Montréal). Jean-Marie Beaudet, piano d'accompagnement; Roméo Jobin, ténor. PE
Œuvres des compositeurs Caldara, Charpentier, Gagnon, Haendel, Hahn, Martini et Massenet.

27 mars 1933 Orchestre symphonique de Québec. Palais Montcalm (Québec). Orchestre symphonique de Québec, dir. [?]. Jean-Marie Beaudet, piano solo. BG-OSQ
Ludwig van Beethoven, *1er Concerto pour piano*; Christoph Willibald Gluck, *Iphigénie en Tauride – Ouverture*; Joseph Haydn, *Symphonie «Militaire»*; Xavier Leroux, *Les Perses*.

5 juin 1933 Église Saint-Patrice. Jean-Marie Beaudet, orgue et piano; Mme W.-H. Delaney, soprano. BG

21 novembre 1933 Quebec Ladies' Musical Club. Château Frontenac (Québec). Jean-Marie Beaudet, piano d'accompagnement; Ninon Vallin, soprano. FJMB
Jean-Baptiste Lully, *Thésée – Revenez, amours*; Nicolas Piccini, *Allesandro Nelle Indie – Air d'Erixone*; G. Monroe, *My Lovely Celia*; Thomas Brown, *Shepherd, Thy Demeanour Vary*; Christoph Willibald Gluck, *Alceste – Où suis-je?*; César Franck, *Rédemption – Air de l'Archange*; Gabriel Fauré, *Poème d'un jour* et *Dolly*; Maurice Ravel, *Shéhérazade – La Flûte enchantée*; Claude Debussy, *Chansons de Bilitis* et *Mandoline*; Joaquin Nin, *El Amor es como un nino*; R. Laparra, *En la huerta de Murcia*; Joaquin Turina, *Cantares*; Joaquin Nin, *Pano murciano* et *El vito*.
Note: Concert préparé par Mmes Paul Robitaille, Alfred Dobell et Alfred Terreau.

24 décembre 1933 [Concert de Noël présenté conjointement par le Broadcasting des États-Unis et la Commission canadienne de la radiodiffusion]. Église Saint-Dominique. Chanteurs de Saint-Dominique; Chanteuses du Saint-Rosaire; Jean-Marie Beaudet, [?]; Violette Delisle; Roméo Jobin, ténor; Marthe Lapointe, soprano; Placide Morency, baryton. BG

15 février 1934 [?] Palais Montcalm (Québec). Petite Symphonie [de Radio-Canada], dir. Jean-Marie Beaudet. Elie Robert Schmitz, piano. AC
César Franck, *Variations symphoniques*; Henri Büsser, *Petite suite pour piano* (orchestrée par) – *En Bateau* et *Ballet*; Claude Debussy, *Children's Corner – Golliwogg's Cake* et *Danse en mi*; [programme incomplet].

6 mars 1934 Club musical des dames. [?] Jean-Marie Beaudet, piano; Violette Delisle; Grisha Goluboff, violon. BG

20 mars 1934 «Maria Kurenko, soprano». Quebec Ladies' Musical Club. Château Frontenac (Québec). Jean-Marie Beaudet, piano d'accompagnement; Maria Kurenko, soprano. FJMB
Antonio Lotti, *Pur dicesti*; *Phyllis Has Such Charming Grace* (vieil anglais); *Shepherd, Thy Demeanour Vary* (vieil anglais); Wolfgang Amadeus Mozart, *Exultate Jubilate – Alleluja*; Gabriel Fauré, *Mandoline*; Claude Debussy, *Mandoline*; Jules Massenet, *Manon – Regrets de Manon*; Léo Delibes, *Passepied*; Monsigni, *Gavotte*; Rossini, *Le Barbier de Séville – Una voce poco fa*; Nikolaï Rimski-Korsakov, *Snegourotchka – Air*; Igor Stravinski, *Pastorale*; Joseph Strimer, *Laduchki* (dédicacé à Maria Kurenko); Alexandre Gretchaninov, *Berceuse, Russian Folk Song*; Émile Vuillermoz, *Chanson populaire canadienne*; Maurice Besly, *The Second Minuet*; Franz Liszt, *Comment disaient-ils?*, Frédéric Chopin, *Aime-moi*.
Note: Programme préparé par Mmes Basil Carter et J.-A. Dugal.

[?] août 1934 [Concert pour célébrer le 400e anniversaire de l'arrivée de Jacques Cartier en Nouvelle-France]. Événement en plein air à Gaspé. Orchestre [?] et chœur de trois cent personnes, dir. Jean-Marie Beaudet.
Note: Concert diffusé sur les ondes courtes à travers tout le Canada, en France et en Angleterre.

30 octobre 1934 «Ezio Pinza, basse». Quebec Ladies' Musical Club. Château Frontenac (Québec). Jean-Marie Beaudet, piano d'accompagnement; Ezio Pinza, basse. FJMB
Wolfgang Amadeus Mozart, *Qui sdegno non s'accende*; Georg Friedrich Haendel, *Ombre mai fu*; Ludwig van Beethoven, *In questa tomba oscura*; Giovanni Paisiello, *Nel cor piu non mi sento*; Franz Schubert, *Chi è Silvia*; Ottorino Respighi, *Nebbie*; Pierto Cimarra, *Fiocca la neve*; Francesco Paolo Tosti, *Ultima Canzone*; Charles Gounod, *Faust – Sérénade de Méphistophélès*, Guiseppe Verdi, *Simon Boccanegra – Il lacerato spirito*.
Note: Programme préparé par Mmes Paul Robitaille et Alfred Dobell.

23 novembre 1934 «Conférences et concerts de l'Institut canadien». Palais Montcalm (Québec). Jean-Marie Beaudet, piano; Anna Malenfant, contralto. BG

11 décembre 1934 Quebec Ladies' Musical Club. Château Frontenac (Québec). Jean-Marie Beaudet, piano d'accompagnement; Louise Bernhardt, contralto; Frank Bishop, piano. FJMB
Jean-Sébastien Bach, *Prélude en do dièse majeur*; Johannes Brahms, *Rhapsodie*, op. 79, n° 1; Christoph Willibald Gluck, *Che faro senza Euridice*; Sibella, *La Girommetta*; E. Wolff, *All dinge haben Sprache*; Johannes Brahms, *Willst' du, dass ich geh?*; Frédéric Chopin, *Valse en mi mineur* et *Ballade en sol mineur*; Jules Massenet, *Thérèse – Jour de juin, jour d'été*; Poldowski, *Impressions fausses*; Georges, *Nuages*; Maurice Ravel, *Tout gai*; Claude Debussy, *La Cathédrale engloutie*; Gabriel Fauré, *Impromptu*, op. 34; Alexandre Scriabine, *Polonaise*;

Reinhold Glière, *Ah! twine no blossoms*; Hughes, *I know where I'm goin'*; Dobson, *Jasmin*; Ossip Gabrilovitch, *Near to thee*.
Note: Programme préparé par Mlle Donohue et Mme J.-P. Paré.

12 mars 1935 « Récital par Jacqueline Salomon ». Quebec Ladies' Musical Club. Château Frontenac (Québec). Jean-Marie Beaudet, piano d'accompagnement; Jacqueline Salomon, violon. FJMB
Arcangelo Corelli, *La Folia*; Felix Mendelssohn, *Concerto pour violon*, op. 64; César Franck, *Sonate pour violon et piano en la majeur*; Jean-Sébastien Bach, *Aria* (sur la corde de sol); Igor Stravinski, *Pastorale*; Henryk Wieniawski, *Airs russes*.
Note: Concert préparé par Mmes W.H. Delaney et Alfred Terreau.

17 mars 1935 Concerts symphoniques de Montréal. Auditorium du Plateau (Montréal). Orchestre des Concerts symphoniques de Montréal, dir. Eugène Chartier. Jean-Marie Beaudet, piano. BAnQ/Centre de conservation, programmes de spectacle.
Ludwig van Beethoven, *Concerto pour piano et orchestre en do majeur*, op. 15; Rodolphe Mathieu, *Lève-toi Canadien*.

14 décembre 1935 [?] Palais Montcalm (Québec). Jean-Marie Beaudet, piano; Sarah Fisher, soprano. BG

9 janvier 1936 [?] Palais Montcalm (Québec). Jean-Marie Beaudet, piano; Violette Delisle; Luigi Garzia, flûte. BG

21 janvier 1936 Quebec Ladies' Musical Club. Château Frontenac (Québec). Jean-Marie Beaudet, piano; Hall Clobis, ténor; Eleanor Steele, soprano. FJMB
Joseph Haydn, *Les Saisons*; Giovanni Sgambati, *Canto d'Amore*; Gaetano Donizetti, *Che yuoi di tiu*; Robert Schumann, *Tanzlied*; Johannes Brahms, *So lass uns wandern*; Wolfgang Amadeus Mozart, *Sonate en ré majeur**; Henri Février, *Va mon ami, va*; E. de la Tombelle, *Au Clair de la lune*; Gabriel Fauré, *Pleurs d'or*; Piotr Ilitch Tchaïkovski, *La Passion*; Gabriel Fauré, *1er Nocturne**; Claude Debussy, *Ondine**; Isaac Albéniz, *Légende**; Katherine Ruth Heyman, *Night Clouds* et *Navago Rain Song*; H.T. Burleigh, *Sometimes I Feel Like a Motherless Child* et *Little David*.
Note: Programme préparé par Mmes Placide Morency et Stuart Atkinson.

12 avril 1936 La Petite Symphonie de Radio-Canada, dir. Robert Talbot. Jean-Marie Beaudet, piano. BG
Franz von Suppé, *Morning, Noon and Night in Vienna*; Camille Saint-Saëns, *Allegro appassionato*; Ludwig van Beethoven, *Symphonie n° 1*.

23 avril 1936 Société des Concerts symphoniques de Montréal. Palais Montcalm (Québec). Orchestre des Concerts symphoniques de Montréal, dir. Wilfrid Pelletier. Jean-Marie Beaudet, piano. BG
Robert Schumann, *Concerto pour piano en la mineur*; Paul Dukas, *L'Apprenti sorcier*; Nicolaï Rimski-Korsakov, *Shéhérazade*.

27 novembre 1936 Société des Concerts symphoniques de Montréal. Auditorium du Plateau (Montréal). Orchestre des Concerts symphoniques de Montréal, dir. Wilfrid Pelletier. Jean-Marie Beaudet, chef invité (assistant) ; Léo-Pol Morin, piano. BAnQ/Centre de conservation, programmes de spectacle.
Wolfgang Amadeus Mozart, *Symphonie en sol mineur*; Bedrich Smetana, *Die Moldau*; Nicolaï Rimski-Korsakov, *Concerto pour piano et orchestre*, op. 30 ; Ludwig van Beethoven, *Fidelio – Ouverture n° 3 de Leonore*; Jacques Ibert, *Escales*.

9 décembre 1936 Club musical des dames[1]. Château Frontenac (Québec). Jean-Marie Beaudet, piano d'accompagnement ; John Herrick, baryton ; Yvan Phillipowsky, piano. BG

15 octobre 1937 Société des Concerts symphoniques de Montréal. [?] (Montréal). Orchestre des Concerts symphoniques de Montréal, dir. Wilfrid Pelletier. Jean-Marie Beaudet, piano solo. APJB
Ludwig van Beethoven, *Symphonie « Pastorale »*; Robert Schumann, *Concerto pour piano et orchestre en la mineur**; Dmitri Chostakovitch, *Symphonie n° 1*; Richard Strauss, *Don Juan*.

22 janvier 1938 Institut canadien. Palais Montcalm (Québec). Jean-Marie Beaudet, piano ; Caro Lamoureux, soprano. BG

1er février 1938 Société Radio-Canada. Auditorium du Plateau (Montréal). Orchestre de la Société Radio-Canada, dir. Jean-Marie Beaudet. Léo-Pol Morin, piano ; Lucien Sicotte, violon. C
Maurice Ravel, *Pavane pour une infante défunte, Introduction et Allegro pour harpe, quatuor à cordes, flûte et clarinette, Ma Mère l'oye, Tzigane* et *Le Tombeau de Couperin*.
Note : Hommage de Radio-Canada à l'œuvre de Maurice Ravel. Concert donné en audition publique et radiodiffusé par la Société Radio-Canada.

3 mai 1938 [Concert présenté à l'occasion du 300ᵉ anniversaire de l'Hôtel-Dieu]. Palais Montcalm (Québec). Rose Bampton, mezzo-soprano ; Jean-Marie Beaudet, piano d'accompagnement ; Gabrielle Hudson, piano. BG

13 octobre 1938 « Roméo Jobin ». Palais Montcalm (Québec). Jean-Marie Beaudet, piano d'accompagnement ; Raoul Jobin, ténor. FRJ
Œuvres des compositeurs Gabriel Fauré, Robert Schumann, Claude Debussy, Gaubert et Delannoy.

---

1. Libellé en français ou en anglais, selon la référence archivistique.

4 novembre 1938 [Concert de Raoul Jobin] Palais Montcalm (Québec). Jean-Marie Beaudet, piano d'accompagnement ; Thérèse Drouin-Jobin, Raoul Jobin, ténor. FRJ
Œuvres des compositeurs Georges Bizet, Georg Friedrich Haendel, Jules Massenet, Franz Schubert et Claude Debussy.

30 novembre 1938 [Récital d'Arthur Leblanc]. Palais Montcalm (Québec). Jean-Marie Beaudet, piano d'accompagnement ; Arthur Leblanc, violon. Maheu 2004
Œuvres de Jean-Sébastien Bach et de Gabriel Fauré.
Note : Grand récital marquant le retour d'Europe d'Arthur Leblanc.

[?] 1939 Société des Concerts symphoniques de Montréal. Auditorium du Plateau (Montréal). Orchestre des Concerts symphoniques de Montréal, dir. Jean-Marie Beaudet. Zino Francescatti, piano. APJB
Paul Dukas, *Polyeucte – Ouverture* ; Johannes Brahms, *Concerto pour piano et orchestre en ré* ; Robert Schumann, *Symphonie n° 4 en ré mineur* ; Claude Debussy, *Nocturnes – Nuages, Fêtes* ; Isaac Albéniz, *Fête-Dieu à Séville, Triana*.

27 mars 1939 [Récital d'Arthur Leblanc]. Auditorium Le Plateau (Montréal). Jean-Marie Beaudet, piano d'accompagnement ; Arthur Leblanc, violon ; quintette à cordes d'Albert Chamberland. BAnQ/Centre de conservation, programmes de spectacle
Jean-Sébastien Bach, *Concerto en mi majeur* ; [programme incomplet].

14 novembre 1939 Club musical des dames de Québec. Château Frontenac (Québec). Jean-Marie Beaudet, piano d'accompagnement ; Arthur Leblanc, violon. APJB
Johannes Brahms, *Sonate pour violon et piano*, op. 73, n° 1 ; Gabriel Fauré, *Sonate pour violon et piano en la majeur*.

5 décembre 1939 « Fantaisie musicale à deux pianos ». Institut canadien. Palais Montcalm (Québec). Jean-Marie Beaudet, piano ; Léo-Pol Morin, piano. AC
Programme entier à deux pianos, avec Jean-Marie Beaudet : Bach-Philipp, *Toccate et fugue en ré mineur* ; Mozart-Grieg, *Sonate en sol majeur* ; Emmanuel Chabrier, *Bourrée fantasque* ; César Franck, *Prélude, Fugue et Variations* ; Louis Aubert, *Suite brève* ; Germaine Tailleferre, *Jeux de plein air* ; Darius Milhaud, *Scaramouche*.
Note : Conférence-concert.

16 décembre 1939 « Fantaisie musicale à deux pianos ». École supérieure de musique de l'Institut des Saints Noms de Jésus et de Marie (Outremont). Jean-Marie Beaudet, piano ; Léo-Pol Morin, piano. C
Programme entier à deux pianos : Bach-Philipp, *Toccate et fugue en ré mineur* ; Mozart-Grieg, *Sonate en sol majeur* ; Robert Schumann, *Canons n° 5* et *n° 6* ; Emmanuel Chabrier, *Bourrée fantasque* ; César Franck, *Prélude, Fugue et Variations* ; Louis Aubert, *Suite brève* ; Germaine Tailleferre, *Jeux de plein air* ; Darius Milhaud, *Scaramouche*.

[1940?] Théâtre Capitol (Québec). Jean-Marie Beaudet, piano d'accompagnement; Raoul Jobin, ténor. APJB
Christoph Willibald Gluck; Georg Friedrich Haendel; Franz Schubert; Philippe Gaubert; Edvard Grieg; Mana-Zucca.
Note: Concert-bénéfice organisé par le club Kinsmen au profit de la chorale de Saint-Dominique.

28 janvier 1940 Société symphonique de Québec. Palais Montcalm. Orchestre symphonique de Québec, chef invité Jean-Marie Beaudet. Arthur Leblanc, violon. BG-OSQ
Jean-Sébastien Bach, *Sonate en sol mineur pour violon seul – Prélude* et *Fugue, Prélude en mi majeur*; [programme incomplet].

19 février 1940 [Concert-bénéfice de la Croix-Rouge]. Forum (Montréal). Orchestre [?], dir. Jean-Marie Beaudet (1ʳᵉ partie) et Douglas Clarke (2ᵉ partie). APJB

11 mars 1940 Société Saint-Vincent-de-Paul. Palais Montcalm (Québec). Jean-Marie Beaudet, piano d'accompagnement; Raoul Jobin, ténor. FRJ
Felix Blumenfeld, *Je connais beaucoup de chansons, ami*; Gabriel Fauré, *La Chanson du pêcheur*; Camille Saint-Saëns, *Sabre en main*; Marc-Antoine Charpentier, *Louise – Air de Julien*; Franz Schubert, *La Poste, Repos, Amour sans repos*; Ernest Chausson, *Les Papillons, Le Temps des lilas, La Cigale*; Umberto Giordano, *André Chenier*; Marguerite Canal, *Douceur du soir, Elle est venue*.

26 avril 1940 [Récital d'Arthur Leblanc]. Auditorium Le Plateau (Montréal). Jean-Marie Beaudet, piano d'accompagnement; Arthur Leblanc, violon. Maheu 2004
Franz Schubert, *Sonatine*, op.137, no 3; César Franck, *Sonate pour violon et piano*.

14 août 1940 Winnipeg. Winnipeg Summer Symphony Orchestra, dir. Jean-Marie Beaudet (chef invité). APJB

21 novembre 1940 [Émission radiophonique]. Orchestre de Radio-Canada, dir. Jean-Marie Beaudet. APJB
Giovanni Pierluigi da Palestrina, Motets.

14 décembre [années 1940] Festivals de Montréal. L'Ermitage (Montréal). Jean-Marie Beaudet, piano; McGill String Quartet. BAnQ/Centre de conservation, programmes de spectacle.

21 décembre 1940 École supérieure de musique d'Outremont. Jean-Marie Beaudet, piano d'accompagnement; Arthur Leblanc, violon. Maheu 2004

[vers 1941] « La Société des concerts présente Raoul Jobin avec Jean Beaudet ». [?] (Québec). Jean-Marie Beaudet, piano d'accompagnement; Raoul Jobin, ténor. FRJ

Jean-Sébastien Bach, *Auprès de toi*; Alessandro Scarlatti, *Le Violette*; Georg Friedrich Haendel, *Judas Maccabaeus – Sound and Alarm*; *Tambourin* (vieux français); Ernest Chausson, *Le Charme*; Jean Clergue, *Carmen*; Claude Debussy, *Beau Soir, Noël des enfants qui n'ont plus de maison*; Gabriel Fauré, *Clair de lune, Toujours*.
Note: Est indiqué sur le programme «Community Concert Service (Through Courtesy National Concert and Artists Corporation), 711, Fifth Avenue, New York».

10 janvier 1941 [?] Palais Montcalm (Québec). Jean-Marie Beaudet, piano; Arthur Leblanc, violon; Gregor Piatigorsky, violoncelle. BG

14 mars 1941 «Festival de musique de chambre». Hôtel Windsor (Montréal). Jean-Marie Beaudet, piano; Léo-Pol Morin, piano. C
Note: Concert annulé.

8 août 1941 [Concert en hommage à Léo-Pol Morin]. École supérieure de musique d'Outremont. Paule-Aimée Bailly, piano; Jean-Marie Beaudet, piano. APJB
James Callihou, *Weather Incantation*; Maurice Ravel, *Pavane pour une infante défunte*.

10 février 1942 Club musical des dames. Château Frontenac (Québec). Paule Bailly, piano; Jean-Marie Beaudet, piano d'accompagnement; Desi Halban, soprano. FJMB
André Campra, *Fêtes vénitiennes – Charmant papillon*; Giulio Caccini, *Amarilli*; Ludwig van Beethoven, *Scotch Songs – Charly is my Darling, The Faithful Johnie* et *Music, Love and Wine*; Jean-Sébastien Bach, *Concerto italien*; Franz Liszt, *Waldesrauschen*; Frédéric Chopin, *Nocturne en mi majeur*, op. 62, n° 2, *Valse en mi bémol majeur*, op. 18; E.W. Korngold, *Marietta's Song*; Hugo Wolf, *Verborgenheit*; Max Reger, *Mariae Wiegenhed*; Johannes Brahms, *Meine Liebe ist Gruen*; Gabriel Fauré, *Barcarolle*, op. 4, n° 2; Claude Debussy, *Sérénade interrompue*; Maurice Ravel, *Tombeau de Couperin – Toccata*; Claude Debussy, *Ariettes oubliées*; Marc-Antoine Charpentier, *Air de Louise*; Maurice Ravel, *Habanera*.
Note: Programme préparé par Mmes Alice Amyot et Marie-M. Gagnon.

8 avril 1942 Bloc universitaire. École technique (Ottawa). Hervé Baillargeon, flûte; Jean-Marie Beaudet, piano d'accompagnement; Violette De Lisle, soprano colorature. APJB

13 avril 1942 [?] Palais Montcalm (Québec). Jean-Marie Beaudet, piano; Hervé Baillargeon, flûte; Violette Delisle, soprano; Sita Riddez, comédienne. BG

22 juin 1942 «Salut à la Russie». [Émission radiophonique pour souligner le 1er anniversaire de l'invasion de la Russie par l'Allemagne]. Orchestre de Radio-Canada, dir. Jean-Marie Beaudet. APJB
[Musique de compositeurs russes].

30 juillet 1942 «Les Concerts d'été sur la montagne». Chalet du Mont-Royal (Montréal). Orchestre des Concerts symphoniques de Montréal, dir. Jean-Marie Beaudet. BAnQ/Centre de conservation, programmes de spectacle.
Ludwig van Beethoven, *Egmont – Ouverture*; Johannes Brahms, *Danses hongroises n°s 5 et 6*; Claude Debussy, *Clair de lune*; Arthur Honegger, *Pastorale d'été*; Franz Liszt, *2e Rhapsodie*; Piotr Ilitch Tchaïkovski, *Symphonie n° 5 en mi mineur*.

24 décembre 1942 [?] Orchestre [?], dir. Jean-Marie Beaudet, et La Cantoria, dir. Victor Brault. Lionel Daunais, baryton; Jeanne Desjardins, soprano; Jules Jacob, ténor; Anna Malenfant, contralto; M. T. Paquin, orgue. APJB
Franz Liszt, *Christus* (1re et 2e parties).

21 avril 1943 [?] Orchestre [?], dir. Jean-Marie Beaudet, et chœurs, dir. Victor Brault. Lionel Daunais, baryton; Jeanne Desjardins, soprano; Jules Jacob, ténor; Anna Malenfant, contralto; David Rochette, basse. APJB
Franz Liszt, *Christus* (3e partie).

24 mai 1943 [?] Québec. Jean-Marie Beaudet, piano d'accompagnement; Arthur Leblanc, violon.
Maheu 2004.

21 au 26 septembre 1943 France-Film. Théâtre Saint-Denis (Montréal). Musiciens et artistes du Metropolitan Opera de New York; Jean-Marie Beaudet, directeur. APJB
Georges Bizet, *Carmen*.

13 mars 1944 [Concert présenté par «Les jeunes gens de Saint-Roch»]. Palais Montcalm (Québec). Hervé Baillargeon, flûte; Jean-Marie Beaudet, piano; Violette Delisle-Couture, soprano; Sita Riddez, comédienne; François Rozet. BG

[été 1944] «Musique canadienne en temps de guerre». Série de huit programmes de la série «Music of the World». Orchestre de la CBC, dir. Jean-Marie Beaudet. APJB
Lucio Agostini, *Scherzo*; Arthur Benjamin; Maurice Blackburn; Alexander Brott; Frank Blachford; Claude Champagne; Jean Coulthard; Robert Fleming, Robert Farnon; J.-J. Gagnier, *The Wind in the Leafless Maple*; Hector Gratton, *Légende*; Healey Willan; John Weinzweig.

14 juillet 1944 [Émission pour commémorer la fête de la Bastille et la fête nationale de la France républicaine]. Orchestre [?], dir. Jean-Marie Beaudet. Jeanne Desjardins, soprano; Pierre Vidor, ténor. APJB
Camille Saint-Saëns, *Marche héroïque*; Jules Massenet, *Scènes pittoresques – Angélus* et *Fête bohème*; Claude Debussy, *Le Noël des enfants qui n'ont plus de maison*; Maurice Ravel, *Le Tombeau de Couperin – Rigaudon*; *Marche lorraine*.

26 juillet 1944 « Les Concerts d'été sur la montagne ». Chalet du mont Royal (Montréal). Orchestre des Concerts symphoniques de Montréal, dir. Jean-Marie Beaudet. BAnQ/Centre de conservation, programmes de spectacle.
Camille Saint-Saëns, *La Princesse Jeanne – Ouverture*; César Franck, *Symphonie en ré mineur*; Marcel Delannoy, [?]; Benjamin, *Light Music*; Maurice Ravel, *Pavane pour une infante défunte*; Johann Strauss, *Contes de la forêt viennoise*.
Note: Désiré Defauw est le directeur artistique de l'Orchestre des Concerts symphoniques de Montréal. Le concert est également présenté par l'Association générale des diplômés de l'Université de Montréal.

17 novembre 1944 « La Société musicale présente Raoul Jobin ». Séminaire de Saint-Hyacinthe. Jean-Marie Beaudet, piano d'accompagnement; Raoul Jobin, ténor. FRJ
Jean-Sébastien Bach, *Auprès de toi*; Alessandro Scarlatti, *Le Violette*; Georg Friedrich Haendel, *Judas Maccabaeus – Sound and Alarm*; *Tambourin* (vieux français); Gabriel Fauré, *Clair de lune, Toujours*; Claude Debussy, *Beau Soir, Noël des enfants qui n'ont plus de maison*; Jules Massenet, *Manon – Le Rêve*; Giacomo Puccini, *La Tosca – E lucevan le stelle*; V. H. Hutchinson, *Old Mother Hubbard (à la manière de Haendel)*; Mana-Zucca, *Two Little Shoes*; Albert Hay Malotte, *A Little Song of Life*; Camille Saint-Saëns, *La Cloche*; Giacomo Meyerbeer, *L'Africaine – Pays merveilleux*; Georges Bizet, *Carmen – La Fleur*.

18 novembre 1944 « La Chorale Saint-Jean-Baptiste présente en récital M. Raoul Jobin ». Auditorium du Plateau (Montréal). Jean-Marie Beaudet, piano d'accompagnement; Raoul Jobin, ténor. FRJ
Jean-Sébastien Bach, *Auprès de toi*; Alessandro Scarlatti, *Le Violette*; Georg Friedrich Haendel, *Judas Maccabaeus – Sound and Alarm*; *Tambourin* (vieux français); Ernest Chausson, *Le Charme*; Jean Clergue, *Carmen*; Claude Debussy, *Beau Soir, Noël des enfants qui n'ont plus de maison*; Gabriel Fauré, *Clair de lune, Toujours*; Marc-Antoine Charpentier, *Louise – Air de Julien*; Georges Bizet, *Carmen – La Fleur*; V. H. Hutchinson, *Old Mother Hubbard (à la manière de Haendel)*; Mana-Zucca, *In God we Trust, Two Little Shoes*; E.Charles, *Clouds*; Albert Hay Malotte, *A Little Song of Life*; Puccini, *La Tosca – E lucevan le stelle*; Giacomo Meyerbeer, *L'Africaine – Pays merveilleux*.

25 décembre 1944 [?] Orchestre [?], dir. Jean-Marie Beaudet. APJB
Serguéï Prokofiev, *Pierre et le Loup*; Claude Debussy, *Children's Corner* – deux extraits.

30 janvier 1945 « L'Alliance française d'Ottawa présente un grand concert de bienfaisance au profit du comité anglo-français d'Ottawa d'assistance à la France ». École technique (Ottawa). Jean-Marie Beaudet, piano d'accompagnement; Raoul Jobin, ténor. APJB
Jean-Sébastien Bach, *Auprès de toi*; Alessandro Scarlatti, *Le Violette*; Georg Friedrich Haendel, *Judas Maccabaeus – Sound and Alarm*; *Tambourin* (vieux français); Henri Duparc, *Le Manoir de Rosemonde, Phidylé*; Claude Debussy, *Beau Soir, Noël des enfants qui n'ont plus de maison*; Jules Massenet, *Manon – Le*

Rêve; Georges Bizet, *Carmen – La Fleur que tu m'avais jetée*; Hutchison, *Old Mother Hubbard (In the manner of Haendel)*; Mana-Zucca, *In God we Trust, Two Little Shoes*; LaForge, *Grieve Not Beloved*; Giacomo Puccini, *La Tosca – Recondita Armonia*; Giacomo Meyerbeer, *L'Africaine – Pays merveilleux*.
Note: Piano fourni par la maison C. W. Lindsay. Direction du concert: National Concert and Artists Corporation (New York).

9 février 1945 Société artistique de l'Université de Montréal. Jean-Marie Beaudet, piano d'accompagnement; Raoul Jobin, ténor. FRJ
Giovanni Maria Bononcini, *Deh piu a me non v'ascondete*; Giovanni Legrenzi, *Che fiero costume*; Christoph Willibald Gluck, *Alceste – Bannis la crainte*; Gabriel Fauré, *La Chanson du pêcheur, Soir, Automne*; Henri Duparc, *Le Manoir de Rosemonde, Phidyle*; Dr. Arne, *Comus – Air*; Alexandre Borodine, *Une dissonance*; Reinhold Glière, *O, winde keine duft'ge Blute*; Johannes Brahms, *Die Mainacht, Botschaft*; Camille Saint-Saëns, *La Cloche*; Marguerite Canal, *Sagesse*; Giacomo Puccini, *La Tosca – Recondita Armonia*; Jules Massenet, *Hérodiade – Ne pouvant réprimer*.
Note: Le piano grand format de concert est gracieusement offert par Willis & Co.

14 mars 1945 Club Rotary. Palais Montcalm (Québec). Jean-Marie Beaudet, piano d'accompagnement; Raoul Jobin, ténor. FRJ
Giovanni Maria Bononcini, *Deh piu a me non v'ascondete*; Giovanni Legrenzi, *Che fiero costume*; Christoph Willibald Gluck, *Alceste – Bannis la crainte*; Gabriel Fauré, *La Chanson du pêcheur, Soir, Automne*; Henri Duparc, *Le Manoir de Rosemonde, Phidyle*; Camille Saint-Saëns, *La Cloche*; Marguerite Canal, *Sagesse*; Giacomo Puccini, *La Tosca – Recondita Armonia*; Jules Massenet, *Hérodiade – Ne pouvant réprimer*.
Note: Au profit du secours aux enfants infirmes. Marks Levine, directeur management, National Concert and Artists Corporation.

[?] octobre 1945 [Récital organisé par la Faculté de droit de l'Université Laval]. Palais Montcalm (Québec). Pierrette Alarie, soprano; Jean-Marie Beaudet, piano d'accompagnement. Maheu 1988

14 novembre 1945 «Les Rendez-vous artistiques présentent Raoul Jobin, ténor du Metropolitan Opera». Auditorium de LaSalle. Jean-Marie Beaudet, piano d'accompagnement; Raoul Jobin, ténor. FRJ
Giovanni Maria Bononcini, *Deh piu a me non v'ascondete*; Giovanni Legrenzi, *Che fiero costume*; Christoph Willibald Gluck, *Alceste – Bannis la crainte*; Gabriel Fauré, *La Chanson du pêcheur*; Philippe Gaubert, *Ah! Fuyez à présent malheureuses pensées*; Strimer, *L'Enfant et le clocher*; Claude Debussy, *L'Échelonnement des haies*; Marcel Delannoy, *Reprise*; Marc-Antoine Charpentier, *Depuis longtemps, j'habitais cette chambre*; Georges Bizet, *Carmen – Romance de la fleur*; Léo-Pol Morin, *Voilà la récompense (Nocturne), Ah! Toi! Belle hirondelle* (danse); Henri Gagnon, *Rondel*; Ernest MacMillan, *Trois chants de la côte de*

l'ouest – Chanson gaie, Berceuse, Chanson de défi; Giacomo Puccini, *La Tosca – Le Ciel luisait d'étoiles*; Giacomo Meyerbeer, *L'Africaine – Ô Paradis.*

15 février 1946 Palais Montcalm (Québec). Jean-Marie Beaudet, piano d'accompagnement; Raoul Jobin, ténor. FRJ
Reynaldo Hahn, *A Chloris, Quand je fus pris au pavillon*; Camille Saint-Saëns, *Sabre en main*; Henri Duparc, *Chanson triste, La Vie antérieure*; Jules Massenet, *Invocation à la nature, Manon – Ah, fuyez douce image*; Gabriel Fauré, *La Chanson du pêcheur*; Philippe Gaubert, *Ah! Fuyez à présent, malheureuses pensées*; Claude Debussy, *L'Échelonnement des haies*; Marcel Delanna, *Reprise*, Léo-Pol Morin, *Voilà la récompense* (Nocturne), *Oh! Toi! Belle Hirondelle* (Danse), Henri Gagnon, *Rondel, de Thibaut de Champagne*; Sir Ernest MacMillan, *Trois Chants de la Côte Ouest – A Spirit Song, Lullaby* et *Challenge Song*; Charles Gounod, *Roméo et Juliette – Ah! Lève-toi, Soleil.*
Note: Au bénéfice du camp Saint-Albert, colonie de vacances des RR. PP. oblats de Marie Immaculée.

[Vers février 1946] Houston (Texas). Jean-Marie Beaudet, piano d'accompagnement; Raoul Jobin, ténor. APJB
Œuvres de Léo-Pol Morin, Ernest MacMillan et Henri Gagnon.

[Vers février 1946] Dallas. (Texas). Jean-Marie Beaudet, piano d'accompagnement; Raoul Jobin, ténor. APJB
Œuvres de Léo-Pol Morin, Ernest MacMillan et Henri Gagnon.

7 mars 1946 Ladies' Morning Musical Club. Jean-Marie Beaudet, piano d'accompagnement; Mlle Irène Moquin, [?]. APJB

8 mars 1946 Concert populaire de l'Orchestre symphonique de Toronto. Réseau Trans-Canada. Orchestre symphonique de Toronto, dir. Jean-Marie Beaudet. APJB

14 mars 1946 [?] Auditorium Le Plateau (Montréal). Pierrette Alarie, soprano; Hervé Baillargeon, flûte; Jean-Marie Beaudet, piano d'accompagnement. APJB

24 mars 1946 «Sérénade aux étoiles» (*Stardust Serenade*). Émission radiophonique. Jean-Marie-Beaudet, piano. APJB

6 avril 1946 [Récital de Jean-Marie-Beaudet consacré aux œuvres de Claude Debussy]. Salle de l'Ermitage (Montréal). Jean-Marie Beaudet, piano. APJB
Claude Debussy, *Pour le piano – Prélude* et *Sarabande, Suite Bergamasque – Prélude, Préludes* (1er livre) – *Danseuses de Delphes, Voiles, Les Sons et les parfums tournent dans l'air du soir, Les Collines d'Anacapri, Des pas sur la neige, La Fille aux cheveux de lin, La Cathédrale engloutie* et *Ménestrels, Préludes* (2e livre) – *Bruyères, La Terrasse des audiences au clair de lune, Ondine* et *Général Levine-excentrique, Estampes – Soirée dans Grenade, Images – Reflets dans l'eau, Hommage à Rameau* et *Poissons d'or.*

13 mai 1946 Festival du Printemps de Prague. Orchestre philharmonique tchèque, dir. Jean-Marie Beaudet. APJB
Alexander Brott, *Concordia*; Maurice Blackburn, *Charpente*; Claude Champagne, *Hercule et Omphale*; Ernest MacMillan, *Two Sketches for Strings*; Georges-Émile Tanguay, *Pavane*; Healey Willan, *Concerto en do mineur.*

13 juin 1946 «Musique des maîtres». Orchestre symphonique de la BBC (Londres), dir. Jean-Marie Beaudet (chef invité). APJB
Hector Berlioz, *Le Corsaire – Ouverture*; César Franck, *Le Chasseur maudit*; Gabriel Fauré, *Pelléas et Mélisande*; Claude Debussy, *Nocturnes – Nuages* et *Fêtes*.
Note: Émission consacrée aux œuvres classiques et modernes. Jean-Marie Beaudet est directeur musical de Radio-Canada et directeur du réseau français.

1er juillet 1946 Orchestre symphonique de la BBC, dir. Jean-Marie Beaudet (chef invité). APJB
Healey Willan, *La Marche du couronnement*; Barbara Pentland, *Arioso* et *Rondo*; Léonard Barban, *Légende pour orchestre*; Maurice Blackburn, *Bal à l'huile.*
Note: Sera diffusé en Amérique.

13 juillet 1946 Radiodiffusion française (RDF). Orchestre symphonique de la radio française, dir. Jean-Marie Beaudet. FJMB
Claude Champagne, *Danse Villageoise*; Ernest MacMillan *Two Sketches*; Georges-Émile Tanguay, *Pavane*; Gabriel Fauré, *Pelléas et Mélisande*; Camille Saint-Saëns, *Concerto pour piano n° 5*; Jacques Ibert, *Escales*; Louis Aubert, *Habenera.*

28 juillet 1946 [?] Salle du Séminaire de Rimouski. Jean-Marie Beaudet, piano; Raoul Jobin, ténor. BG

18 septembre 1946 [?] Palais Montcalm (Québec). Pierrette Alarie, soprano; Jean-Marie Beaudet, piano. BG

24 novembre 1946 [?] CBC. Orchestre [?], dir. Jean-Marie Beaudet. Paul de Marky, piano. APJB
Paul de Marky, *Ballade pour piano et orchestre.*

[1947] [?] Montréal. Orchestre de la Société Radio-Canada, dir. Jean-Marie Beaudet. CMC/Fascicule Roger Matton
Roger Matton, *Danse brésilienne***; [programme incomplet].

20 janvier 1947 Hôtel Ritz-Carlton (Montréal). Jean-Marie Beaudet, piano; Simone Flibotte, mezzo-soprano; Léopold Simoneau, ténor. BAnQ/Centre de conservation, programmes de spectacle.
Airs des compositeurs Haendel, Legrenzi, Haydn, Gluck, Bizet, Chausson, Bachelet, Paladilhe, Mozart, Fauré, Donizetti, Clermont Pépin.
Note: Production Marcel et Maurice Robillard.

30 janvier 1947 Ladies' Morning Musical Club. [?] (Montréal). Jean-Marie-Beaudet, piano d'accompagnement; Léopold Simoneau, ténor. APJB
Antonio Sacchini, *Jour heureux – Dardanus*; Émile Paladilhe, *Comme un petit oiseau – Suzanne*; Robert Schumann, *Dichterliebe* (au complet); Gabriel Fauré, *Poème d'un jour*; Clermont Pépin, *Chant d'automne, La feuille d'un saule, J'ai fermé les yeux***; Georg Friedrich Haendel, *Here amid the shady woods*; L. Campbell-Tipton, *A spirit flower, The crying of water*; Roger Quilter, *Now sleeps the crimson peral*; Frank Bridge, *Love went a-riding*.
Note: Clermont Pépin est boursier du LMMC.

9 mars 1947 «La Voix du Canada». Orchestre de Radio-Canada, dir. Jean-Marie Beaudet, et La Cantoria, dir. Victor Brault. APJB
Claude Champagne, *Images du Canada français pour chœurs et orchestre***; Georges-Émile Tanguay, *Pavane*; Ernest MacMillan, *Notre Seigneur en pauvre* et *À Saint-Malo*.
Note: Production du Service international de Radio-Canada.

14 mars 1947 Auditorium du Plateau (Montréal). Jean-Marie Beaudet, piano d'accompagnement; Ninon Vallin, soprano. APJB
L'Amour de moi (chanson du xve siècle); *Tambourin* (chanson du xviie siècle); Jean-Philippe Rameau, *Accourez, riante jeunesse*; Jean Paul Martini, *Plaisir d'amour*; Wolfgang Amadeus Mozart, *Noces de Figaro – Air de Suzanne*; Georges Bizet, *Chanson d'avril, Carmen – Habanera, La Chanson du pêcheur*; Gabriel Fauré, *Au bord de l'eau, La Rose*; Emmanuel Chabrier, *Les Cigales, L'Île heureuse*; Giacomo Puccini, *La vie de bohème, Madame Butterfly – Air*.
Note: Production du Service international de Radio-Canada.

16 mars 1947 «La Voix du Canada». Orchestre de Radio-Canada, dir. Jean-Marie Beaudet. Jean-Marie Beaudet, piano; Robert Smith, piano. APJB
Henry Barraud, *1er Concerto pour piano*; Jacques Ibert, *La Valse du divertissement*.

18 mars 1947 Palais Montcalm (Québec). Jean-Marie Beaudet, piano d'accompagnement; Ninon Vallin, soprano. APJB

22 mars 1947 «La Voix du Canada». Émission radiophonique de Radio-Canada. Orchestre de Radio-Canada, dir. Jean-Marie Beaudet. Ninon Vallin, soprano. APJB
Maurice Ravel, *Shéhérazade*; Albert Roussel, *Le Festin de l'araignée*.
Note: Production du Service international de Radio-Canada.

29 mars 1947 «Récital de Ninon Vallin». [?], Société Radio-Canada. Jean-Marie Beaudet, piano d'accompagnement; Ninon Vallin, soprano. APJB
Claude Debussy, *C'est l'extase, Il pleure dans mon cœur, Green, Fantoches*; Reynaldo Hahn, *Études latines* (deux extraits); Manuel de Falla, *L'Amour sorcier* (extraits), *La Vida Breve* (extraits); [programme incomplet].

30 mars 1947 [?] Montréal. Orchestre de la Société Radio-Canada, dir. Jean-Marie Beaudet. CMC/Fascicule Claude Champagne.
Claude Champagne, *Danse villageoise***; [programme incomplet].

17 avril 1947 La Société artistique. Université de Montréal (Montréal). Jean-Marie Beaudet, piano d'accompagnement; Raoul Jobin, ténor; Carmen Torres, soprano-coloratura. FRJ
Christoph Willibald Gluck, *Iphigénie en Tauride – Unis dès la plus tendre enfance*; Henri Duparc, *La Vie antérieure*; Claude Debussy, *L'Échelonnement des haies*; Giacomo Puccini, *La Tosca – Recondita armonia*; Camille Saint-Saëns, *Sérénade*; Frederick Keel, *Jardin d'amour*; Claude Debussy, *Fantoches*; Alfred Bachelet, *Chère nuit*; Giuseppe Verdi, *La Traviata – Ah, fors' e lui*; J. Berger, *C'est fait, il n'en faut plus parler*; Philippe Gaubert, *Le Départ du matelot*; Al. Caron-Legris, *Ceux qui s'aiment sont toujours malheureux*; Marcel Delannoy, *Reprise*; Manuel de Falla, *La Jota, La Nana*; Jose Santis, *Bulerias*; Berrera y Calleja, *Granadinas*; Léo Delibes, *Lakmé – Oublier que je t'ai vue*; Charles Gounod, *Roméo et Juliette – Va, je t'ai pardonné*.

26 juin 1947 La Société des Concerts de Saint-Georges. Jean-Marie Beaudet, piano d'accompagnement; Raoul Jobin, ténor. APJB
Giacomo Puccini, *La Tosca – E lucevan le stelle*; *Tambourin* (vieux français); Georges Bizet, *Carmen – La Fleur que tu m'avais jetée*; Reynaldo Hahn, *Si mes vers avaient des ailes*; Henri Duparc, *Chanson triste*; Claude Debussy, *La Mandoline*; Philippe Gaubert, *Ah! Fuyez à présent malheureuses pensées*; Charles Gounod, *Roméo et Juliette – Ah! Lève-toi soleil*; *C'est la belle Françoise* (arr. Oscar O'Brien); *Ceux qui s'aiment sont toujours malheureux* (arr. Caron-Legris); *Margoton va-t-à l'eau* (arr. Art Somervell); Jules Massenet, *Hérodiade – Adieu donc*.

30 juin 1947 «Concert de musique canadienne». Orchestre symphonique de Radio-Canada, dir. Jean-Marie Beaudet. Hervé Baillargeon, flûte; Jean-Marie Beaudet, piano solo et d'accompagnement; Raoul Jobin, ténor. APJB
Claude Champagne, *Danse villageoise*; Henri Gagnon, *Rondel, de Thibaud de Champagne*; Georges-Émile Tanguay, *Pavane*; Ernest MacMillan, *Three Indians – Spirit Song, Songs of the West Coast*; Maurice Blackburn, *Nocturne pour flûte et cordes*; Léo-Pol Morin, *Voilà la récompense*; Hector Gratton, *Écossaise*.
Note: Production du Service international de Radio-Canada.

28 septembre 1947 «La Voix du Canada». Orchestre de Radio-Canada, dir. Jean-Marie Beaudet. Jeanne Desjardins, soprano. APJB
Albert Roussel, *Concert pour petit orchestre, Petite suite pour orchestre, Le Jardin mouillé* et *Le Bachelier de Salaman*.
Note: Production du Service international de Radio-Canada.

12 octobre 1947 «La Voix du Canada». Orchestre de Radio-Canada, dir. Jean-Marie Beaudet. Marcel Grandjany, harpe; Gérard Desmarais, basse. APJB
Maurice Ravel, *Introduction et allegro, Ma Mère l'Oye* et *Don Quichotte à Dulcinée*.
Note: Production du Service international de Radio-Canada.

9 novembre 1947 « La Voix du Canada ». Orchestre de Radio-Canada, dir. Jean-Marie Beaudet. Lionel Daunais, baryton. APJB
[Programme consacré à des œuvres de Gabriel Pierné.]
Note : Production du Service international de Radio-Canada.

16 novembre 1947 « La Voix du Canada ». Orchestre de Radio-Canada, dir. Jean-Marie Beaudet. Clermont Pépin, piano. APJB
Clermont Pépin, *Concerto nº 1 en do mineur pour piano et orchestre*.
Note : Production du Service international de Radio-Canada.

23 novembre 1947 « Concert de musique canadienne ». Orchestre symphonique de Radio-Canada, dir. Jean-Marie Beaudet. André Mathieu, piano. APJB
André Mathieu, *Concerto romantique pour piano et orchestre*.
Note : Le document de Radio-Canada indique que le titre « authentique » est *Concerto nº 3*, incluant le *Concerto de Québec*. Production du Service international de Radio-Canada.

27 novembre 1947 [Concert organisé par le Petit Séminaire de Québec]. Palais Montcalm (Québec). Jean-Marie Beaudet, piano ; Arthur Leblanc, violon. BG
Œuvres des compositeurs Pietro Nardini, Max Bruch, Jeno Hubay, Schumann-Heifetz, Wieniaswki et Arthur Leblanc.

30 novembre 1947 « Concert de musique canadienne ». Orchestre de Radio-Canada, dir. Jean-Marie Beaudet. Raoul Jobin, ténor. APJB
Jean-Baptiste Rameau, *Dardanus – Suite de danses* ; Henri Duparc, *Le Manoir de Rosamonde* ; Arthur Honegger, *La Pastorale d'été* ; Hector Berlioz, *La Damnation de Faust – Invocation à la nature* ; Maurice Ravel, *Le Tombeau de Couperin – Rigaudon*.
Note : Production du Service international de Radio-Canada.

11 décembre 1947 [24ᵉ anniversaire du Bon Parler français]. Auditorium Le Plateau (Montréal). Jean-Marie Beaudet, piano d'accompagnement ; Arthur Leblanc, violon. Maheu 2004

[1948] [?] Montréal. Orchestre de la Société Radio-Canada, dir. Jean-Marie Beaudet. CMC/Fascicule Roger Matton
Roger Matton, *Concerto pour saxophone et orchestre à cordes* ; [programme incomplet].

11 janvier 1948 Société Radio-Canada. Orchestre de Radio-Canada, dir. Jean-Marie Beaudet. Pierrette Alarie, soprano ; Léopold Simoneau, ténor. APJB
Claude Debussy, *L'Enfant prodigue – Cortège, Air de danse, Air d'Azael* ; Christoph Willibald Gluck, *Iphigénie en Tauride – Ouverture* ; Félicien David, *La Perle du Brésil – Charmant oiseau*.

29 janvier 1948 Club musical des dames de Québec. Jean-Marie Beaudet, piano d'accompagnement; Léopold Simoneau, ténor. Maheu 1988
Robert Schumann, *Dichterliebe*; Antonio Sacchini, [?]; Georg Friedrich Haendel, [?]; Gabriel Fauré, *Poème d'un jour*; Clermont Pépin, [trois mélodies].

14 mars 1948 [?] Orchestre symphonique de Radio-Canada, dir. Jean-Marie Beaudet. Samson François, piano. APJB
Serguëi Prokofiev, *Concerto pour piano et orchestre n° 5 en sol majeur*, op. 55.
Note: Production du Service international de Radio-Canada.

21 mars 1948 «Concert de musique canadienne». Orchestre symphonique de Radio-Canada, dir. Jean-Marie Beaudet. APJB
Jean Vallerand, *Nocturne pour orchestre*.
Note: Production de Service international de Radio-Canada.

28 mars 1948 [Concert de musique canadienne]. Auditorium Le Plateau. Orchestre symphonique de Radio-Canada, dir., Jean-Marie Beaudet. APJB et CMC/Fascicule Pierre Mercure
Hector Gratton, *La Légende*; Douglas Clark, *Pièce pour orchestre*; Pierre Mercure, *Kaléidoscope*.
Note: Service international de Radio-Canada.

15 avril 1948 [?] Palais Montcalm (Québec). Jean-Marie Beaudet, piano; Rolande Dion, soprano. BG

21 mai 1948 [?] Orchestre de Radio-Canada, dir. Jean-Marie Beaudet. Lefebvre 1996.
Ariel [pseudonyme de Jean Vallerand], *Nocturne*.
Note: L'œuvre de Jean Vallerand est présentée dans le cadre du concours américain Henry H. Reichold (président du Detroit Symphony) et remporte une mention honorable.

22 juin 1948 [?] Jean-Marie Beaudet, piano d'accompagnement. FRJ
Joseph Haydn, *La Vie est un rêve*; Jean-Sébastien Bach, *Phoebus et Pan* (cantate profane BWV 201) – *Air de Momus*; Jean-Baptiste Lully, *Bois épais – Air d'Amadis*; Henri Duparc, *La Chanson triste, Le Manoir de Rosemonde*; Henri Messager, *La Vieille maison grise*; Giacomo Meyerbeer, *L'Africaine – O Paradis*; Georges Bizet, *Carmen – Air de la fleur*; Hutchison, *Old Mother Hubbard (In the manner of Haendel)*; Walter Golde, *O Beauty, Passing Beauty*; W. Sanderson, *Until*; Frédéric Chopin, *Tristesse éternelle*; E. Nevin, *Le Rosaire*; Georges Bizet, *Ouvre ton cœur*.

31 octobre 1948 [Émission radiophonique]. Orchestre de Radio-Canada, dir. Jean-Marie Beaudet. APJB
Robert Schmitz, *Concerto n° 1 pour piano et orchestre*.

3 novembre 1948 Tremblay Concerts. Capitol Theatre (Ottawa). Jean-Marie Beaudet, piano d'accompagnement; Raoul Jobin, ténor. FRJ
Georg Friedrich Haendel, *Samson*; Alessandro Scarlatti, *Le Violette, O Cessate di piagarmi, Se Florindo e fedele*; Gabriel Fauré, *Automne*; Claude Debussy, *Mandoline*; Ernest Chausson, *Sérénade italienne*; Henri Duparc, *Le Manoir de Rosemonde*; Frédéric Chopin, *Tristesse éternelle*; Marcel Delannoy, *Reprise*; F. Halévy, *La Juive – Rachel, quand du Seigneur*; V. H. Hutchinson, *Old Mother Hubbard (à la manière de Haendel)*; Walter Golde, *O Beauty, Passing Beauty*; W. Sanderson, *Until*;. R. Vaughan Williams, *The Vagabond*; Frank Bridge, *O That it were so!*; Giacomo Puccini, *La Tosca – E lucevan le stelle*; Giacomo Meyerbeer, *L'Africaine – Pays merveilleux.*
Note: Piano Steinway fourni par Orme Limited.

5 novembre 1948 Auditorium de l'École normale (Amos). Jean-Marie Beaudet, piano d'accompagnement; Raoul Jobin, notre éminent ténor canadien-français. FRJ
Georg Friedrich Haendel, *Samson*; Alessandro Scarlatti, *La Violette, O Cessate di piagarmi, Se Florindo e fedele*; Gabriel Fauré, *Automne*; Claude Debussy, *Mandoline*; Ernest Chausson, *Sérénade italienne*; Henri Duparc, *Manoir de Rosemonde*; Frédéric Chopin, *Tristesse éternelle*; Marcel Delannoy, *Reprise*; F. Halévy, *La Juive – Rachel, quand du Seigneur*; Reynaldo Hahn, *Quand je fus pris au pavillon, Offrande, Le Printemps*; Jean-Paul Jeannotte, *Nocturne*, Lionel Daunais, *Les Croix, Le Chien de Jean de Nivelle*; Giacomo Puccini, *La Tosca – E lucevan le stelle*; Giacomo Meyerbeer, *L'Africaine – Pays merveilleux.*

8 novembre 1948 Concert Richelieu. Jean-Marie Beaudet, piano d'accompagnement; Raoul Jobin, ténor. FRJ
Georg Friedrich Haendel, *Samson*; Alessandro Scarlatti, *Le Violette, O Cessate di piagarmi, Se Florindo e fedele*; Gabriel Fauré, *Automne*; Claude Debussy, *Mandoline*; Ernest Chausson, *Sérénade italienne*; Henri Duparc, *Le Manoir de Rosemonde*; Frédéric Chopin, *Tristesse éternelle*; Marcel Delannoy, *Reprise*; F. Halévy, *La Juive – Rachel, quand du Seigneur*; V. H. Hutchinson, *Old Mother Hubbard (à la manière de Haendel)*; Walter Golde, *O Beauty, Passing Beauty*; W. Sanderson, *Until*;. R. Vaughan Williams, *The Vagabond*; Frank Bridge, *O That it Were So*; Giacomo Puccini, *La Tosca – E lucevan le stelle*; Giacomo Meyerbeer, *L'Africaine – Pays merveilleux.*
Note: L'imprésario est le National Concert and Artists Corporation de New York.

19 décembre 1948 «La Voix du Canada». Jean-Marie Beaudet, piano d'accompagnement; Noël Brunet, violon; Jeanne Desjardins, soprano. APJB
Léo-Pol Morin, *Sommeilles-tu Manon?*; Healey Willan, *Si j'étais petite mère*; Lionel Daunais, *L'Alouette chantait le jour*; Georges-Émile Tanguay, *Romance pour violon et piano* (extrait); [programme incomplet].
Note: Production de la section française du Service international de Radio-Canada.

[?] **1949** La Société des rendez-vous artistiques (Saint-Hyacinthe). Jean-Marie Beaudet, piano d'accompagnement; Raoul Jobin, ténor. FRJ
Giulio Caccini, *Amarilli*; Alessandro Scarlatti, *Le Violette*; Joseph Haydn, *She Never Told Her Love*; Georg Friedrich Haendel, *L'Esprit de Dieu s'éveille en moi*; Jean Paul Martini, *Plaisir d'amour*; *Tambourin* (vieux français); Johannes Brahms, *Liebestreu, Botschaft*; Frédéric Chopin, *Tristesse éternelle*; Jules Massenet, *Hérodiade – Air de Jean*; Giacomo Puccini, *La Tosca – E lucevan le stelle*; Reynaldo Hahn, *Quand je fus pris au pavillon, Offrande*; Claude Debussy, *Noël des enfants qui n'ont plus de maison*; Rhené-Baton, *Berceuse*; Lionel Daunais, *Le Chien de Jean de Nivelle, Les Croix*; Franz Lehar, *Pays du sourire – Je t'ai donné mon cœur*; Ernest MacMillan, *Three Songs of the West Coast*; Giacomo Meyerbeer, *L'Africaine – Pays merveilleux*.

[?] **1949** Société Saint-Jean-Baptiste (Saint-Jean-d'Iberville). Jean-Marie Beaudet, piano d'accompagnement; Raoul Jobin, ténor. FRJ
Georg Friedrich Haendel, *Samson*; Alessandro Scarlatti, *La Violette, O Cessate di piagarmi, Se Florindo e fedele*; Gabriel Fauré, *Automne*; Claude Debussy, *Mandoline*; Ernest Chausson, *Sérénade italienne*; Henri Duparc, *Le Manoir de Rosemonde*; Frédéric Chopin, *Tristesse éternelle*; Marcel Delannoy, *Reprise*; F. Halévy, *La Juive – Rachel, quand du Seigneur*; Reynaldo Hahn, *Quand je fus pris au pavillon, Offrande, Le Printemps*; Jean-Paul Jeannotte, *Nocturne*; Lionel Daunais, *Le Chien de Jean de Nivelle, Les Croix*; Giacomo Puccini, *La Tosca – E lucevan le stelle*.

7 janvier 1949 «Symphony Pop Concerts». Massey Hall (Toronto). Orchestre symphonique de Toronto, dir. Ernest MacMillan. Jean-Marie Beaudet, piano d'accompagnement; Raoul Jobin, ténor. FRJ
Reinhold Glière, *O, winde keine duft'ge Blute*; Claude Debussy, *Noël des enfants qui n'ont plus de maison*; Walter Golde, *O Beauty, Passing Beauty*.
Note: Programme incomplet.

10 janvier 1949 Société classique. Palais Montcalm (Québec). Jean-Marie Beaudet, piano; Raoul Jobin, ténor. FRJ
Georg Friedrich Haendel, *Largo – Air de Serse*; Alessandro Scarlatti, *O Cessate di piagarmi, Se Florindo e fedele*; Willibald Gluck, *Iphigénie en Tauride – Unis dès la plus tendre enfance*; Henri Duparc, *La Vie antérieure*; Claude Debussy, *Mandoline, Noël des enfants qui n'ont plus de maison*; Léo-Pol Morin, *Voilà la récompense*; Lionel Daunais, *Le Chien de Jean de Nivelle, Les Croix*; Richard Wagner, *Lohengrin – Récit du Graal*; Alexandre Borodine, *A dissonnance*; Reinhold Gliere, *O, winde keine duft'ge Blute*; Johannes Brahms, *Die mainacht, Bostchaft*; Walter Golde, *O Beauty, Passing Beauty*; Mana-Zucca, *Two Little Shoes*; Vaughan Williams, *The Vagabond*; Frank Bridge, *O, That it Were So!*; F. Halévy, *La Juive – Rachel, quand du Seigneur*.
Note: Mention sur le programme, «Meilleurs vœux de succès de L'honorable Maurice-L. Duplessis, Premier ministre et procureur général, et des Membres du Gouvernement de la Province de Québec.»

12 janvier 1949 La Société musicale de Drummondville. Théâtre Drummond (Drummondville). Jean-Marie Beaudet, piano d'accompagnement ; Raoul Jobin, ténor. FRJ

Georg Friedrich Haendel, *Samson* ; Alessandro Scarlatti, *Le Violette, O Cessate di piagarmi, Se Florindo e fedele* ; Gabriel Fauré, *Automne* ; Claude Debussy, *Mandoline* ; Ernest Chausson, *Sérénade italienne* ; Henri Duparc, *Le Manoir de Rosemonde* ; Frédéric Chopin, *Tristesse éternelle* ; Marcel Delannoy, *Reprise* ; F. Halévy, *La Juive – Rachel, quand du Seigneur* ; Reynaldo Hahn, *Quand je fus pris au pavillon, Offrande, Le Printemps* ; Jean-Paul Jeannotte, *Nocturne* ; Lionel Daunais, *Le Chien de Jean de Nivelle, Les Croix* ; Giacomo Puccini, *La Tosca – E lucevan le stelle* ; Giacomo Meyerbeer, *L'Africaine – Pays merveilleux*.
Note : Concert présenté sous les auspices des Filles d'Isabelle.

17 janvier 1949 « Les Concerts choisis présentent ». Les Amis du séminaire, Séminaire de Rimouski. Jean-Marie Beaudet, piano d'accompagnement ; Raoul Jobin, ténor. FRJ

Georg Friedrich Haendel, *Samson* ; Alessandro Scarlatti, *Le Violette, O Cessate di piagarmi, Se Florindo e fedele* ; Gabriel Fauré, *Automne* ; Claude Debussy, *Mandoline* ; Ernest Chausson, *Sérénade italienne* ; Henri Duparc, *Le Manoir de Rosemonde* ; Frédéric Chopin, *Tristesse éternelle* ; Marcel Delannoy, *Reprise* ; F. Halévy, *La Juive – Rachel, quand du Seigneur* ; Reynaldo Hahn, *Quand je fus pris au pavillon, Offrande, Le Printemps* ; Jean-Paul Jeannotte, *Nocturne* ; Lionel Daunais, *Le Chien de Jean de Nivelle, Les Croix* ; Giacomo Puccini, *La Tosca – E lucevan le stelle* ; Giacomo Meyerbeer, *L'Africaine – Pays merveilleux*.

22 janvier 1949 [?] Auditorium du Collège Saint-Laurent, Jean-Marie Beaudet, piano d'accompagnement ; Raoul Jobin, ténor. FRJ

Georg Friedrich Haendel, *Samson* ; Alessandro Scarlatti, *La Violette, O Cessate di piagarmi, Se Florindo e fedele* ; Gabriel Fauré, *Automne* ; Claude Debussy, *Mandoline* ; Ernest Chausson, *Sérénade italienne* ; Henri Duparc, *Manoir de Rosemonde* ; Frédéric Chopin, *Tristesse éternelle* ; Marcel Delannoy, *Reprise* ; F. Halévy, *La Juive – Rachel, quand du Seigneur* ; Reynaldo Hahn, *Quand je fus pris au pavillon, Offrande, Le Printemps* ; Jean-Paul Jeannotte, *Nocturne* ; Lionel Daunais, *Le Chien de Jean de Nivelle, Les Croix* ; Giacomo Puccini, *La Tosca – E lucevan le stelle* ; Giacomo Meyerbeer, *L'Africaine – Pays merveilleux*.

25 janvier 1949 La Chorale féminine de Ste-Thérèse d'Avila. Sherbrooke. Jean-Marie Beaudet, piano d'accompagnement ; Raoul Jobin, ténor.

Georg Friedrich Haendel, *Samson* ; Alessandro Scarlatti, *La Violette, O Cessate di piagarmi, Se Florindo e fedele* ; Gabriel Fauré, *Automne* ; Claude Debussy, *Mandoline* ; Ernest Chausson, *Sérénade italienne* ; Henri Duparc, *Manoir de Rosemonde* ; Frédéric Chopin, *Tristesse éternelle* ; Marcel Delannoy, *Reprise* ; F. Halévy, *La Juive – Rachel, quand du Seigneur* ; V.-H. Hutchison, *Old Mother Hubbard (à la manière de Haendel)*, Walter Golde, *O Beauty passing Beauty* ; W. Sanderson, *Until* ; Vaughan Williams, *The Vagabond* ; Frank Bridge, *O, That it Were So!* ; Giacomo Puccini, *La Tosca – E lucevan le stelle* ; Giacomo Meyerbeer, *L'Africaine – O Paradise*.

31 janvier 1949 L'Association des « Rendez-vous artistiques ». Auditorium EHLS (Auburn, Maine). Jean-Marie Beaudet, piano d'accompagnement ; Raoul Jobin, ténor. FRJ
Georg Friedrich Haendel, *Largo* ; Alessandro Scarlatti, *La Violette* ; *Tambourin*, (vieil air français) ; Christoph Willibald Gluck, *Iphigénie en Tauride – Unis dès la plus tendre enfance* ; Gabriel Fauré, *Automne* ; Claude Debussy, *Mandoline* ; Ernest Chausson, *Sérénade italienne*, Henri Duparc, *Manoir de Rosemonde* ; Frédéric Chopin, *Tristesse éternelle* ; Marcel Delannoy, *Reprise* ; F. Halévy, *La Juive – Rachel, quand du Seigneur* ; Reynaldo Hahn, *Quand je fus pris au pavillon*, *Offrande*, *Le Printemps* ; Jean-Paul Jeannotte, *Nocturne* ; Lionel Daunais, *Le Chien de Jean de Nivelle*, *Les Croix* ; Giacomo Puccini, *La Tosca – E lucevan le stelle* ; Giacomo Meyerbeer, *L'Africaine – Pays merveilleux*.

6 février 1949 Orchestre symphonique de la CBC Montréal, dir. Jean-Marie Beaudet. CMC
Clermont Pépin, *Variations symphoniques pour orchestre.*

13 février 1949 [?] Montréal. Orchestre de Radio-Canada, dir. Jean-Marie Beaudet. CMC/Fascicule Pierre Mercure
Pierre Mercure, *Pantomime*** ; [programme incomplet].

[6 mars 1949 ?] Orchestre de la CBC Montréal, dir. Jean-Marie Beaudet. CMC
Oskar Morawetz, *Serenade for Strings.*

8 mai 1949 Société Radio-Canada. Jean-Marie Beaudet, piano ; Ruth Perry Hamilton, mezzo-soprano ; Marie Iosch, harpe. D

31 mai 1949 [Récital] CBF. Jean-Marie Beaudet, piano. BAÉRTC
Robert Schumann, *Scènes d'enfants* ; Maurice Ravel, *Sonatine.*

2 juillet 1949 [?] Orchestre symphonique de Radio-Canada, dir. Jean-Marie Beaudet. APJB
[Programme non mentionné.]

25 juillet 1949 « Soirée d'inauguration », Société des Festivals de Montréal. Auditorium de l'Université de Montréal. Orchestre [?] [Artistes de l'Association des Musiciens de Montréal, local 406], dir. Jean-Marie Beaudet ; solistes Louise Roy, Jean-Pierre Comeau. FRJ
Œuvres des compositeurs Mendelssohn, Mascagni, Rossini, MacMillan, Champagne, J. Strauss et Messager.

4 août 1949 « Festival musical, dramatique et chorégraphique de Montréal ». Stade Molson de l'Université McGill (Montréal). Orchestre [?], dir. Jean-Marie Beaudet, et chœurs, dir. Marcel Laurencelle. Salvatore Baccaloni, basse ; Rose Bampton, soprano ; Georges Cehanovsky, baryton ; Raoul Jobin, ténor ; Simone Lamarche, mezzo-soprano ; Alessio de Paolis, ténor ; Robert Savoie, baryton-basse ; Martial Singher, baryton. D
Giacomo Puccini. *La Tosca.*
Note : Ce concert est présenté avec des artistes du Metropolitan Opera.

14 novembre 1949 The Women's Musical Club. Concert Hall, Civic Auditorium (Winnipeg). Jean-Marie Beaudet, piano d'accompagnement; Raoul Jobin, ténor. FRJ
Mehul, *Champs paternels (Joseph)*; Giordani, *Caro mio ben*; Henry Purcell, *I Attempt From Love Sickness to Fly*; Jules Massenet, *Manon – Ah, fuyez, douce image*; Giuseppe Verdi, *Aïda – Celeste Aïda*; Claude Debussy, *L'Échelonnement des haies*; Reynaldo Hahn, *Quand je fus pris au pavillon, Offrande*; Johannes Brahms, *Liebestreu, Der Schmied*; Jean Paul Martini, *Plaisir d'amour*; Franz Schubert, *Who is Sylvia*; Robert Franz, *Madchen Mit Dem Roten Mundchen, Es Hat Die Rose Sich Beklagt, Im Herbat*; Henri Duparc, *Lamento*; Ernest Chausson, *La Caravane*; Gabriel Fauré, *Rencontre, Fleur jetée*; Rhené-Baton, *Berçeuse*; Clara Edwards, *Into the Night*; Mana-Zucca, *Thy Will Be Done*; Albert H. Malotte, *The Lord's Prayer*.

24 novembre 1949 Concert présenté par les Disciples de L'art. Théâtre Laurier (Montréal). Jean-Marie Beaudet, piano d'accompagnement; Raoul Jobin, ténor. FRJ
Œuvres des compositeurs Caccini, Scarlatti, Haydn, Haendel, Martini, Brahms, Chopin, Massenet, Puccini, Hahn, Debussy, Rhené-Baton, Daunais, Lehar, MacMillan, Meyerbeer.

28 novembre 1949 Concert présenté par le club Kinsmen. Théâtre Capitol (Québec). Jean-Marie Beaudet, piano d'accompagnement; Raoul Jobin, ténor. FRJ
Œuvres des compositeurs Mehul, Giordani, Massenet, Franz, Verdi, Duparc, Schubert, Edwards, Brahms, Debussy, Chausson, Hahn, Purcell, Martini, Fauré, Rhené-Baton, Mana-Zucca et Malotte.

20 janvier 1950 [Concert de musique de chambre]. Faculté de musique de l'Université McGill. Moyse Hall (Montréal). Istvan Anhalt, [?]; Jean-Marie Beaudet, piano; Louis Charbonneau, percussion; Jeanne Landry, piano; John Nadeau, percussion. APJB
Wolfgang Amadeus Mozart, *Sonate en ré*, K. 448; Claude Debussy, *En blanc et noir* (Beaudet et Landry); Igor Stravinski, *Sonate* (Anhalt et Beaudet); Béla Bartòk, *Sonate pour deux pianos et percussions*.

23 janvier 1950 École supérieure de musique d'Outremont. Jean-Marie Beaudet, piano; Jeanne Landry, piano. D
Wolfgang Amadeus Mozart, *Sonate en ré majeur pour deux pianos*; Johannes Brahms, *Variations sur un thème de Haydn*; Claude Debussy, *En blanc et noir*; Germaine Tailleferre, *Jeux de plein air*; Louis Aubert, *Suite brève*.

5 mars 1950 Conférence-concert Chopin. Ottawa. APJB, lettre de JMB à Raoul Jobin.
[Programme non mentionné.]
Note : Présence des ambassadeurs de France et de Belgique.

10 avril 1950 [?] Palais Montcalm (Québec). Jean-Marie Beaudet, piano ; Patricia Poitras, mezzo-soprano. BG

1ᵉʳ mai et 1, 2, 3 et 4 juin 1950 L'Opéra-minute. Théâtre des compagnons. Jean-Marie Beaudet, direction musicale. Avec les interprètes Pierre Beaudet, Michèle Bonhomme, L. Campagna, André Cantin, Marie-Josée Forgues, Jean-Pierre Hurteau, Jeanne Landry, R. Lefebvre, Andrée Lescot, Ferguson MacKenzie, Fernand Martel, Michel Perrault, Guy Piché, David Rochette, Joseph Rouleau, Martel Rousseau. D
Johann Sebastian Bach, *Love in a Coffee Cup* ; Giovanni Battista Pergolesi, *La Servante maîtresse* ; Darius Milhaud, *Le Pauvre matelot*.

3 juillet 1950 "Summer Concert". Émission radiophonique du réseau Trans-Canada. Direction musicale de Jean-Marie Beaudet . Robert Savoie, baryton. CBCT
Richard Wagner, *Tannhauser – Evening Star* ; Henri Duparc, *Le Manoir de Rosemonde* ; Augustin Lara, *Granada*. Œuvres orchestrales des compositeurs Ravel, Strauss, Bizet et Wolf-Ferrari.

10 juillet 1950 "Summer Concert". Émission radiophonique du réseau Trans-Canada. Direction musicale Jean-Marie Beaudet. Aline Dansereau. [?]. CBCT

17 juillet 1950 "Summer Concert". Émission radiophonique du réseau Trans-Canada. Direction musicale Jean-Marie Beaudet. Aline Dansereau. [?]. CBCT
Georges Bizet, *Carmen – Habanera* ; Louis Aubert, *Vieille chanson espagnole* ; Augustin Lara, *Granada*. Œuvres orchestrales des compositeurs Gluck, Debussy, Ravel et Dvořák.

24 juillet 1950 "Summer Concert". Émission radiophonique du réseau Trans-Canada. Direction musicale de Jean-Marie Beaudet. Pierre Boutet, ténor. CBCT

31 juillet 1950 "Summer Concert". Émission radiophonique du réseau Trans-Canada. Directions musicale de Jean-Marie Beaudet. Michèle Bonhomme, soprano-colorature. CBCT
Alexandre Gretchaninov, *Nightingale Sings no more* ; Giacomo Puccini, *O moi bambino caro* ; Gabriel Fauré, *Après un rêve* ; Wolfgang Amadeus Mozart, *Les Noces de Figaro – Ouverture* ; Jean Sibelius, *Valse triste* ; Issac Albéniz, *Cordoba* ; Edward German, *Nell Gwyn* (danses).

7 août 1950 "Summer Concert". Émission radiophonique du réseau Trans-Canada. Direction musicale de Jean-Marie Beaudet. Pierrette Dalbec, soprano. CBCT

14 août 1950 "Summer Concert". Émission radiophonique du réseau Trans-Canada. Direction musicale de Jean-Marie Beaudet. Yoland Guérard, basse. CBCT

Tito Mattei, *Non e ver*; Christoph Willibald Gluck, *Alceste – L'air de Caron*; Youmans, *Without a song*; Félix Mendelssohn, *Fingal's Cave*; Claude Debussy, *Petite Suite – En Bateau*; Anton Dvořák, *Danse slave n° 2*; Franz Schubert, *Rosamunde*.

21 août 1950 "Summer Concert". Émission radiophonique du réseau Trans-Canada. Direction musicale de Jean-Marie Beaudet. Violette Delisle, soprano-colorature. CBCT
Gabriel Fauré, *Nell*; Claude Debussy, *Green*; Wolfgang Amadeus Mozart, *Don Giovanni – Batti, batti*. Œuvres orchestrales : César Cui, *Orientale*; Maurice Ravel, *Le Tombeau de Couperin – Forlane*; André Messager, *Les Deux Pigeons*.

28 août 1950 "Summer Concert". Émission radiophonique du réseau Trans-Canada. Direction musicale de Jean-Marie Beaudet. Jean-Paul Jeannotte, ténor. CBCT
Louis Beydts, *Mélancolie*; Gabriel Fauré, *Automne*; Franz Lehar, *Czarevitch – Air de la Volga*.

12 octobre 1950 La Société des Concerts artistiques de La Sarre. Théâtre La Sarre. Jean-Marie Beaudet, piano d'accompagnement; Raoul Jobin, ténor. FRJ
Œuvres des compositeurs Caccini, Scarlatti, Haydn, Haendel, Martini, Brahms, Chopin, Massenet, Puccini, Hahn, Debussy, Rhené-Baton, Daunais, Lehar, MacMillan, Meyerbeer.

25, 26, 27, 28 et 29 octobre 1950 L'Opéra-minute. Théâtre des compagnons (Montréal). Jean-Marie Beaudet, direction musicale, et Michel Perrault, assistant-directeur. Avec les interprètes Adeeb Assaly, Pierre Beaudet (piano), Michèle Bonhomme, Claire Duchesneau, Jean-Pierre Hurteau, Jeanne Landry (piano), Andrée Lescot, Colette Merola, Guy Piché, David Rochette, André Rousseau. D
Darius Milhaud, *Le Pauvre matelot*; Gian Carlo Menotti, *The Old Man and the Thief*.

16 novembre 1950 L'Opéra-minute de Montréal. Palais Montcalm (Québec). Jean-Marie Beaudet, dir. BG
Ermanno Wolf-Ferrari, *Le Secret de Suzanne*; Darius Milhaud, *Le Pauvre matelot*; Gian Carlo Menotti, *The Old Man and the Thief*.

19 décembre 1950 [Émission en anglais] Société Radio-Canada. Orchestre [?], dir. Jean-Marie Beaudet. Shirley Bloist, mezzo-soprano; Lionel Daunais, baryton; Jean-Paul Jeannotte, ténor; Anna Malenfant, contralto; Marcelle Monet-Dumontet, mezzo-soprano. CBCT
Camille Saint-Saëns, *Oratorio de Noël*; Arcangelo Corelli, *Concerto grosso n° [6 ou 8]*.

25 décembre 1950 Orchestre de Radio-Canada, dir. Jean Beaudet. LSRC
Engelbert Humperdinck, *Haensel et Gretel – Ouverture*; Georges Bizet, *Marche des petits soldats de plomb* (quatre mouvements); Claude Debussy, *Children's*

corner (quatre extraits) ; Piotr Illitch Tchaïkovski, *Casse-Noisettes* (quelques mouvements) ; Petro Yon, *Berçeuse* ; Eduard Poldoni, *Jesu Bambino, Poupée valsante.*

1er janvier 1951 Orchestre de Radio-Canada, dir. Jean Beaudet. Ria Lenssens, soprano. LSRC
Georges Bizet, *Jeux d'Enfants* ; Wolfgang Amadeus Mozart, *Berçeuse* ; A. Liadov, *Tabatière à musique* ; Claude Debussy, *Boîte à joujoux* ; Auguste de Boeck, *L'Église paysanne* ; Maurice Ravel, *Ma Mère l'oye* ; Anton Dvořák, *Le Chant de Rusalka* ; Piotr Illitch Tchaïkovski, *La Belle au Bois dormant.*

16 janvier 1951 Institut canadien (Québec). Orchestre du Conservatoire de musique, dir. Jean-Marie Beaudet. APJB
Ludwig van Beethoven, *Coriolan − Ouverture* ; Georg Friedrich Haendel, *Concerto en si bémol majeur* ; Claude Debussy, *L'Enfant prodigue* (extraits) ; Joseph Haydn, *Symphonie n° 2 en ré majeur.*

20 février 1951 Orchestre [?], dir. Jean-Marie Beaudet ; Jeanne Landry, piano. LSRC
Francis Poulenc, *Aubade*

27 février 1951 Orchestre de Radio-Canada, dir. Jean-Marie Beaudet. Andrée Lescot, Fernand Martel, David Rochette, Marcelle Monette-Dumontet, Ken McAdam. LSRC
Bohuslav Martinu, *Comedy on a Bridge*
Note : Rediffusion d'un enregistrement d'un "Wednesday Night" de septembre 1950.

7 mars 1951 [?] Orchestre [?], dir. Jean-Marie Beaudet. CBCT
Charles Gounod, *Faust.*

20 mars 1951 Émission radiophonique du réseau Dominion. Orchestre [?], dir. Jean-Marie Beaudet. Jeanne Desjardins, soprano ; Ken McAdam ; Patricia Poitras, mezzo-soprano ; David Rochette, basse. CBCT
Wolfgang Amadeus Mozart, *Requiem.*

28 mars 1951 Théâtre Capitol (Québec). Jean-Marie Beaudet, piano d'accompagnement ; Raoul Jobin, ténor. APJB
Christoph Willibald Gluck, [?] ; Georg Friedrich Haendel, [?] ; Franz Schubert, *Le Voyage d'hiver* ; Richard Wagner, *Lohengrin − Récit du Graal* ; Philippe Gaubert, [?] ; Edvard Grieg, *Je t'aime* ; Luggero Leoncavallo, deux sérénades ; Mana-Zucca, [?].
Note : Raoul Jobin est invité par les chanteurs de Saint-Dominique.

5 avril 1951 [Société Radio-Canada] Orchestre de Radio-Canada, dir. Jean-Marie Beaudet. Denis Arbour, basse. APJB
La Marseillaise ; Darius Milhaud, *Suite française* ; Claude Champagne, *Suite canadienne* ; Camille Saint-Saëns, *Suite algérienne − Marche militaire.*

Note: Prestation musicale donnée dans le cadre des événements organisés pour la visite au Canada du président de la république française et de Mme Vincent Auriol.

20, 27 avril, 4, 11, 18, 25 mai, 1er, 8, 15, 22, 29 juin, 6, 13, 20, 27 juillet, 3, 10, 17, 24, 31 août, 7, 14 septembre 1951 «Les plus belles mélodies françaises». Réseau français de Radio-Canada. Direction musicale de Jean-Marie Beaudet. Avec la participation de: Ria Lenssens, Constance Lambert, Anna Malenfant, Jeanne Desjardins, André Rousseau, Marcelle Monette-Dumontet, Fernand Martel, Claire Duchesneau, Joan Scarthe, Patricia Poitras, Andrée Lescot, Jean-Marcel Turgeon, Violette Delisle-Couture, Aline Dansereau, Pierre Boutet, Colette Merola, Andrée Thériault, Denis Harbour, Mary Henderson, Jean-Paul Jeannotte, Frieda van Hessen.
Œuvres orchestrales et lyriques des compositeurs Albéniz, Aubert, Bachelet, Bemberg, Beydts, Bizet, Boieldieu, Busser, Canteloube, Chabrier, Chaminade, Chausson, Debussy, Delibes, Delmet, Déodat de Sévérac, Diemer, Duparc, Fauré, Fourdrain, Franck, Gaubert, Georges, Gounod, Haydn, Hahn, Handebert, Hüe, Khatchaturian, Kreisler, Lalo, Letorey, Luigini, Massenet, Messager, Moreau, Pessard, Pesse, Pierné, Poulenc, Ravel, Rhené-Baton, Roussel, Saint-Saëns, Schmitt, Tchaïkovski, Vincent d'Indy, Weber, Wolf-Ferrari.
Note: Cette série est simultanément diffusée sur le réseau Trans-Canada sous le titre: "Vocal gems of France".

9 mai 1951 "Wednesday Night", Concert International. Émission radiophonique du réseau Trans-Canada. Direction musicale de Jean-Marie Beaudet; Yvan Barrette, pianiste. LSRC
Michel Perrault, *Les Fleurettes*; Clermont Pépin, *Les Variations Symphoniques*; Maurice Blackburn, *Conerto pour piano et orchestre*; Pierre Mercure, *Pantomime*.

30 mai 1951 [?] «Émission à la gloire de Paris dont c'est le bimillénaire». Émission radiophonique du réseau Trans-Canada. Direction musicale de Jean-Marie Beaudet. LSRC
Ted Allan/Pierre Mercure (musique de scène), *There is no place like Paris*.

[?] juin 1951 Émission radiophonique. Société Radio-Canada. Orchestre symphonique de Radio-Canada, dir. Jean-Marie Beaudet. APJB
Claude Champagne, *Symphonie gaspésienne*.

9 juin 1951 «Récital de l'Orchestre du Conservatoire de musique et d'art dramatique de la province de Québec». Palais Montcalm (Québec). Orchestre du Conservatoire de musique, dir. Jean-Marie Beaudet. Claude Létourneau, baryton. APJB
Félix Mendelssohn, *Ouverture – La Grotte de Fingale*; Wolfgang Amadeus Mozart, *Symphonie en si bémol majeur*; Claude Champagne, *Suite canadienne***.
Note: Sous la distinguée présidence de L'Honorable Omer Côté, secrétaire de la Province, et de Jean Bruchési, sous-ministre.

5, 12, 19, 26 juillet, 2, 9, 16, 23, 30 août, 6, 13, 20, 27 septembre 1951 « Deux pianos ». Réseau français de Radio-Canada. Jean-Marie Beaudet, piano ; Jeanne Landry, piano. LSRC

20 juillet 1951 « Chansons madécasses de Maurice Ravel ». Réseau français de Radio-Canada. Jeanne Desjardins, soprano ; Hervé Baillargeon, flûte, Jean-Marie Beaudet, piano ; Jean Béland. LSRC
Maurice Ravel, *Nahandove, Aoua!, Repos.*

17 novembre 1951 Auditorium du Plateau (Montréal). Jean-Marie Beaudet, piano d'accompagnement ; Raoul Jobin, ténor. APJB
Œuvres de Claude Debussy et de Gabriel Fauré [programme incomplet].
Note : Récital au bénéfice de l'Association chorale Saint-Jean-Baptiste.

18 décembre 1951 Association des élèves du Conservatoire. Institut canadien (Québec). Orchestre du Conservatoire de musique, dir. Jean-Marie Beaudet. APJB
Ludwig van Beethoven, *Symphonie n° 2* ; Gabriel Fauré, *Pelléas et Mélisande* ; Georg Friedrich Haendel, *Concerto grosso n° 5.*

28-29 février et 1ᵉʳ-2 mars 1952 [Concert présenté par l'Opéra-minute]. Théâtre du Gesù (Montréal). Avec les chanteurs A. Assaly, R. Deserres, J. Foster, S. Lamarche, T. Laporte, S. Laroche et I. Salemka. Jeanne Landry et Pierre Beaudet, pianos. Direction musicale de Jean-Marie Beaudet. APJB
Gian Carlo Menotti, *The Telephone* et *The Medium.*

18 mars 1952 [?] Orchestre du Conservatoire de musique, dir. Jean-Marie Beaudet. APJB
Félix Mendelssohn, *Symphonie italienne n° 4 en la majeur,* op. 90 (extraits) ; Camille Saint-Saëns, *2ᵉ Concerto pour piano et orchestre* (extraits) ; Claude Debussy, *Petite Suite* (extraits).

6 juin 1952 [?] Orchestre du Conservatoire de musique, dir. Jean-Marie Beaudet. APJB
Ludwig van Beethoven, *Symphonie n° 1 en do majeur* (extraits) ; Félix Mendelssohn, *Concerto en mi mineur pour violon et orchestre,* op. 64 ; Albert Roussel, *Petite Suite pour orchestre,* op. 39 ; Joseph Haydn, *Concerto pour trompette et orchestre en mi bémol majeur – Andante* et *Finale.*

1ᵉʳ octobre 1952 Les Compagnons de l'art de Québec. Palais Montcalm (Québec). Jean-Marie Beaudet, piano d'accompagnement ; Raoul Jobin, ténor. APJB
Œuvres des compositeurs Haendel, Schubert, Fauré, Debussy, Wagner, Léo-Pol Morin et Lionel Daunais.

8 octobre 1952 [Concert pour l'inauguration de l'auditorium du Collège de Lévis]. Jean-Marie Beaudet, piano d'accompagnement ; Raoul Jobin, ténor. APJB

Œuvres des compositeurs Haendel, Beethoven, Saint-Saëns, Fauré, Chausson, Verdi, Gaubert et Daunais.

23 février 1953 Orchestre symphonique de Radio-Canada. Réseau français de la radio de Radio-Canada. Direction musicale de Jean-Marie Beaudet. LSRC
Jean Sibelius, *Symphonie n° 1*.
Note : « Jean Beaudet, boursier de la Société Royale à Paris, de passage au Canada. »

4 mars 1953 Compagnie d'opéra de Radio-Canada. Émission radiophonique du réseau Trans-Canada. Direction musicale de Jean-Marie Beaudet. Avec la participation de Anna Malenfant, Jacques Gérard, Mary Morisson, Gilles Lamontagne, Germaine Leblanc, David Viau, Paul-Émile Smith, Louis Bourdon.
Georges Bizet, *Carmen*.
Note : « Jean Beaudet, boursier de la Société Royale à Paris, de passage au Canada.

9 mars 1953 [?] Réseau français de la radio de Radio-Canada. Orchestre symphonique de Radio-Canada. Glenn Gould, pianiste, dir. Jean-Marie Beaudet. LSRC
Arnold Schoenberg, *Concerto pour piano*, op. 42 (première canadienne).

24, 25, 26, 28, 29, 30 septembre et **1, 3, 4, 6, 7, 8, 10, 11** et **13 octobre 1953** Variétés lyriques. Avec les chanteurs Napoléon Bisson, Réjane Cardinal, Lionel Daunais, Dolorès Drolet, Benoît Dufour, Yoland Guérard, Jean-Pierre Hurteau, Marguerite Lavergne et Guy Piché. Direction musicale de Jean-Marie Beaudet. APJB
Giacomo Puccini, *Madame Butterfly*.
Note : Charles Goulet à l'administration et Lionel Daunais à la direction artistique.

30 octobre 1953 [?] Jean-Marie Beaudet, piano ; Noël Brunet, violon. CMC
Jean Papineau-Couture, *Sonate en sol* ; Jean Vallerand, *Sonate pour violon et piano*.
Note : Radio-Canada International, RCI 92.

21 décembre 1953 Émission radiophonique du réseau Trans-Canada. Orchestre symphonique de la CBC, dir. Jean-Marie Beaudet. Trudy Carlyle, soprano ; Glenn Gould, piano. CBCT
Arnold Schoenberg, *Guerre-Lieder – Prélude, Interlude* et *Air, Concerto pour piano*, op. 42.

28 janvier 1954 « Heure du Concert ». Émission télévisuelle de Radio-Canada. Orchestre de Radio-Canada, dir. Jean-Marie Beaudet. Françoise Sullivan, chorégraphie ; Irving Guttman, mise en scène ; Claire Gagnier, soprano ; Richard Verreault, ténor ; Guy Bourassa, piano. LSRC

Gioacchino Rossini, *La Pie Voleuse* (Ouverture) ; Jean-Philippe Rameau, *Les Indes Galantes* ; Giacomo Puccini, *La Bohème* (fin du 1ᵉʳ acte) ; Johannes Brahms, deux *Rhapsodies pour piano*, Nikolaï Rimsky-Korsakov, *Caprice espagnol*.

8 février 1954 [?] Orchestre de Radio-Canada (à partir de Toronto), dir. Jean-Marie Beaudet. CBCT
Paul Dukas, *Symphonie en do majeur*.

10 février 1954 Émission radiophonique du réseau Trans-Canada. Orchestre [?] (depuis Montréal), dir. Jean-Marie Beaudet. Suzanne Danco, soprano. CBCT
Hector Berlioz, *Damnation de Faust* (extraits) ; Gabriel Fauré, *Pelléas et Mélisande* ; Maurice Ravel, *Shéhérazade* ; Henri Duparc, chansons.

17 février 1954 "CBC Wednesday Night". Émission radiophonique du réseau Trans-Canada. Orchestre [?], dir. Jean-Marie Beaudet. Pierrette Alarie, soprano ; Lionel Daunais, baryton ; Claire Gagnier, soprano ; Yoland Guérard, basse ; Jean-Paul Jeannotte, ténor ; Fernand Martel, baryton ; Alan Mills, baryton. CBCT
Wolfgang Amadeus Mozart, *L'Imprésario*, K. 486 ; Maurice Ravel, *L'Heure espagnole*.

17 mars 1954 Émission radiophonique du réseau Trans-Canada. Orchestre [?], dir. Jean-Marie Beaudet. Napoléon Bisson, baryton ; Réjane Cardinal, soprano ; Yoland Guérard, basse ; Denis Harbour, basse ; Léopold Simoneau, ténor. CBCT
Hector Berlioz, *L'Enfance du Christ*.

18 mars 1954 « L'Heure du concert ». Émission télévisuelle de Radio-Canada. Orchestre de Radio-Canada, dir. Jean-Marie Beaudet. Marc Beaudet, chorégraphie ; Napoléon Bisson, baryton ; Claire Gagnier, soprano ; Marie Iösch, harpe ; Jeanne Landry, piano ; Marielle Pelletier, soprano ; Richard Verreau, ténor. APJB
Wolfgang Amadeus Mozart, *L'Imprésario*, K. 486 – *Ouverture* ; Giacomo Puccini, *La Bohème* (acte 3, en français) ; Gabriel Pierné, *Impromptu-Caprice*, op. 9 ; Marcel Grandjany, *Le Bon petit roi d'Yvetot* (chanson traditionnelle) ; Jean Françaix, *Concertino* ; Georges Bizet, *L'Arlésienne*.

16 avril 1954 [?] Émission radiophonique du réseau Trans-Canada (Toronto). Orchestre [?], dir. Jean-Marie Beaudet. Dolores Drolet, soprano ; Denis Harbour, basse ; Anna Malenfant, contralto ; Richard Verreau, ténor. CBCT
Anton Dvořák, *Requiem*.

12 mai 1954 Émission radiophonique du réseau Trans-Canada. Orchestre symphonique de la CBC, dir. Jean-Marie Beaudet. CBCT
Bedrich Smetana, *Ma Vlast* ; Anton Dvořák, *Hussite Ouverture*.
Note: Programme tchèque pour commémorer les anniversaires de la mort des deux compositeurs.

21 juillet 1954 Émission radiophonique du réseau Trans-Canada. Orchestre symphonique de la CBC, dir. Jean-Marie Beaudet. CBCT
Darius Milhaud, *Suite provençale*; Jacques Ibert, *Escale*; Albert Roussel, *Bacchus et Ariane*.

26 juillet 1954 Émission radiophonique du réseau Trans-Canada. Orchestre symphonique de la CBC, dir. Jean-Marie Beaudet. CBCT
Arthur Honegger, *Fugue* et *Postlude*; Paul Hindemith, *Concerto pour orchestre*, op. 38; Claude Debussy, *La Mer*.

28 octobre 1954 «L'Heure du Concert». Émission télévisuelle de Radio-Canada. Orchestre de Radio-Canada, dir. Jean-Marie Beaudet. Jan Doat, mise en scène. Trudy Carlyle, contralto; Irène Salemka, soprano; Jack Foster, rôle muet; Dolorès Drolet, mezzo-soprano; Robert Savoie, baryton.
Gian-Carlo Menotti, *The Medium*.

23 décembre 1954 «L'Heure du concert». Émission télévisuelle de Radio-Canada. Orchestre de Radio-Canada, dir. Jean-Marie Beaudet. Pierrette Alarie, soprano; Ballets Heino Heiden; Léon Bernier, piano; Victor Désy, comédien; Claire Gagnier, soprano; Guy Hoffman, comédien; Jean-Paul Jeannotte, ténor. APJB
Wolfgang Amadeus Mozart, *L'Imprésario*, K. 486 (version abrégée); Jean Françaix, *Concertino*; Wolfgang Amadeus Mozart, *Symphonie n° 11* (avec danse).

28 décembre 1954 Émission radiophonique du réseau Dominion. Orchestre [?] et chœur de femmes [?], dir. Jean-Marie Beaudet. Louise Charbonneau, enfant; Fernande Chiocchio, mezzo-soprano; Dolores Drolet, soprano; Marcelle Monette-Dumontet, enfant; Jean-Paul Jeannotte, ténor; Claude Létourneau, baryton; Gisèle Poitras, enfant; David Rochette. CBCT
Gabriel Pierné, *The Children at Bethléem*.

3 janvier 1955 Émission radiophonique du réseau Trans-Canada. Orchestre symphonique de la CBC, dir. Jean-Marie Beaudet. CBCT
Albert Roussel, *Symphonie n° 4*; Paul Hindemith, *Nobilissima visione*.

6 février 1955 "Scope". CBCT/CBFT. Orchestre [?], dir. Jean-Marie Beaudet. Pierrette Alarie, soprano; Jean-Pierre Hurteau, basse; Jean-Paul Jeannotte, ténor; Gilles Lamontagne, baryton; André Rousseau, ténor. CBCT
Maurice Ravel, *L'Heure espagnole*.
Note: Tommy Tweed, hôte sur le réseau anglais; Jan Doat, hôte sur le réseau français.

16 février 1955 Émission radiophonique. CBC Opera Company from Montreal, dir. Jean-Marie Beaudet. Pierrette Alarie, soprano; Denis Harbour, baryton; Colette Mérola, mezzo-soprano; Robert Savoie, baryton; André Turp, ténor. CBCT
Jacques Offenbach, *The Tales of Hoffman*.

17 février 1955 « L'Heure du concert ». Émission télévisuelle de Radio-Canada. Orchestre de Radio-Canada, dir. Jean-Marie Beaudet. Pierrette Alarie, soprano ; Denis Harbour, baryton ; Jean-Paul Jeannotte, ténor ; Colette Mérola, mezzo-soprano ; Robert Savoie, baryton ; Rosalyn Tureck, piano solo ; André Turp, ténor. APJB
Ludwig van Beethoven, *Concerto n° 5 en mi bémol majeur*, op. 73 – 1ᵉʳ mouvement ; Jacques Offenbach, *Les Contes d'Hoffman* – 4ᵉ acte.
Note : Les illustrations sont de Frédéric Back.

16 mars 1955 "Wednesday Night". Émission radiophonique. Présenté par la Compagnie d'opéra de Radio-Canada, dir. Jean-Marie Beaudet. Réjane Cardinal, mezzo-soprano ; Louise Charbonneau, soprano ; Suzanne Danco, soprano ; Jean-Paul Jeannotte, ténor ; David Rochette, basse ; Joseph Rouleau, basse ; Robert Savoie, baryton. APJB
Claude Debussy, *Pelléas et Mélisande*.
Note : À la fin du 3ᵉ acte, Richard Pennington (bibliothèque Redpath de l'Université McGill) parle de Maurice Maeterlinck et de *Pelléas et Mélisande*.

24 mars 1955 « L'Heure du concert ». Émission télévisuelle de Radio-Canada. Orchestre symphonique de Radio-Canada à Montréal, dir. Jean-Marie Beaudet. Suzanne Danco, soprano ; Leon Fleischer, piano ; Jean-Paul Jeannotte, ténor ; Robert Savoie, baryton. APJB
Claude Debussy, *Nocturnes – Fêtes* ; *Pelléas et Mélisande* – 2ᵉ acte ; Johannes Brahms, *Concerto pour piano n° 2 en si bémol*, op. 83 – 1ᵉʳ mouvement.

8 août 1955 Société des Festivals de Montréal. Théâtre Saint-Denis (Montréal). Orchestre symphonique de Toronto, dir. Jean-Marie Beaudet ; Glenn Gould, piano. D
Samuel Barber, *A School for a Scandal – Ouverture* ; Clermont Pépin, *Guernica* ; Albert Roussel, *4ᵉ Symphonie en sol mineur* ; Harry Somers, *Passacaille* et *Fugue* ; Ludwig van Beethoven, *4ᵉ Concerto en sol*.

26 octobre 1955 "CBC Wednesday Night". Émission radiophonique. Orchestre [?], dir. Jean-Marie Beaudet, et Chorale [?], dir. Marcel Laurencelle. CBCT
Christoph Willibald Gluck, *Alceste*.

13 novembre 1955 « L'Heure du concert ». Émission télévisuelle de Radio-Canada. Direction musicale, Jean-Marie Beaudet ; Marcel Laurencelle, direction des chœurs ; Claire Gagnier, soprano ; Evelyn Gould, soprano ; Yoland Guérard, basse ; Jean-Pierre Hurteau, basse ; André Lortie, ténor ; Joseph Rouleau, basse ; André Rousseau, ténor ; Richard Verreault, ténor ; Louis Quilico, baryton ; Robert Savoie, baryton. LSRC
Giacomo Puccini, *La Bohème*.
Note : Version intégrale en italien.

[?] 1956 Orchestre de la CBC Montréal, dir. Jean-Marie Beaudet. CMC
Oskar Morawetz, *Symphonie n° 1*.

4 janvier 1956 "Wednesday Night". Émission radiophonique de Radio-Canada. Orchestre [?], dir. par Jean-Marie Beaudet. LSRC
Arthur Honegger, *Concerto da camera, 3ᵉ Symphonie, 4ᵉ Symphonie*.
Note: Concert consacré à la mémoire d'Arthur Honegger.

30 janvier 1956 « Première ». Émission radiophonique diffusée sur le réseau français de Radio-Canada. Orchestre et chœur de Radio-Canada, dir. Jean-Marie Beaudet. Josephte Dufresne, piano. APJB
Violet Archer, *Deux Chansons pour chœur de voix de femmes, hautbois et piano*; Clermont Pépin, *Cantique des cantiques*; Jean Papineau-Couture, *Étude pour piano*, John Beckwith, *Pièce pour cuivres*.
Note: Émission consacrée à la musique canadienne pour rendre hommage aux membres de La Ligue canadienne des compositeurs.

1ᵉʳ février 1956 La Ligue des compositeurs canadiens. Auditorium Le Plateau (Montréal). Diffusé sur Trans-Canada. Orchestre de la Société Radio-Canada, dir. Jean-Marie Beaudet. Marguerite Lavergne, soprano. APJB
John Becwith, *Montage*; Alexander Brott, *Delightful delicious*; Claude Champagne, [?]; Pierre Mercure, *Cantate pour une joie***; Jean Papineau-Couture, *Poème symphonique*; Harry Somers, *Passacaille et Fugue*; Clermont Pépin, *Rite du Soleil Noir*; Jean Vallerand, *Nocturne*

23 février 1956 « L'Heure du concert ». Orchestre de Radio-Canada, dir. Jean-Marie Beaudet. Fernande Chiocchio, mezzo-soprano; Claire Gagnier, soprano; Roger Goulet, baryton; Louis Quillicot, baryton; André Rousseau, ténor; Calvin Sieb, violon. APJB
Béla Bartòk, *Rhapsodie nᵒ 2*; Bohuslav Martinu, *Comedy on the Bridge*.

20 juillet 1956 « Concerts canadiens ». Réseau français de Radio-Canada. Orchestre [?], dir. Jean-Marie Beaudet. Yvon Barrette, piano. LSRC
Maurice Blackburn, *Concerto en do*.

27 juillet 1956 « Concerts canadiens ». Réseau français de Radio-Canada. Jean-Marie Beaudet, piano; Noël Brunet, violon. LSRC
Jean Vallerand, *Sonate pour violon et piano*.

14 septembre 1956 « Concerts canadiens ». Réseau français de Radio-Canada. Orchestre et chœur de Radio-Canada, dir. Jean-Marie Beaudet. Marguerite Lavergne, soprano. LSRC
Pierre Mercure, *Cantate pour une joie*.

22 octobre 1956 Réseau Trans-Canada. CBC Symphony Orchestra, dir. Jean-Marie Beaudet. Quentin Maclean, orgue. CBCT
Paul Wissmer, *Divertimento in three movements*; Camille Saint-Saëns, *Symphonie nᵒ 8*.

29 octobre 1956 Réseau Trans-Canada. CBC Symphony Orchestra, dir. Jean-Marie Beaudet. Lamar Crowson, piano. CBCT
Arthur Benjamin, *Piano Concerto quasi una Fantasia*; Florent Schmitt, *La Tragédie de Salomé.*

19 décembre 1956 "Wednesday Night". Émission radiophonique de Radio-Canada. Orchestre de Radio-Canada, dir. Jean-Marie Beaudet, et Petits chanteurs du bon Dieu, dir. frère Lamonde. Napoléon Bisson, baryton; Dolorès Drolet, soprano; Marthe Forget, soprano; Denis Harbour, basse; Jean-Paul Jeannotte, ténor; Joseph Rouleau, basse; André Turp, ténor. LSRC
Jules Massenet, *Werther.*

24 janvier 1957 «L'Heure du concert». Studio 40, Société Radio-Canada. Orchestre [?] [44 musiciens], dir. Jean-Marie Beaudet, et chœur? [16 voix], dir. Marcel Laurencelle. Pierrette Alarie, soprano; Fernande Chiocchio, mezzo-soprano; Yolande Dulude, soprano. Denis Harbour, basse; Joseph Rouleau, basse; Bernard Savoie, baryton; Léopold Simoneau, ténor. CBCT
Charles Gounod, *Mireille* [version abrégée].

13 février 1957 "Wednesday Nignt". Réseau français de la Société Radio-Canada. Orchestre de Radio-Canada. Jean-Marie Beaudet, direction musicale; direction des chœurs, George Little; Elizabeth Benson-Guy, soprano; Yolande Dulude, soprano; Yoland Guérard, basse; André Turp, ténor. CBCT
Jean-Philippe Rameau, *Hippolyte et Aricie.*
Note: Production rediffusée le 8 mai 1957.

8 avril 1957 Émission radiophonique du réseau Trans-Canada. Orchestre symphonique de la CBC, dir. Jean-Marie Beaudet. Mary Simmons, soprano; William McGrath, ténor; Norman Farrow, baryton. CBCT
Wolfgang Amadeus Mozart, *Symphonie n° 32*; Igor Stravinski, *Pulcinella.*

19 avril 1957 [?] [Émission de télévision]. Société Radio-Canada. Orchestre [?], dir. Jean-Marie Beaudet, et chœur mixte, dir. George Little. Constance Lambert, soprano. CBCT
Francis Poulenc, *Stabat Mater.*
Note: Œuvre présentée en première canadienne à la télévision. Émission réalisée par Pierre Mercure.

1er mai 1957 "Folio". Société Radio-Canada (Toronto). Orchestre [?], dir. Jean-Marie Beaudet. Avec les interprètes Ernest Adams, Claire Gagnier, Don Garrard, Sylvia Grant, John Harcourt, Bernard Johnson, Gloria Lane, Morley Meredith, Patricia Snell, Bernard Turgeon et André Turp. tvarchive.ca
Georges Bizet, *Carmen.*

8 mai 1957 [?] [Réseau français de la Société Radio-Canada]. Orchestre de Radio-Canada, dir. Jean-Marie Beaudet. LSRC
Jean-Philippe Rameau, *Hippolyte et Aricie.*
Note: Rediffusion de la production du 13 février 1957.

4 décembre 1958 «L'Heure du concert». Société Radio-Canada. 1re partie: Orchestre de Radio-Canada, dir. Jean-Marie Beaudet. Elaine Malbin, soprano; Richard Verreau, ténor; Leonard Warren, baryton. 2e partie: Alexandre Lagoya, guitare; Ida Presti, guitare. 3e partie: Betty Jean Hagen, violon. 4e partie: Alicia Alonzo, danseuse; Igor Youskevitch, danseur. APJB
1re partie: Giuseppe Verdi, *La Traviata* (2e acte). 2e partie: Fernando Sor, *Thème et variations* et *Chansons espagnoles*. 3e partie: Félix Mendelssohn, *Concerto en mi mineur pour violon et orchestre*, op. 64. 4e partie: Piotr Ilitch Tchaïkovski, *Le Lac des Cygnes – Le Cygne noir*.
Notes: Le 2e acte de l'opéra est présenté dans les décors d'Alexis et avec les costumes de Gilles-André Vaillancourt. La production sera diffusée sur le réseau anglais le 27 décembre 1958.

7 janvier 1959 "Wednesday Night". [?], dir. Jean-Marie-Beaudet. Pierrette Alarie, soprano; Fernande Chiocchio, mezzo-soprano; Jean-Paul Jeannotte, ténor; Claude Létourneau, baryton. CBCT
Henri Sauguet, *Les Caprices de Marianne*.

6 mai 1959 «Festival du mercredi». Orchestre [?], dir. Jean-Marie Beaudet. Pierrette Alarie, soprano; Fernande Chiocchio, mezzo-soprano; Roger Gosselin, basse; Jean-Paul Jeannotte, ténor; Claude Létourneau, baryton. LSRC
Henri Sauguet, *Les Caprices de Marianne*.

1er juillet 1959 [Présence du Canada à l'étranger le jour de la Confédération] Orchestre symphonique de Montréal, dir. Jean-Marie Beaudet. LSRC
Jean Vallerand, *Prélude pour orchestre*; Pierre Mercure, *Pantomime*; Ernest MacMillan, *Chants canadiens pour orchestre à cordes*; Georges-Émile Tanguay, *Pavane*; Clermont Pépin, *Symphonie n° 2*.

10, 12, 13, 18, 19, 26, 27 et 28 août 1959 La Comédie canadienne. Festivals de Montréal. Orchestre [?], dir. Jean-Marie Beaudet, chœurs [?], dir. Marcel Laurencelle. Jacqueline Auger; Paul Berval; Colette Boky; Georges Carrière; Lionel Daunais; Victor Désy; Yolande Dulude; Louisette Dussault; Germaine Giroux; Guy Hoffmann; Jean-Paul Jeannotte; Suzanne Lapointe; Thérèse Laporte; Jacqueline Plouffe; Huguette Poulin; Claire Richard; André Turp; Jacques Offenbach, *Barbe-bleue*.

8 octobre 1959 «L'Heure du concert». Studio 42 et Victoria Hall. Orchestre de Radio-Canada, dir. Jean-Marie Beaudet. Fernande Chiocchio, mezzo-soprano; Jean-Paul Jeannotte, ténor; Constance Lambert, soprano. 25 danseurs des Grands Ballets Canadiens. APJB
Arthur Honegger, *Le Roi David*.
Note: Le spectacle est parvenu simultanément de l'édifice de Radio-Canada, où se trouvaient les comédiens, et du Victoria Hall, où étaient réunis musiciens et chanteurs, à l'exception de Claire Duchesneau qui chantait dans l'escalier du palais de David.

[Novembre 1959 ou années 1960?] Orchestre de la CBC Montréal, dir. Jean-Marie Beaudet. CMC
Istvan Anhalt, *Symphony.*

3 décembre 1959 « L'Heure du concert ». Orchestre de Radio-Canada, dir. Jean-Marie Beaudet. Pierrette Alarie, soprano ; Les Grands Ballets Canadiens ; André Navarra, violoncelle. APJB et LSRC
Jean Françaix, *Les Clowns* (chor. Lumilla Chiriaeff) ; Édouard Lalo, *Concerto en ré mineur pour violoncelle et orchestre* ; Francis Poulenc, *La Voix humaine.*
Note : 1ʳᵉ nord-américaine de *La Voix humaine* et 1ʳᵉ mondiale à la télévision.

[?] 1960 [Concert pour souligner le 25ᵉ anniversaire de la radio de Radio-Canada]. Société Radio-Canada. Orchestre de Radio-Canada, dir. Jean-Marie Beaudet. APJB
Frédéric Chopin, *Concerto en fa mineur* – 2ᵉ et 3ᵉ mouvements.

31 janvier 1960 « Concert ». Orchestre [?], dir. Jean-Marie Beaudet. Calvin Sieb, violon. CBCT
Emmanuel Chàbrier, *Espana* ; Jacques Ibert, *Escales* ; Henryk Wienawski, *Concerto en ré mineur pour violon* ; Claude Debussy, *Clair de lune.*

28 février 1960 [?] Émission télévisuelle de Radio-Canada. Orchestre [?], dir. Jean-Marie Beaudet. Walter Joachin, violoncelle. LSRC
Engelbert Humperdinck, *Haensel et Gretel* – *Ouverture* ; Edvard Grieg, *Suite nᵒ 1 « Peer Gynt »* ; Ernest Bloch, *Schelomo* ; Modeste Moussorgski, *Une nuit sur le mont Chauve.*

14 mars 1960 [?] Orchestre symphonique de Québec, dir. Jean-Marie Beaudet. Christian Ferras, violon. BG-OSQ
Johannes Brahms, *Concerto pour violon.*

3 avril 1960 « Concert ». Télévision de Radio-Canada. Orchestre [?], dir. Jean-Marie Beaudet. William Stevens, piano. LSRC
Franz von Suppé, *Cavalerie légère* – *Ouverture* ; Georges Bizet, *L'Arlésienne* – *Suite nᵒ 2* ; Edvard Grieg, *Concerto en la mineur pour piano et orchestre* ; Maurice Ravel, *Boléro.*

4 avril [années 1960] [Concert produit par la CBC Ottawa]. [?], dir. Jean-Marie Beaudet ; The Bel Canto Choir of the Ottawa Choral Society, dir. Frederick Karam ; Ralph Blake, ténor ; Gordon Carrell, basse ; Hans Klinkenberg, basse ; Doris Parker, contralto ; Barbara Ross, soprano ; Arthur Wiebe, ténor. FJMB
Jean-Baptiste Lully, *Te Deum* ; Michel-Richard de Lalande, *Sinfonies pour les soupers du roi.*

14 mars 1960 [?] Orchestre symphonique de Québec, dir. Jean-Marie Beaudet. Christian Ferras, violoniste ; Johann van Veen, soliste et 1ʳᵉ flûte de l'orchestre. FJMB

Jean-Sébastien Bach, *Suite n° 2 en si mineur*; Pierre Mercure, *Pantomime pour 13 instruments*; Franz Schubert, *Symphonie n° 4 « Tragique » en do mineur*; Johannes Brahms, *Concerto pour violon en ré majeur*; Hector Berlioz, *Carnaval romain*.

15 avril 1960 « L'Heure du concert ». Orchestre [?], dir. Jean-Marie Beaudet. Roger Doucet, ténor; Jean-Paul Jeannotte, ténor; Constance Lambert, soprano dramatique; Claude Létourneau, baryton; Elena Nikolaidi, contralto; Marielle Pelletier, soprano; Huguette Poulin, soprano; Cécile Vallée, soprano. APJB Francis Poulenc, *Dialogue des Carmélites* (première canadienne).
Note: Émission présentée en direct du réseau français de télévision, puis sur vidéo le lendemain 16 avril à tous les postes du réseau anglais, excepté CBMT, CBOT et CKMI.

5 juin 1960 « Concert canadien ». Société Radio-Canada. Jean-Marie Beaudet, piano d'accompagnement; Noël Brunet, violon. APJB
Jean Papineau-Couture, *Sonate pour violon et piano*; Jean Vallerand, *Sonate pour violon et piano*.

29 septembre 1960 « L'Heure du concert ». Orchestre de Radio-Canada, dir. Jean-Marie Beaudet. Yolande Dulude, soprano; Claire Gagnier, soprano; Yoland Guérard, basse; Marcel Laurencelle, préparation des chœurs; Claude Létourneau, baryton; Robert Savoie, baryton; Pierre Violier, ténor. APJB
Giacomo Puccini, *La Bohème*.
Note: Cet opéra a été présenté en entier à la télévision canadienne en 1955, sous la direction de Jean-Marie Beaudet.

6 novembre 1960 [?]. Orchestre de Radio-Canada, dir. Jean-Marie Beaudet. APJB
Claude Debussy, *Le Martyre de saint Sébastien*; Harry Somers, *Passacaille et fugue*; Samuel Barber, *Adagio pour cordes*; Albert Roussel, *Bacchus et Ariane – Suite n° 2*.

24 novembre 1960 « L'Heure du concert ». Orchestre de Radio-Canada, dir. Jean-Marie Beaudet. Claudette Bergeron, soprano; Réjane Cardinal, mezzo-soprano; Paul Fredette, basse; Jacques Jansen, baryton; Huguette Poulin, soprano; Louis Quilico, baryton. APJB
Claude Debussy, *Pelléas et Mélisande*.

[?] 1961 [Gala international de la communauté française et 10ᵉ anniversaire de la télévision de Radio-Canada]. Orchestre de Radio-Canada, dir. Jean-Marie Beaudet. APJB
Sergueï Rachmaninov, *2ᵉ Concerto pour piano* – 1ᵉʳ mouvement.

26 février 1961 «Concert». CBFT, CBOFT (Ottawa), CBAFT (Moncton). Orchestre [?], dir. Jean-Marie Beaudet, Ronald Turini, piano. LSRC
Jacques Offenbach, *Orphée aux Enfers*; Camille Saint-Saëns, *Concerto n° 2, pour piano et orchestre*, op. 22; Godfrey Ridout, *Music from a Young Prince – From the Caboosh*; Claude Debussy, *Children's corner*; Georges Enesco, *Rhapsodie roumaine n° 2*.

16 avril 1961 «Concert» CBFT, CBOFT (Ottawa), CBAFT (Moncton). Orchestre [?], dir. Jean Beaudet. Josephte Dufresne, piano. LSRC
Gioacchino Rossini, *Ouverture – La Pie voleuse*; Franz Lizt, *Concerto en la pour piano*; André Prévost, *Scherzo pour orchestre à cordes*; Albéniz, *Triana*, Claude Debussy, *Ronde de Printemps*; Darius Milhaud, *Suite française*.

30 mai 1962 «Concert du mercredi». Orchestre [?], dir. Jean-Marie Beaudet. Pierrette Alarie, soprano; Napoléon Bisson, baryton; Léopold Simoneau, ténor. APJB
Jean Vallerand, *Le Magicien***.

6 juin 1962 "Wednesday Night". CBC. Orchestre [?], dir. Jean-Marie Beaudet. Pierrette Alarie, soprano; Napoléon Bisson, baryton; Pierre Boutet, ténor; Gilles Lamontagne, baryton; Marthe Létourneau, soprano; Jacqueline Richard, piano; Léopold Simoneau, ténor. APJB
Maurice Blackburn, *Pirouette*; Jean Vallerand, *Le Magicien*.

[?] août 1962 «27ᵉ Festival de Montréal». Orchestre [?], dir. Jean-Marie Beaudet. Lefebvre 1996.
Jean Vallerand, *Le Magicien* (version pour orchestre).

22 août 1962 «Concert du mercredi». Société Radio-Canada. Orchestre de Radio-Canada, dir. Jean-Marie Beaudet, et chœurs, dir. Raymond Daveluy. Fernande Chiocchio, contralto; Claire Grenon-Masella, soprano; Renée Maheu, soprano; Marcelle Monette-Dumontet, contralto. LSRC
Claude Debussy, *Le Martyre de saint Sébastien*, *Nuages* et *Fêtes*.
Note: Concert présenté pour souligner le centenaire de la mort de Debussy.

6 janvier 1963 «L'Heure du concert». Société Radio-Canada. Orchestre de Radio-Canada, dir. Françoys Bernier en remplacement de Jean-Marie Beaudet. Avec la participation de Pierrette Alarie, Catherine Bégin, Paul Berval, Christian Delmas, Clémence Desrochers, Gabriel Gascon, Jean Gascon, Guy Hoffmann, Léo Ilial, Roger Joubert, Pauline Julien, Andrée Lachapelle, Suzanne Lapointe, Lise La Salle, Monique Lepage, Monique Mercure, Muriel Millard et François Tassé. LSRC
Jacques Offenbach, *La Vie parisienne*.
Note: Victime d'une crise cardiaque, Jean-Marie Beaudet est remplacé au pied levé par Françoys Bernier.

9 septembre 1963 CBF. Orchestre de la Société Radio-Canada, dir. Jean-Marie Beaudet. BAÉRTC
Claude Champagne, *Symphonie gaspésienne.*

28 novembre 1963 « L'Heure du concert ». Société Radio-Canada. Orchestre [?], dir. Jean-Marie Beaudet. Napoléon Bisson ; Réjane Cardinal ; Richard Charron ; Fernande Chiocchio ; Claude Corbeil ; Pierre Duval ; Allan Fine ; Roger Gosselin ; Yoland Guérard ; Germain Lefebvre ; Jean-Pierre Légaré ; Claude Létourneau ; André Lortie ; Micheline Tessier ; Cécile Vallée ; APJB
Giacomo Puccini, *Gianni Schicchi.*

16 janvier 1964 « L'Heure du concert ». Société Radio-Canada. Orchestre de Radio-Canada (Montréal), dir. Jean-Marie Beaudet. APJB
Claude Champagne, *Suite canadienne, Symphonie gaspésienne, Altitude.*
Note : L'émission est un hommage à Claude Champagne. Le compositeur est en entrevue avec Jean Vallerand sur sa carrière et sur l'œuvre *Altitude*. Le même programme musical est repris au concert du 13 janvier 1966.

3 mai 1964 Collège Marguerite d'Youville (collège de musique). Radio-Canada Ottawa. CBO Studio Ensemble, dir. Jean-Marie Beaudet (chef invité). Marianne Bélanger, piano ; Thomas Kines, ténor ; Gerald Wheeler, clavecin. FJMB
Georg Friedrich Haendel, *Look down, Harmonius Saint* et *O Patronne de l'harmonie* ; Jean-Sébastien Bach, *Concerto pour piano en ré mineur* ; Claude Debussy, *Petite Suite* ; Jean Papineau-Couture, *Les Papotages ou Les Métamorphoses mondaines.*
Note : Concert présenté à l'occasion de l'ouverture de l'École de musique.

20 septembre 1964 « L'Heure du concert ». Société Radio-Canada. Orchestre de Radio-Canada (Montréal), dir. Jean-Marie Beaudet. Pierrette Alarie, soprano ; Claire Gagnier, soprano ; Jean-Louis Pellerin, ténor ; Léopold Simoneau, ténor. APJB
Jean-Philippe Rameau, *Les Fêtes d'Hébé.*
Note : Des danseurs et un corps de ballet contribuent à ce concert.

Automne 1964 [Tournée avec Raoul Jobin]. Orchestre symphonique de Québec, dir. Jean-Marie Beaudet. Michel Dussault, piano solo ; Raoul Jobin, ténor. APJB
Frédéric Chopin, *Concerto pour piano en fa mineur* ; [programme incomplet].
Note : La tournée a lieu dans les villes de Chicoutimi, Rimouski, Saint-Georges de Beauce et Thetford-Mines.

27 octobre 1964 « La Société artistique de Thetford présente l'Orchestre symphonique de Québec ». [?] Orchestre symphonique de Québec, dir. invité Jean-Marie Beaudet. Michel Dussault, piano. FJMB
Ludwig van Beethoven, *Coriolan – Ouverture* ; Johannes Brahms, *Symphonie n° 4 en mi mineur*, op. 98 ; Frédéric Chopin, *Concerto n° 2 en fa mineur*, op. 21 ; Franz Liszt, *Préludes.*
Note : Le piano Steinway est gracieusement offert par la Compagnie Paquet Limitée.

28 octobre 1964 « La Société des concerts de Beauce ». Théâtre royal (Saint-Georges-de-Beauce). Orchestre symphonique de Québec, dir. Jean-Marie Beaudet. Michel Dussault, piano. FJMB
Ludwig van Beethoven, *Coriolan – Ouverture*; Johannes Brahms, *Symphonie n° 4 en mi mineur*, op. 98; Frédéric Chopin, *Concerto n° 2 en fa mineur*, op. 21; Franz Liszt, *Préludes*.
Note: En plus de Saint-Georges-de-Beauce et de Thetford-Mines, ce concert semble aussi avoir été présenté à Chicoutimi, à Québec et à Rimouski.

8 novembre 1964 [Réseau français de la radio de la Société Radio-Canada] Orchestre symphonique de Toronto, dir. Jean-Marie Beaudet. Gilles Tremblay, ondes Marthenot. APJB
Olivier Messiaen, *Turangalîla-Symphonie* (première canadienne).

27 mars 1965 "National Gallery Concerts". CBC Ottawa-National. Galerie nationale (Ottawa). CBO Studio Ensemble, dir. Jean-Marie Beaudet; Claire Gagnier, soprano; Gaston Germain, basse; Janet Roy, violoniste. FJMB
Jean-Jacques Rousseau, *Le Devin du village – Ouverture*; Wolfgang Amadeus Mozart, *Bastien et Bastienne*.
Note: Concert produit par la CBC et présenté en collaboration avec la National Gallery Association.

[Saison 1965-1966] « Concert de la Galerie nationale ». Radio-Canada Ottawa et Association de la Galerie nationale. FJMB

[?] **octobre 1965** Orchestre symphonique de la CBC Montréal, dir. Jean-Marie Beaudet. CMC
Claude Champagne, *Symphonie gaspésienne*.

4 novembre 1965 « L'Heure du concert ». Société Radio-Canada. Orchestre de Radio-Canada (Montréal), dir. Jean-Marie Beaudet. Jacques Cesbron, danse; Vlado Perlemuter, piano; Robert Scevers, danse; Marjorie Tallchief, danse. LSRC
Maurice Ravel, *Rapsodie espagnole*; Gabriel Fauré, *Pelléas et Mélisande*, op. 80 (chor. George Skibine); César Franck, *Variations symphoniques*.

22 novembre 1965 [?] Orchestre symphonique de Québec, dir. Jean-Marie Beaudet. Robert Casadesus, piano. BG-OSQ
Wolfgang Amadeus Mozart, *Concerto pour piano en do mineur*, K. 491; Maurice Ravel, *Concerto pour la main gauche*.

28 novembre 1965 [Réseau français de la] Société Radio-Canada (Québec). Orchestre symphonique de Québec, dir. Jean-Marie Beaudet. Robert Casadesus, piano. LSRC
Wolfgang Amadeus Mozart, *Symphonie en ré majeur n° 31*, K. 297 et *Concerto pour piano en do mineur*, K. 491; Maurice Ravel, *Concerto pour la main gauche*; Claude Debussy, *La Mer*.

[?] **1966** [Radio-Canada]. Orchestre symphonique de Québec, dir. Jean-Marie Beaudet. APJB
Sergueï Rachmaninov, *Rhapsodie sur un thème de Paganini*; Frédéric Chopin, *Concerto en mi mineur.*
Note: Concert présenté sous la présidence de Jean-Noël Tremblay, ministre des Affaires culturelles.

13 janvier 1966 « L'Heure du concert ». Société Radio-Canada. Orchestre de Radio-Canada (Montréal), dir. Jean-Marie Beaudet, et préparation des chœurs par Marcel Laurencelle. APJB
Claude Champagne, *Suite canadienne, Symphonie gaspésienne, Altitude.*
Note: Concert « Hommage à Claude Champagne » à la suite de son décès le 21 décembre 1965. Enregistrement réalisé au studio 42, le 19 décembre 1963. Le programme est le même qu'au concert du 16 janvier 1964.

9 février 1966 « Concert du mercredi ». Société Radio-Canada. Orchestre symphonique et chœur de Radio-Canada à Montréal, dir. Jean-Marie Beaudet. Marguerite Lavergne, soprano. APJB
Pierre Mercure, *Pantomime* et *Cantate pour une joie.*
Note: Concert donné en hommage à Pierre Mercure décédé 29 janvier 1966.

17 février 1966 « L'Heure du concert ». Société Radio-Canada. Orchestre de Radio-Canada, dir. Jean-Marie Beaudet. Pierrette Alarie, soprano; Napoléon Bisson, baryton; Claude Létourneau, baryton; Jean-Louis Pellerin, ténor; Quatuor Pierre Bourque (Pierre Bourque, Rémy Lamarre, Claude Brisson et Jean Bouchard aux saxophones). LSRC
Albert Roussel, *Sinfonietta pour cordes*, op. 52; Gabriel Pierné, *Chansons d'autrefois* et *Introduction et variations sur une ronde populaire* (saxophones); Darius Milhaud, *Le Pauvre matelot.*

3 mars 1966 « L'Heure du concert ». Orchestre de Radio-Canada à Montréal, dir. Jean-Marie Beaudet. Dalton Baldwin, piano; Gérard Souzay, baryton. APJB
Jean-Baptiste Lully, [?]; Wolfgang Amadeus Mozart, *Don Giovanni – Deh, vienni a la finestra*; Franz Schubert, *Heidenreslein, Wanderes Nachtlied*, op. 96, *n° 3*; Hector Berlioz, *La Damnation de Faust* – airs et *Méphisto – Sérénade*; Charles Gounod, *Les gazons sont verts*; Henri Duparc, *Chanson triste*; Gabriel Fauré, *Poème d'un jour – Toujours*; Christoph Willibald Gluck, *Orphée – J'ai perdu mon Euridice*; folklore, *Une perdriole* et *Bailero*; Maurice Ravel, *Don Quichotte à Dulcinée.*

24 avril 1966 « Les Amis de l'art de Hull présentent Arthur Garami et Charles Reiner ». Auditorium Marguerite-d'Youville (Hull). Jean-Marie Beaudet, chef d'orchestre. Arthur Garami, violoniste; Charles Reiner, pianiste. FJMB
Antonio Vivaldi, *Sonate en ré majeur*; Wolfgang Amadeus Mozart, *Sonate en si bémol majeur*, K. 454; Claude Debussy, *Sonate*; Ernest Dohnanyi, *Ruralia Hungarica*; Claude Debussy, *La plus que lente*; Maurice Ravel, *Pièce en forme de habanera*; Saint-Saëns/Ysaye, *Caprice en forme de valse.*

24 avril 1966 Société Radio-Canada/Ottawa. Galerie nationale (Ottawa). Orchestre du studio de Radio-Canada, dir. Jean-Marie Beaudet (chef d'orchestre invité). Michael Kilburn, violoncelliste invité ; Janet Roy, violoniste ; Helmut Seeman, flûte solo ; Tony van Scherremberg, hautbois solo. FJMB
Henry Purcell, *Suite pour orchestre à cordes* ; Jean-Christian Bach, *Sinfonia concertante en do majeur* ; Wolfgang Amadeus Mozart, *Symphonie n° 31 en ré majeur*, K. 297 ; Georges-Émile Tanguay, *Pavane* ; Claude Champagne, *Danse villageoise*.
Note: Concert à être radiodiffusé ultérieurement.

5, 6 et 7 juillet 1966 «Hommage aux États-Unis». Aréna Maurice-Richard, auditorium de Verdun et aréna Villeray. Orchestre symphonique de Montréal, dir. Jean-Marie Beaudet. Yolande Dulude, soprano ; Yoland Guérard, basse. FJMB
Aaron Copland, *Outdoor Overture* ; George Gershwin, *Porgy and Bess – I Got Plenty O Nuttin, Summertime* et *Bess, You is my Woman* ; Anton Dvořák, *Symphonie du Nouveau monde – Largo* et *Allegro con fuoco* ; Rogers & Hammerstein, *South Pacific – This Nearly was Mine* ; Wright & Forrester, *Kismet – And This is my Beloved* ; Jerome Kern, *Snowboat – Make Believe, Oklahoma – People will say 'We're in Love'* ; Cole Porter, *Kiss me Kate – Wunderbar* ; Ferde Grofé, *Grand Canyon Suite – On the Trail*.
Note: «La ville de Montréal en collaboration avec Kraft Foods est heureuse de présenter sa troisième série des concerts populaires».

20 octobre 1966 «Les amis de l'art de l'Outaouais présentent et la Société Radio-Canada diffuse un concert de…». Orchestre de studio de Radio-Canada, dir. Jean-Marie Beaudet. Yolande Dulude, soprano ; Pierre Duval, ténor. FJMB
Wolf-Ferrari, *Il segreto di Suzanna* ; Jules Massenet, *Werther – Pourquoi me réveiller?* ; Gaetano Donizetti, *La Fille du régiment – Chacun le sait* ; Guiseppe Verdi, *La Traviata – Parigi o cara* ; Jean-Baptiste Lully, *Suite pour ballet* ; Charles Gounod, *Faust – Salut, demeure chaste et pure, Air des bijoux* et *Il se fait tard* ; Giacomo Puccini, *La Bohème – Che gelida manina, Mi chiamano mimi* et *O suave fanciulla* ; Georges Bizet, *Suite arlésienne n° 1*.

[?] novembre 1966 Orchestre symphonique de Toronto, dir. Jean-Marie Beaudet. CMC
R. Murray Schafer, *Untitled Composition for Orchestra*.

27 novembre 1966 [?] Salle Claude-Champagne (Montréal). Orchestre de Radio-Canada, dir. Jean-Marie Beaudet. Victoria de Los Angeles, soprano. APJB
Christoph Willibald Gluck, *Iphigénie en Tauride – air* ; Jean-Baptiste Lully, *Le Chant de Vénus* ; André Campra, *Fêtes vénitiennes – La Chanson du papillon* ; Albert Roussel, *Festin de l'araignée – Suite instrumentale* ; Maurice Ravel, *Shéhérazade – extraits.*

26 février 1967 « Les Beaux Dimanches/Petit concert chez Pierrette et Léopold Simoneau ». Télévision de Radio-Canada. Orchestre de Radio-Canada, dir. Jean-Marie Beaudet. Pierrette Alarie, soprano ; Jack Cantor, violoncelle ; Roland Desjardins, contrebasse ; Taras Gabora, violon ; Stephen Kondaks, alto ; Janine Lachance, piano ; Léopold Simoneau, ténor. APJB/Document de la SRC
Claude Debussy, *Ariettes oubliées, Apparition, Green* ; Francis Poulenc, *C, La Petite Servante* ; Franz Schubert, *La Belle Meunière, Quintette en la majeur « La Truite »*, op. 144 ; Jules Massenet, *Manon* (extrait).

29 août 1967 « Festival d'été ». Orchestre symphonique de Québec, dir. Jean-Marie Beaudet. Samson François, piano. FJMB
Hector Belioz, *Carnaval romain – Ouverture* ; César Franck, *Symphonie en ré* ; Edvard Grieg, *Concerto pour piano en la mineur*, op. 16 ; Paul Dukas, *L'Apprenti sorcier*.
Note : Concert subventionné par la Commission du centenaire, le ministère des Affaires culturelles du Québec et le Conseil de la vie française d'Amérique. Le piano Steinway est une gracieuseté de la Compagnie Paquet Limitée.

5 novembre 1967 Société Radio-Canada. Salle Claude-Champagne (Montréal). Orchestre de Radio-Canada, dir. Jean-Marie Beaudet. APJB
Johannes Brahms, *Variations sur un thème de Haydn* ; César Franck, *Symphonie en ré mineur*.

13 novembre 1967 Palais Montcalm (Québec). Orchestre symphonique de Québec, dir. Jean-Marie Beaudet. Pierre Fournier, violoncelle. FJMB
Édouard Lalo, *Concerto en ré mineur* ; Paul Hindemith, *Nobilissima Visione* ; Claude Debussy, *Prélude à l'après-midi d'un faune* ; Nikolaï Rimski-Korsakov, *Capriccio espagnol*.

14 novembre 1967 « La Société artistique de Thetford présente l'Orchestre symphonique de Québec ». Orchestre symphonique de Québec, dir. Jean-Marie Beaudet (chef invité). Pierre Fournier, violoncelle. FJMB
Carl Maria von Weber, *Oberon – Ouverture* ; Édouard Lalo, *Concerto en ré mineur* ; Claude Debussy, *Prélude à l'après-midi d'un faune* ; Nikolaï Rimski-Korsakov, *Capriccio espagnol*.

19 novembre 1967 Société Radio-Canada. Salle Claude-Champagne (Montréal). Orchestre de Radio-Canada, dir. Jean-Marie Beaudet. APJB
Marcel Mihalovici, *Sinfonia giocosa* ; Florent Schmitt, *Tragédie de Salomé*.

4 février 1968 Société Radio-Canada. Orchestre de Radio-Canada, dir. Jean-Marie Beaudet. Gaston Germain, basse. APJB
Jean-Sébastien Bach, *Cantate n° 82 Ich habe genug* ; Wolfgang Amadeus Mozart, *Symphonie n° 36*, K. 425.

3 mars 1968 Société Radio-Canada. Salle Claude-Champagne (Montréal). Orchestre de Radio-Canada, dir. Jean-Marie Beaudet. Moura Lympany, piano. PE
Joseph Haydn, *Ouverture en ré*; Guy-Ropartz, *Petite Symphonie*; Wolfgang Amadeus Mozart, *Concerto pour piano n° 21 en do majeur*, K. 467.

10 mars 1968 Société Radio-Canada. Salle Claude-Champagne (Montréal). Orchestre de Radio-Canada, dir. Jean-Marie Beaudet. Phyllis Mailing, mezzo-soprano. APJB
Ottorino Respighi, *Antiche Danze ed Arie, suite n° 2*; Harry Somers, *Five Songs for Dark Voice and Orchestra*; Alain Gagnon, *Esquisse*; R. Murray Schafer, *Protest and Incarceration.*

24 mars 1968 Société Radio-Canada. Salle Claude-Champagne (Montréal). Orchestre de Radio-Canada, dir. Jean-Marie Beaudet. Pierrette Alarie, soprano; Léopold Simoneau, ténor. APJB
Claude Debussy, *Pelléas et Mélisande* (extraits), *Mes Cheveux longs, La Mer.*

28 avril 1968 Société Radio-Canada. Salle Claude-Champagne de l'École de musique Vincent-d'Indy (Montréal). Orchestre de Radio-Canada à Montréal, dir. Jean-Marie Beaudet. Bernard Lagacé, orgue. APJB
Albert Roussel, *Bacchus et Ariane – Suite pour orchestre n° 1*, op. 43; Camille Saint-Saëns, *Symphonie n° 3 en do mineur*, op. 78.

9 février 1969 «Opéra en concert». Société Radio-Canada. Salle Claude-Champagne (Montréal). Orchestre de Radio-Canada, dir. Jean-Marie Beaudet. Claire Gagnier, soprano; Gaston Germain, basse; Gaston Gagnon; Bruno Laplante, baryton; Richard Verreau, ténor. APJB
Charles Gounod, *Roméo et Juliette.*

9 mars 1969 «Opéra en concert». Société Radio-Canada. Salle Claude-Champagne (Montréal). Orchestre de Radio-Canada, dir. Jean-Marie Beaudet, et Marcel Laurencelle, dir. des chœurs. Pierrette Alarie, soprano; Pierre Duval; Benoît Girard; Gilles Pelletier; Louis Quilico, baryton. APJB
Georges Bizet, *Les Pêcheurs de perles* [version abrégée].
Note: Opéra-concert diffusé en direct.

17 mars 1969 [radio a.m.]. Cégep de Limoilou. Orchestre de chambre de Radio-Canada à Québec, dir. Jean-Marie Beaudet. Ross Pratt, piano. APJB
Gabriel Fauré, *Ballade pour piano et orchestre*, op. 19, et *Pelléas et Mélisande*, op. 80 – *Suite pour orchestre.*

28 septembre 1969 «Crescendo». CBF. Concert de la Communauté euro-péenne des programmes en langue française. Orchestre et chœurs de la Société Radio-Canada, dir. Jean-Marie Beaudet. Arthur Garami, violon; Marguerite Lavergne, soprano; Sylvia Saurette, soprano. BAÉRTC

Claude Champagne, *Altitude*; Jean Papineau-Couture, *Concerto pour violon et orchestre*; Pierre Mercure, *Cantate pour une joie*; Clermont Pépin, *Symphonie n° 2.*
Note: Enregistré à la salle Claude-Champagne (Montréal) en mai 1969.

19 octobre 1969 «Opéra en Concert». Radio. Orchestre de Radio-Canada. Salle Claude-Champagne, (Montréal). Orchestre de Radio-Canada, dir. Jean-Marie Beaudet et Marcel Laurencelle, chef de chœur. Avec la participation de Colette Boky, Pierre Duval, Gaston Germain, Robert Savoie et des comédiens: Anne Pauzé, Jean-Louis Paris, Benoît Girard. LSRC
Jules Massenet, *Manon*
Note: Concert enregistré le 12 octobre 1969.

Concerts dont la date est incomplète

[?] CBC. Orchestre [?], dir. Jean-Marie Beaudet. APJB
Arnold Walter, *Symphonie en sol mineur.*

[?] CBC. Orchestre [?], dir. Jean-Marie Beaudet. Agnès Butcher, piano. APJB
Healey Willan, *Concerto pour piano en do mineur.*

[?] CBC Toronto Festival. Mac Millan Theatre (Toronto). Orchestre [?], dir. Jean-Marie Beaudet. Phyllis Mailing, soprano. FJMB
Murray Schafer, *Protest and Incarceration*

[?] Église Notre-Dame (Gatineau). Orchestre [?], dir. Jean-Marie Beaudet. FJMB
Gabrielli, *Canzone n° 2*; Corelli, *Concerto,* Telemann, *Suite pour deux cors*; Marc-Antoine Charpentier, *Te Deum.*

[?] «Heure Musicale et Artistique». Hôpital Laval, (Québec). Jean-Marie Beaudet, piano. FJMB/coupures de journaux non identifiés, sans date.
Debussy, *La Cathédrale engloutie,* Chopin, *Berçeuse.*
Note: Autres invités: Ernest Gagnon, Placide Monrency, LaBruyère Lemieux.

[?] "Music of the New World". NBC University on the Air (série). Radio. Orchestre de la CBC, dir. Jean-Marie Beaudet. APJB
Hector Gratton, *Légende*; Jean-Josaphat Gagnier, *The Wind on the Leafless Maple*; Lucio Agostini, *Scherzo.*
Note: Concert de musique canadienne. Notes biographiques des trois compositeurs canadiens par Thomas Archer, critique musical à *The Gazette.*

[?] Palais Montcalm (Québec). Jean-Marie Beaudet, piano d'accompagnement; Roméo Jobin, ténor. APJB/coupures de journaux non identifiés.
Alessandro Scarlatti, *Violettes*; Georg Friedrich Haendel, *Proclamation de Samson*; Christoph Willibald Gluck, *Air d'Admete*; Franz Schubert, *Dégel*; Gabriel Fauré, [?]; Claude Debussy, *Mandoline*; Philippe Gaubert, *Ah, fuyez à présent, malheureuses pensées*; Marcel Delannoy [?].

[?] Concert présenté par la Société des Concerts/The Community Concert Association. (Québec). Jean-Marie Beaudet, piano d'accompagnement; Raoul Jobin, ténor. FRJ
Œuvres des compositeurs Bach, Scarlatti, Haendel, Chausson, Clergue, Debussy et Fauré. Programme incomplet.

[?] Orchestre symphonique de la CBC Montréal, dir. Jean-Marie Beaudet. CMC
Alexander Brott, *Cradle Song*.

[?] Orchestre symphonique de la CBC Montréal, dir. Jean-Marie Beaudet. CMC
Gerald Bales, *Essay for Strings*.

[?] Orchestre symphonique de la CBC Montréal, dir. Jean-Marie Beaudet. CMC
Hector Gratton, *Coucher de soleil*.
Note: Texte de Félix Leclerc.

[?] Orchestre symphonique de la CBC Montréal, dir. Jean-Marie Beaudet. CMC
Jean Papineau-Couture, *Symphonie n° 1 en do majeur*.

[?] Orchestre symphonique de la CBC Montréal, dir. Jean-Marie Beaudet.
Anton Kuerti, piano. CMC
Oskar Morawetz, *Concerto pour piano n° 1*.

4 mars [?] « Concert au profit d'une œuvre franciscaine ». Centre Antonien (90, des Franciscains [?]). Orchestre à cordes, dir. Jean-Marie Beaudet. Guy Bourassa, piano; Raymond Dessaint, violon; Gilbert Darisse, violon; Jeannine Lachance, piano; Lucien Plamondon, violoncelle; Calvin-Robert Sieb, violon; Dorothy Weldon, harpe. APJB
Georg Friedrich Haendel, *Concerto grosso*, op. 6, n° 5; César Franck, *Sonate en la majeur*; Frédéric Chopin, *Prélude en la bémol majeur*, *Prélude en fa mineur* et *Prélude en mi bémol majeur*; Igor Stravinski, Étude, op. 7, n° 4; Claude Debussy, *Danse sacrée* et *Danse profane*.
Note: Causerie par R.P. Gabriel-Marie Duchesnay, missionnaire du Japon.

5 juillet [?] « Concert populaire ». Chalet de la montagne (Montréal). Orchestre des Concerts symphoniques de Montréal, dir. Jean-Marie Beaudet. BAnQ/ Centre de conservation, programmes de spectacle.
[Programme incomplet]. Isaac Albéniz, *Iberia – Triana*; Piotr Ilitch Tchaïkovski, *Roméo et Juliette*; Jean Sibelius, *Finlandia*; Claude Debussy, *Clair de lune* et *La plus que lente*; Anton Dvořák, *Danses slaves* – extraits; Giuseppe Martucci, *Nocturne*.

14 juillet [?] « Soirée à l'opéra – Hommage à la France ». [?] Orchestre [?], dir. Jean-Marie Beaudet. Gaston Germain, basse; Huguette Tourangeau, mezzo-soprano. FJMB
Jules Massenet, *Phèdre – Ouverture*; Georges Bizet, *Carmen – Les Triangles des sistres*, *La Jolie fille de Perth – Quand la flamme de l'amour*; Gaetano Donizetti,

La Favorita; Georges Bizet, *L'Arlésienne – Prélude, Menuet, Adagio* et *Farandole*; Emmanuel Chabrier, *Espana*; Camille Saint-Saëns, *Samson et Dalila – Mon Cœur s'ouvre à ta voix*; Hector Berlioz, *La Damnation de Faust – Sérénade de Méphisto*; Jacques Offenbach, *Contes d'Hoffmann – La Barcarolle*; Camille Saint-Saëns, *Marche militaire française.*

10 novembre "Wednesday Night". Orchestre [?], dir. Jean-Marie Beaudet. Mary Henderson, soprano; Fernand Martel, baryton. APJB
Gian Carlo Menotti, *The Telephone.*

NOTES

1650-1908 – ORIGINES DE LA FAMILLE

1. Série « Nos Ancêtres » publiée par *La Revue Sainte-Anne de Beaupré*, Québec, 1990, tome 18, p. 25 à 35.
2. Yves Landry, *Les Filles du Roy au XVIIᵉ siècle*, Montréal, Leméac, 1992.
3. Abbé Louis L. Paradis, *Les Annales de Lotbinière 1672-1933*, Québec, Société Patrimoine et histoire des Seigneuries de Lobtbinière, (Société PHSL), seconde édition, 2009.
4. Le bacille de Koch, responsable de la tuberculose, fut nommé ainsi en l'honneur de son découvreur, le savant allemand, Robert Koch.
5. Piano de qualité fabriqué à Toronto au début du XXᵉ siècle. Il pouvait fonctionner en mode normal ou automatique.
6. Lettre de Lucina à sa fille aînée, Yvette, 5 avril 1922. Archives familiales.
7. Lettre de Lucina à « mes chers enfants », 24 janvier 1925. Archives familiales
8. Lettre de Lucina à Jean, 17 février 1925. Archives familiales.
9. Sauf indication contraire, les renseignements historiques concernant la ville de Thetford sont tirés de deux ouvrages. 1 : C. Adams, *Thetford-Mines Historique et Biographies*, Thetford-Mines, Éd. Le Mégantic, 1929, et 2 : Jean-Charles Poulin, *La Cité de l'or blanc*, Thetford-Mines, Jean-Charles Poulin éditeur, 1975.
10. Par souci d'uniformisation typographique, les noms de diverses sociétés citées sont orthographiés selon les règles contemporaines.
11. Au début des années 1990, a été créée en l'honneur de la famille Dussault, la salle du même nom à la polyvalente de Thetford-Mines. Grâce à l'aide du gouvernement provincial, cette salle a été réaménagée et on a fêté sa restauration le 11 janvier 2009. Elle est actuellement (2012) la scène artistique la plus importante de la ville.
12. Michel Dussault naît à Thetford-Mines le 8 juillet 1943 de parents musiciens. Il montre dès l'âge de trois ans des dons pour le piano et la composition. Il obtient un premier prix avec très grande distinction dans la classe d'Yvonne Hubert, au Conservatoire de musique du Québec à Montréal. À Paris, il poursuit ses études pianistiques au Conservatoire national supérieur de musique auprès d'Yvonne Lefébure. Récipiendaire de plusieurs prix prestigieux, il mène une carrière inter-

nationale, tout en étant très actif auprès des Jeunesses musicales du Canada et à la télévision où il concevra et animera des émissions éducatives sur la musique. Professeur de piano à l'Université du Québec à Trois-Rivières, il dirigera également des ateliers d'auto-pédagogie aux États-Unis. Voir l'article que lui consacre Pierre Rochon dans l'*Encyclopédie de la musique au Canada* (*EMC*) et Jean-Charles Poulin, *La Cité de l'or blanc, op. cit*, p. 510.

13. «[...] C'est en 1965-1966 que le ministère de la Culture du Québec a envoyé des émissaires pour venir voir comment nous pouvions avoir une Société artistique non déficitaire, ne réclamant rien de leur Ministère et ayant tant d'activités diverses. Cette année-là, la Société artistique avait réussi à déplacer deux fois et demie la population de Thetford-Mines qui comptait alors 23 000 habitants ; donc ils avaient compté près de 64 000 billets vendus de septembre 1965 à fin août 1966!!! À lui seul, le *Messie* de Haendel, avec l'Orchestre symphonique de Québec dirigé par Wilfrid Pelletier, avec des soliste tels : Claude Corbeil, Marie Daveluy, Napoléon Bisson et Fernande Chiochio, si je me souviens bien, avait rempli à 3 121 personnes l'église Saint-Alphonse avec des bancs supplémentaires. [...] Mon père avait, avec le notaire Jean-Marc Roberge, fondé la Société artistique de Thetford au milieu des années 1930 et était représentant de tout l'est du Canada pour les «Community Concerts» de New York, filiale de «Columbia Artists». [...]» Courriel de Michel Dussault à Josée Beaudet, le 29 janvier 2009.

1908-1932 – LES ANNÉES D'APPRENTISSAGE

1. JMB sera souvent l'acronyme utilisé pour désigner Jean-Marie Beaudet dans cet ouvrage.

2. Gagnon, Gustave (1842-1930). Organiste, professeur et compositeur. Il étudie d'abord le piano à Montréal avec Paul Letondal (son beau-frère) et poursuit ses études à Paris avec Alexis Chauvet (orgue), Antoine Marmontel (piano), Auguste Durand (harmonie); en Belgique avec Étienne Ledent (piano) et Jean-Théodore Radoux (harmonie); et à Leipzig avec Robert Papperitz (orgue) et Louis Plaidy (piano). En Europe, il a notamment l'occasion de rencontrer Franz Liszt et Camille Saint-Saëns. Au Québec, il cofonde l'Académie de musique de Québec en 1868 et il devient titulaire des orgues de la Basilique, de 1876 à 1915. Il est le frère d'Ernest Gagnon (1834-1915), organiste et folkloriste.

3. C. Adams, *Thetford-Mines Historique et Biographies, op. cit.*, p. 234-235.

4. Alice Duchesnay, *Un Regard sur le chemin*, Québec, ministère des Affaires culturelles, Conservatoire de musique et d'art dramatique, 1980, p. 33.

5. À cette époque c'est le Séminaire de Québec qui est le siège de l'Université Laval et de son École de musique.

6. Il est intéressant de noter que plusieurs des professeurs de musique de l'Université Laval ont bénéficié d'une formation musicale en dehors du Québec, souvent en Europe. Ainsi Henri Gagnon a étudié au Conservatoire de Paris et son père Gustave, qui fut le premier directeur de l'École de musique de 1922 à 1924, s'était perfectionné dans plusieurs pays européens : France, Belgique, Italie, Pologne et Allemagne. Émile Larochelle, qui sera du jury du Prix d'Europe en 1929 quand JMB sera candidat, a été inscrit à la célèbre Schola Cantorum de la rue Saint-Jacques à Paris tandis que Robert Talbot, qui a étudié à New York, est membre de la Société française de musicologie de Paris.

7. Helmut Kallmann, Gilles Potvin, Kenneth Winters, «Henri Gagnon», *Encyclopédie de la Musique au Canada*, Fides, Montréal, 1983, p. 388.

8. «Officiers, professeurs et élèves du Séminaire de Québec pour l'année 1925-1926», *Annuaire de l'Université Laval pour l'année académique 1926-1927* (n° 70), Québec, L'Action sociale limitée, 1926, p. 46 et 63. BAnQ Division des archives de l'Université Laval. Les renseignements concernant l'élève JMB pour les deux années qui suivent sont tirés des numéros 71 et 72.

9. Cette médaille, décernée au mérite, était ainsi nommée en l'honneur de Lord Willingdon, gouverneur général du Canada de 1926 à 1931 et musicien.

10. [Programme du concours qui aura lieu à l'Hôtel du Gouvernement du Québec, le 21 juin 1929, pour la bourse offerte par le Gouvernement de la Province de Québec] document dactylographié. Centre d'archives de Québec de BAnQ, fonds Académie de musique de Québec, P379, année 1929.

11. Centre d'archives de Québec de BAnQ, fonds Académie de musique de Québec, P379, année 1929.

12. Lettre datée de Montréal, le 17 juillet 1929, sans destinataire précisé, et signée ainsi : Le Secrétaire de l'Académie de Musique de Québec. Centre d'archives de Québec de BAnQ, fonds Académie de musique de Québec, P379, année 1929.

13. Appelée également Conservatoire international de Paris.

14. Renée Maheu, *Arthur LeBlanc : le poète acadien du violon*, Boréal, Montréal, 2004, p. 100.

15. Marcel Lanquetuit (1894-1985). Improvisateur, organiste, pianiste, chef d'orchestre et pédagogue français, contemporain de Marcel Dupré, avec qui il est très lié. «À Paris, avant la guerre de 1939-1945, il suppléa à raison de plusieurs mois par an pendant cinq ou six ans, à la classe d'orgue du Conservatoire, Marcel Dupré parti à l'étranger effectuer ses tournées. C'est ainsi qu'il eut pour élèves Jehan Alain, Jacques Grunenwald et Olivier Messiaen». Jean-Jacques Lechartier, orguesnormandie.com/orgue…/PDF/Orgue_Normand_10_0516.pdf. Consulté le 25 avril 2012.

16. Marcel Dupré (1886-1971). Organiste français, improvisateur brillant à la mémoire phénoménale, interprète magistral des œuvres de Jean-Sébastien Bach.

17. Pierre Lucas fonde l'École de Piano de Paris en 1925 et y est lui-même professeur. L'École dispense un enseignement dans plusieurs disciplines : piano, orgue, violoncelle, contrepoint, harmonie, analyse, etc. Cette institution «a pour but de permettre aux élèves de toutes nationalités de suivre un enseignement donné par des artistes de réputation mondiale et qui ont décidé de consacrer la plus grande part de leur activité à la pédagogie.» Selon la brochure explicative produite par le Conservatoire international de musique. Document sans date, mais avec des extraits de presse de 1929 à la page 5. Ce document provient de Marie-Thérèse Lefebvre, musicologue, cité par Claudine Caron, «Chronique des concerts du pianiste Léo-Pol Morin (1892-1941) : pour un portrait de la modernité musicale au Québec», thèse de doctorat, Université de Montréal, 2008.

18. Yves Nat (1890-1956). Pianiste, pédagogue et compositeur français.

19. Louis Aubert (1867-1968). Compositeur, orchestrateur, professeur, critique musical français, il excelle dans l'analyse musicale qu'il enseigne même à la radio. Élève de Fauré, il est l'ami de Maurice Ravel et de Claude Debussy. Marcel Dupré touche l'orgue à l'église Sainte Jeanne de Chantal lors de son service funèbre. Dossier d'artiste Louis Aubert, Archives de l'opéra Garnier, Paris.

20. Auguste Descarries (1896-1958). Musicien canadien, compositeur, pianiste et organiste il fut le gagnant du Prix d'Europe en 1921. En 1929, il donna à Paris six récitals remarqués.
21. Au cours de ce concert donné le 25 janvier 1930 à la Salle Erard, 13 rue du Mail, JMB est accompagné au second piano par un condisciple, Max Geiger. Il est à son tour l'accompagnateur de Geiger dans le *Concerto pour piano et orchestre* de J.S. Bach. Programme de l'événement, APJB.
22. Au cours de cette même entrevue, JMB dit que Louis Aubert, sous le couvert d'un pseudonyme qu'il n'avait jamais réussi à découvrir, signait la musique de certains films et composait des chansons populaires : « Ils les ont connus », Radio-Canada, 20 décembre 1968, émission réalisée par Pierre Beaudet. APJB.
23. *EMC*, « Pierre Beaudet », *op. cit.*, p. 65.
24. Marie-Aude Roux, « Le piano majeur d'Yves Nat », *Le Monde*, 26 septembre 2006.
25. Centre d'archives de Québec de BAnQ, fonds Académie de musique de Québec, P379, *Académie de Musique*, p. 32.
26. Centre d'archives de Québec de BAnQ, fonds Académie de musique de Québec, P379, *op. cit.*, p. 33.
27. Frédéric Pelletier, vice-président, agit comme président *pro tempore*, à la place de Monsieur Henri Gagnon, absent.
28. Centre d'archives de Québec de BAnQ, fonds Académie de musique de Québec, P. 379, spicilège non identifié contenant des procès-verbaux de séances tenues de septembre 1923 à juin 1935.
29. *EMC, op. cit.*, « Jean-Marie Beaudet », p. 64.

1932-1937 – RETOUR D'EUROPE

1. Selon l'avis émis par le curé Jacques Marcotte au cours d'un entretien téléphonique avec l'auteure de ce livre, en avril 2004, ces orgues, soit un dix-sept jeux Casavant, auraient subi des transformations lors de leur déménagement de la chapelle des Dominicains à la nouvelle église et leur sonorité en aurait été affectée.
2. Raoul Jobin (1906-1974). Ténor, professeur, administrateur, haut fonctionnaire. Né à Québec, Jobin y entreprend des études vocales avec Louis Gravel et Émile Larochelle. Il poursuit à Paris ses études avec Madame d'Estainville-Rousset (chant) et Abby Chéreau (mise en scène) ainsi qu'à l'Institut grégorien. Découvert par Jacques Rouché, de l'Opéra de Paris, il deviendra ténor vedette en France, aux États-Unis et en Amérique du Sud, sans cesser de revenir au Québec en tournées de concerts. Il est fréquemment l'invité des principaux orchestres canadiens et donne de nombreuses prestations à la radio canadienne. En 1957, il est nommé professeur au Conservatoire de musique du Québec à Montréal et au Conservatoire de musique du Québec à Québec. Le gouvernement du Québec le nomme ensuite conseiller culturel auprès de sa Délégation générale à Paris (1970-1973). « Considéré à juste titre le plus grand ténor français de son époque, à la suite de Georges Thill, Raoul Jobin n'en sait pas moins éviter la spécialisation. Ce sont toutefois les personnages au caractère bien trempé – qu'ils soient français (Hoffman, Samson et surtout Don José), italiens (Cavaradossi, Canio) ou allemands (Lohengrin) – qui servent le mieux le côté héroïque de sa voix puissante aux aigus triomphants, son instinct dramatique et son tempérament. », « Raoul Jobin », *EMC*.
   Le poste de maître de chapelle à l'église Saint-Dominique refusé à Jobin est rapporté par Renée Maheu dans *Raoul Jobin*, Paris, Belfond, 1983, p. 41.

3. Lettre d'Arthur Maheux, (prêtre, secrétaire-général de l'Université Laval) à MM. R. Jobin et J.-M. Beaudet, 12 octobre 1932. Centre de référence de l'Amérique française, Musée de la Civilisation, Québec, dossier Université 245, n° 29.

    En septembre 1937, JMB sera absent lors de la réunion du Conseil de l'École de Musique et demandera à être remplacé, car ses nouvelles obligations (à la SRC) l'empêchent de participer «autant qu'il serait nécessaire». La réponse est consignée dans le procès-verbal de la rencontre: «Malgré les raisons qu'apporte M. Beaudet, le Comité est d'avis que cette démission ne servirait en rien le démissionnaire et priverait l'École d'un auxiliaire de plus en plus précieux. On demandera à M. Beaudet de bien vouloir remettre sa démission à plus tard.» Centre d'Archives de Québec de BAnQ, Conseil de l'École de musique U550/31/1, dossier des procès verbaux de l'année académique 1937-1938.

4. Lettre de Camille Roy, recteur de l'Université Laval, à Monsieur Beaudet, 19 octobre 1933. Centre de l'Amérique française, Musée de la Civilisation, Québec, dossier Université 248, n° 46.

5. Renée Maheu situe les premières sorties «musicales» des amis à la fin de 1929 et au début de 1930. Renée Maheu, *Raoul Jobin, op. cit.*, p. 23-24.

6. Entretien de l'auteure avec Mme Thérèse Jobin, le 10 juin 2003.

7. Renée Maheu, *Raoul Jobin, op. cit.*, p. 27.

8. «Roméo Jobin est de nouveau invité, le 20 décembre, par le Quebec Ladies' Musical Club. Les 1 000 habituées accueillent avec sympathie les jeunes artistes canadiens: Roméo Jobin, son accompagnateur attitré, Henri Vallières, et Jean-Marie Beaudet, organiste à l'église Saint-Dominique. L'auditoire québécois connaît peu Debussy, inscrit au programme, mais c'est un succès; le jeune pianiste Jean-Marie interprète en rappel *La Cathédrale engloutie.*» Renée Maheu, *Raoul Jobin, op. cit.*, p. 41.

9. Léo-Pol Morin, (1892-1941), entreprend ses études musicales auprès de Gustave et Henri Gagnon à Québec et d'Arthur Letondal à Montréal. Récipiendaire du Prix d'Europe en 1912, il est l'élève de Ricardo Viñes au Conservatoire de Paris. Parisien de cœur et d'esprit, il fait connaître la musique française au Québec. Également compositeur, pédagogue, critique musical, et co-fondateur en 1918 de la revue artistique *Le Nigog*, Léo-Pol Morin est un artisan important de l'histoire culturelle québécoise.

10. Il s'agit là du résumé d'une entrevue donnée en anglais sur les ondes de la CBC: «Jean-Marie Beaudet recorded February 1963 (tape 1) interviewed by Peter Stursberg». [Beaudet, Jean-Marie. Histoire orale, plastifiche]. Médiathèque et Archives de Radio-Canada.

11. APJB.

12. À l'époque, on disait «irradié» et non «radiodiffusé».

13. C'est au printemps de 1922 que CFCF, poste anglophone privé, et CKAC, poste francophone privé, sont officiellement en ondes. Déjà au tournant du XXe siècle, l'abbé Simard, fondateur du Cabinet de physique de l'Université Laval, est allé se perfectionner à la Sorbonne auprès de Monsieur Branly. Dès 1904 à Montréal, Trefflé Berthiaume, propriétaire du journal *La Presse*, dote son entreprise d'une antenne. En 1909, des savants s'activent à Joliette, à Saint-Hyacinthe, et Marconi, qui a déjà réalisé en 1901 une liaison radiophonique Cornouailles-Terre-Neuve, ouvre un premier atelier à Montréal.

14. Cette correspondance fut d'abord amorcée auprès de son prédécesseur, M. Thomas Maher, vice-président de la dite commission entre 1932 et 1934. Ingénieur forestier,

à l'origine de l'hebdomadaire *Le Journal* à Québec, Maher sera des premiers temps de la CCR et se fera le défenseur des émissions en français sur le réseau national. Sa démission pour raisons de santé en 1934 serait peut-être davantage liée aux difficultés éprouvées par la résistance du milieu anglophone (particulièrement celle des orangistes de Toronto) à admettre le fait français sur les ondes. À ce sujet voir l'article d'Alain Canuel : « Les Avatars de la radio publique d'expression française au Canada 1932-1939 » dans *Revue d'Histoire de l'Amérique française*, vol. 51, n° 3, 1998, p. 327-356. http://id.erudit.org/005348ar

15. Sauf indication contraire, les informations provenant des échanges épistolaires entre JMB et les représentants de la CCR, ou concernant son embauche à la SRC, ainsi que les renseignements fournis par la correspondance interne à la radio d'État jusqu'en 1947, proviennent des recherches effectuées par Pierre Beaudet aux archives de Radio-Canada au début des années 1990. Identification APJB.

16. Ne pas confondre « La Petite Symphonie » mise sur pied à Québec par JMB en 1933 avec « La Petite Symphonie de Montréal » de J.-J. Gagnier (1920-1931), « Les Petites Symphonies » de Roland Leduc (1948-1965) et "The Little Symphony" créée par Bernard Naylor en 1942.

17. Roger Baulu, Fernand Biondi et Marcel Paré faisaient de même à CKAC.

18. Journal et auteur non identifiés. Bibliothèque et Archives Canada, fonds Jean-Marie Beaudet, MG 31-D50, vol. 1, boîte 04193.

19. « Beau succès pour M. Schmitz et La Petite Symphonie », *L'Action Catholique*, le 17 février 1934.

1937-1942 – À L'EMPLOI DE RADIO-CANADA

1. Augustin Frigon (1888-1952). Ingénieur, directeur de l'École Polytechnique, il fut lié au développement de la radio au Canada dès ses débuts : membre de la commission Aird en 1928, puis directeur-adjoint à la CBC/Radio-Canada de 1936 à 1943 et directeur général de 1943 à 1951. Son rôle dans le développement du réseau national est bien illustré dans l'article que lui consacre Alain Canuel : « Augustin Frigon et la Radio Nationale au Canada », *Scientia Canadensis*: Journal of the History of Science, Technology and Medecine/Scientia Canadensis : revue canadienne d'histoire des sciences, des techniques et de médecine, vol. 19, (48) 1995, p. 29-50. http://id.erudit.org/iderudit/800393ar

2. Lettre d'Arthur Maheux, prêtre, secrétaire général de l'Université Laval à Monsieur Augustin Frigon, Société de Radio-Canada, le 28 octobre 1936. APJB.

3. Centre de références de l'Amérique française, Musée de la Civilisation, Québec, dossier Université 261, n° 99.

4. Gladstone Murray, un Canadien ayant travaillé pour la British Broadcasting Corporation (BBC), fut le premier directeur général de la CBC/Radio-Canada. Il demeura en poste jusqu'en 1943.

5. « Fondé en 1938, le plus vieil orchestre radiophonique en Amérique du Nord va devoir cesser ses activités en novembre prochain. » Dernier mouvement/Colombie britannique-Yukon /Radio-Canada.ca. (mise à jour le 28 mars 2008). Consulté le 30 juin 2012.

6. Clotilde Salviati fut l'adjointe de JMB dès les débuts de la radio d'État.

7. Médiathèque et Archives de Radio-Canada. Document non traduit en français.

8. Aurèle Séguin, *Director of Educationnal Broadcasts* à CBF, qui n'a pas de vis-à-vis à CBM.

9. *Canada Carries on*, publication de la CBC/Radio-Canada, dresse la liste de toutes les stations de radio privées et publiques à travers le Canada, par province, ainsi que celle des membres du personnel de chaque station. Elle précise aussi la fréquence hertzienne de chaque station, le nombre de watts nécessaires à l'émission des programmes, la localisation de l'antenne, etc. La population provinciale, le nombre de familles, le nombre de postes récepteurs par province sont également indiqués. Une note manuscrite mentionne 1942 comme année de publication de ce document de 28 pages, numérotées de 640 à 667, APJB.

10. Les différences salariales entre les Canadiens français et les Canadiens anglais occupant des positions similaires étaient déjà le fait de l'ancêtre de Radio-Canada, à savoir la CCR. Deux ans plus tôt, le 2 mai 1935, le lieutenant-colonel René P. Landry, alors secrétaire de la Commission, écrit au ministre de la Marine, dont il dépend, pour déplorer la discrimination dont on fait preuve à l'endroit des salariés francophones. Il dresse la liste de plusieurs employés francophones dans des domaines différents et compare leurs salaires avec ceux de leurs homologues anglophones : les francophones, dont il fait partie, sont nettement désavantagés. Ce moment dans l'histoire de la radio est relaté par Alain Canuel : « Les Avatars de la radio publique d'expression française au Canada 1932-1939 », *Revue d'histoire de l'Amérique française*, vol. 51, n° 3, 1998, p. 327-356.
http://id.erudit.org/iderudit/005348ar

11. APJB.

12. À l'intérieur de ce nouveau poste d'administrateur, l'homme-orchestre garde sa liberté de musicien actif, de pianiste et de chef d'orchestre. Il en sera toujours ainsi jusqu'à la fin de sa carrière, dans chacune des fonctions qu'il assumera, comme en témoigne l'échange épistolaire avec Hamilton Southam, au moment de l'embauche de JMB à titre de premier directeur musical du Centre national des Arts (CNA) à Ottawa, sa dernière mission.

13. Frédéric Pelletier, *Le Devoir*, 18 octobre 1937.

14. Journal non identifié, Centre d'Archives de Québec de BAnQ, fonds Raoul Jobin, P357.

15. Centre d'Archives de Québec de BAnQ, fonds Raoul Jobin, P357.

16. Jean-Louis Gagnon cité par Renée Maheu, *Arthur LeBlanc : le poète acadien du violon*, Montréal, Boréal, 2004, p. 161. Ce même concert sera donné le 23 mars 1938 à l'Auditorium du Plateau à Montréal, avec l'ajout du quintette à cordes du violoniste Albert Chamberland. Renée Maheu, *op. cit.*, p. 172.

17. Article non daté, extrait du manuscrit inédit de Pierre Beaudet. APJB.

18. Frédéric Pelletier, « Aux Concerts Symphoniques », *Le Devoir*, 14 décembre 1939, p. 8.

19. La station de radio Paris-Mondial deviendra, en 1945, RTF Radio Paris, puis Radio France internationale en 1975.

20. Au sein des employés de la SRC, JMB est reconnu pour « la vivacité de son pas et un regard qui ne manque rien (pas plus les rapports que les bonnes histoires qu'on conte dans un coin). » *Radio* [journal interne bilingue de la CBC/Radio-Canada], « Le Personnel en Vedette », février 1947, vol. 3, n° 2, p.10. Médiathèque et Archives de Radio-Canada.

21. Jeanne Landry (1922-2011). (Descendante en ligne directe d'une sœur de Louis-Joseph Papineau.) Pianiste, accompagnatrice, professeure, compositrice, auteure littéraire. Prix d'Europe en 1946, elle étudie à Paris avec Yves Nat et Nadia Boulanger. De retour au pays, elle devient la collaboratrice de Jean-Paul Jeannotte

et est accompagnatrice pour l'Opéra-Minute. Elle donne des récitals seule ou à deux pianos avec Jean-Marie Beaudet, Josephte Dufresne et Serge Garant. Avec Serge Garant, Otto Joachim et François Morel, elle fonde en 1956 la société «Musique de notre temps». Elle est professeure d'harmonie et d'écriture et titulaire d'une classe d'accompagnement à l'Université Laval où elle enseigne à compter de 1951 jusqu'à sa retraite en 1983. Par la suite elle se consacre à la composition musicale et littéraire.

22. Entretien de l'auteure avec Jeanne Landry, le 29 avril 2004.

23. À propos de son voyage à Paris après six ans d'absence, JMB écrit dans le journal interne de Radio-Canada: «Ça fait drôle d'essayer d'imaginer quelle impression on aura des choses et des gens que l'on n'a pas vus depuis si longtemps – qui aura changé? Les autres ou soi-même?» Jean-Marie Beaudet, «C'est Paris!», *Static*, [journal interne bilingue de la CBC/Radio-Canada], nᵒˢ 1938-1939, p. 4, 5. Médiathèque et Archives de Radio-Canada.

1942-1947 – DIRECTEUR MUSICAL PANCANADIEN ET DIRECTEUR DU RÉSEAU FRANÇAIS

1. Un exemple de ce surplus de travail est vérifiable à la fin de la guerre: «Le jour ou plutôt les deux jours de la Victoire en Europe, soit les 7 et 8 mai, ont fourni l'occasion au réseau français de mettre à exécution un programme longuement mûri [...] M. Beaudet [...] a personnellement présidé à son élaboration, après avoir nommé Roger Daveluy coordonnateur de toutes les émissions relatives à la victoire. Le programme a véritablement commencé le 1ᵉʳ mai, alors qu'on a décidé de maintenir le poste CBF (et CBM) ouvert toute la nuit. Lundi matin, le 7 mai, les Allemands ont annoncé leur capitulation à 8 h. 30. À 9 h. 36, la nouvelle était confirmée. A ce moment précis toute l'organisation montée par M. Beaudet s'est mise en branle.» «V-E au Réseau français», *Radio* [journal interne bilingue des employés de la CBC/Radio-Canada], juin 1945, vol 1 nᵒ 8. Médiathèque et Archives de Radio-Canada.

2. De 1938 à 1947, JMB portera toujours deux chapeaux au sein de l'institution. Dans l'*Encyclopédie de la Musique au Canada*, Fides, 1983, p. 64, Gilles Potvin écrit qu'à la SRC, Jean-Marie Beaudet fut «successivement (1937-1947) dir. des programmes pour la région du Québec, dir. national de la musique, dir. au réseau français puis représentant dans la région du Pacifique». Il eût été plus juste d'omettre le mot «successivement».

3. Note du directeur général adjoint Augustin Frigon à MM. J.M. Beaudet, J.A. Dupont, O. Renaud, L. Houlé, G. Arthur, 17 octobre 1942. APJB

4. Selon Pierre Pagé, à cette époque, Augustin Frigon «est toujours officiellement directeur général adjoint mais, dans les faits, il assume la direction générale depuis le 26 novembre 1939 en vertu d'une décision du conseil des Gouverneurs». Pierre Pagé, *Histoire de la Radio au Québec,* Montréal, Fides, 2007, p. 237.

5. On pourrait imaginer que sont exclus de son domaine les nouvelles, les conférences radiophoniques, les radio-romans, etc. Ce n'est pas le cas. Dans une lettre adressée à Adrien Pouliot, gouverneur de Radio-Canada, JMB dit qu'il a dû remplacer un conférencier à cause de ses problèmes d'élocution et de la monotonie de son débit verbal. Bibliothèque et Archives nationales du Québec, Division des Archives de l'Université Laval, Adrien Pouliot, P168/D4 (Beaudet, Jean-Marie).

6. Une des responsabilités du directeur du réseau français est de participer à la rédaction des rapports officiels au nom de Radio-Canada. En 1946, on peut lire dans le «sommaire des rapports sur les directives, l'administration et les programmes de la Société Radio-Canada», déposé devant le comité d'enquête parlementaire sur la radio, par M.M. Davidson Dunton, président du bureau des gouverneurs, Augustin Frigon, directeur général, E.-L. Bushnell, directeur général des programmes et Jean Beaudet, directeur du réseau français: «[...] on est malheureusement trop porté à se faire une piètre idée du goût du public qui, disons-le, est un peu plus élevé que le croient généralement ceux qui ont pour mission d'y satisfaire». JMB soutiendra cette idée tout au long de sa carrière. En mars 1953, *La Nouvelle Revue Canadienne* publie un article où JMB défend la place de la musique contemporaine dans la salle de concert: «[...] il ne faut pas sous-estimer la qualié du public, non plus que sa capacité de compréhension ou d'entendement. Nous sommes en démocratie: faisons confiance à ceux qui ont élu de venir au concert et qui souvent se sont privés d'autres plaisirs pour s'offrir celui-là.» «Où va la musique contemporaine?» *Nouvelle Revue Canadienne*, vol. II, n° 5, mars-avril 1953, Ottawa, [s.n.].

7. Cette réorganisation, présentée dans une note du 17 octobre 1942, ne vient pas en contradiction avec la publication de la CBC, *Canada carries on*, parue elle aussi vraisemblablement en 1942, selon laquelle JMB est directeur des programmes pour le Québec. La rédaction d'une telle publication, comme pour tout document officiel lourd (667 pages), a dû être faite quelques mois plus tôt, avant le nouveau partage des responsabilités mis en place par Frigon.

8. Radio-Canada n'a pas eu le monopole des radio-romans. En 1931, J. Arthur Dupont avait déjà engagé l'auteur Robert Choquette à CKAC. Pierre Pagé, *op. cit.*, p. 376.

9. Jean Desprez était le pseudonyme de Laurette Larocque, épouse du comédien Jacques Auger.

10. Bibliothèque et Archives Canada, fonds Jean-Marie Beaudet, MG 31-D50, vol.1, boîte 04193.

11. Bibliothèque et Archives nationales du Québec, Division des Archives de l'Université Laval, fonds Adrien Pouliot, P168/D4 (Beaudet, Jean-Marie).

12. Les lettres de JMB sont toujours écrites à la machine et signées de sa main. Le style en est toujours reconnaissable, avec ce «je» qui dit clairement ce qu'il a à dire, et les valeurs défendues sont facilement identifiables. Les lettres rédigées en semaine ou au cours de la fin de semaine ont, depuis les premiers temps à Radio-Canada jusqu'aux derniers jours au Centre national des Arts, le même ton et la même tenue. On peut en déduire que JMB se chargeait d'une grande partie de sa correspondance sans la participation d'un ou d'une secrétaire. Claire Saint-Georges, qui était affectée au service de l'information de Radio-Canada à l'époque du King's Hall Building, confirma spontanément cette hypothèse lors d'un entretien, le 25 novembre 2011: JMB était alors reconnu pour rédiger lui-même quotidiennement des kilomètres de lettres et de notes de service.

13. «En 1944, le réseau anglais de la SRC se scinde en deux, le réseau Dominion (une station-mère et 34 stations affiliées) et le réseau transcanadien (six stations CBC et 26 stations affiliées)». Ross Eaman, révisé par Sasaha Yusufali, «Société Radio-Canada (SRC)», *Encyclopédie Canadienne*, consulté le 25 août 2012.

14. Malgré ses critiques rigoureuses, JMB n'était pas considéré comme un méchant patron: «Il n'est pas dans nos habitudes ici de faire du sentiment, surtout quand

il s'agit des patrons, mais Jean Beaudet c'est beaucoup plus qu'un patron. Il est un des nôtres et l'a toujours été malgré son travail formidable et ses responsabilités à + 6.» «Jean Beaudet à Prague», *Radio*, [journal interne bilingue des employés de la CBC/Radio-Canada], mai 1946, p. 10. Chez les anglophones, on le nomme: «our Mr Beaudet». «Event!», *Static* [journal interne bilingue des employés de la CBC/Radio-Canada], n° de Pâques 1938, p. 11 – A, Médiathèque et Archives de Radio-Canada.

15. *La Scena Musicale*, novembre 2008, p. 18.

16. La publication de la CBC, *Canada Carries On*, déjà citée et qui date vraisemblablement de 1942, dénombre 35 stations de radio faisant alors partie du «*national network*». Cependant, doit-on préciser, chacune des stations n'avait pas à sa tête un responsable musical.

17. Ce travail n'était pas toujours facile. Souvent, au cours de ces années pionnières, les émissions musicales étaient diffusées simultanément sur les deux réseaux de la radio publique, entraînant une gymnastique auditive particulière: "In the studio I was wearing ear-phones: on one I was getting the French feed, and on the other, the English, and at the same time as this, of course, I had to worry about the orchestra, soloists and chorus… This was done live and if many mistakes were made (and they occurred more often that we would have liked) we just had to go on." Propos de JMB cités dans: John Roberts, "Communications Media", *Aspects of Music in Canada*, éd. Arnold Walter, Toronto, University of Toronto Press, 1968, p. 171.

18. Dans cette entrevue, JMB précise qu'en octobre, novembre et décembre 1945, Radio-Canada a fait entendre quarante-sept émissions d'opéra, quatre-vingt-douze émissions symphoniques, trois cent soixante-huit émissions de musique classique, huit cent dix-sept de musique semi-classique. En bon administrateur, il fait remarquer que toute cette beauté est disponible au simple coût d'un sou par jour pour toute une famille. APJB.

19. «En 1942, la SRC commande à Healy Willan et à John Coulter l'opéra radiophonique *Transit Through Fire* et, trois ans plus tard, l'opéra, *Deirdre of Sorrows*. […] Durant cette période, la SRC dispose d'orchestres de studio à Halifax, à Québec, à Montréal, à Toronto, à Winnipeg et à Vancouver, fournissant ainsi des emplois bienvenus aux musiciens locaux. À la fin des années 1940, la SRC est le plus important employeur de musiciens en Amérique du Nord.» Keith MacMillan, Diffusion de Musique, *Encyclopédie canadienne*, consulté le 25 août 2012.

20. F. Pelletier, *Le Devoir*, 24 février 1940.

21. Au chapitre des œuvres philanthropiques, on peut ajouter un concert donné au Palais Montcalm en novembre 1947, dont les recettes seront remises au pianiste Arthur Leblanc. JMB y participera gracieusement. Renée Maheu, *Arthur LeBlanc: le poète acadien*, op. cit., p. 246.

22. La 3ᵉ partie de cette interprétation ne fut diffusée qu'en avril 1943. APJB.

23. Ferrier Chartier, *Le Devoir*, «Les dernières représentations de l'opéra au Saint-Denis.», 27 septembre 1943, p. 4.

24. Frédéric Pelletier, *Le Devoir*, 16 décembre 1939, p. 4.

25. René-O. Boivin, *Radio-Monde*, 24 octobre 1942, p. 7.

26. Sont présentées au cours d'un concert donné au cours des années 1960, des œuvres de Copland, Dvořák, Jerome Kern, Gershwin, Ferde Grofé, Porter, Roger et Hammerstein, Wright et Forrester, mettant en vedette Yoland Guérard et Yolande Dulude. Programme incomplètement daté, Bibliothèque et Archives Canada, fonds Jean-Marie Beaudet, MG 31-D50, vol. 1, boîte 04193.

27. Lors d'un concert populaire ultérieur, en 1966, à l'aréna Maurice Richard, la *Toy Symphony* de Haydn est jouée en fin de soirée avec des solistes inusités. Pelletier : *toy drum*, Alexander Brott : *tin trumpet*, Jacques Beaudry : *ratchet and slide whistle*, Boris Brott : *cuckoo flute*. *"Jean Beaudet put on a virtuoso display with his tin whistle, dazzling the audience with his remarquable breath control."* J. Irwin, journal de langue anglaise non identifié et à la date incomplète. Bibliothèque et Archives Canada, fonds Jean-Marie Beaudet, MG 31-D50, vol. 1, boîte 04193.

28. Entretien de l'auteure avec Evelyn Greenberg, Donald Whitton, Robert Oades, Grant Cameron, musiciens retraités de l'OCNA, Ottawa, le 13 août 2008.

29. Radio-Canada, émission « Ils les ont connus », réal. Pierre Beaudet, 20 décembre 1968. APJB.

30. On sait que Wilfrid Pelletier vit ses études musicales dans la Ville Lumière amputées par la Première Guerre mondiale, ce qui le laissa à cheval entre deux cultures musicales, la française et l'américaine adoptée par la suite à New York.

31. Dans une entrevue accordée au journaliste Marc Samson, JMB dira : « La musique canadienne vient exclusivement de la radio ; sans la radio elle n'existerait pas ». Marc Samson, « Jean Beaudet, un témoin et un animateur de la musique au Canada », *Le Soleil*, Québec, 11 novembre 1967.

32. *Deirdre of the Sorrows*, opéra de Healy Willan sur un libretto de John Coulter. Distribution (les trois principaux rôles) : Frances James, soprano, William Morton, ténor, Lionel Daunais, baryton. L'orchestre, les solistes et les chœurs sont sous la direction d'Ettore Massolini. – Table ronde sur l'œuvre au programme, sa facture, sur les circonstances de sa commande par Radio-Canada et sur son libretto. Participants : Jean Beaudet, dir. musical de Radio-Canada, John Coulter, écrivain. Healy Willan, compositeur, Animateur : John Fisher.» Le renseignement en provenance des archives de Radio-Canada est identifié : 460420-1, ruban II – APJB. JMB avait déjà commandité en 1942, pour la CBC, une œuvre du même auteur : *Transit through Fire.*

33. En 1948 et 1949, même s'il n'est plus employé de la CBC/Radio-Canada, JMB sera responsable de cette série. « Jean-Marie Beaudet », Gilles Potvin, *EMC.*

34. Selon l'article du journaliste Thomas Archer publié dans *The Gazette* après le retour de JMB, Aubert était présent dans la salle et aux répétitions. Dans cet article non daté, qui détaille les œuvres présentées par JMB à Prague le *Concerto en do mineur* de Willan n'apparaît pas. Bibliothèque et Archives Canada, fonds Jean-Marie Beaudet, MG 31-D50, volume 1, boîte 04193.

35. On peut lire dans le numéro de juillet-août 1947 du journal interne *Radio* de la SRC : « Montréal et le réseau français perdent pour un temps Jean Beaudet qui part pour l'ouest du pays. Est-il besoin de rappeler la carrière de monsieur Beaudet ? Grand artiste, chef de service profondément humain, vivant organisateur, il est un homme qui laisse une vive impression chaque fois qu'on le rencontre. Il sait communiquer mieux que personne son dynamisme et nous connaissons nombre de gens qui, étant allés lui soumettre un problème qui paraissait insoluble, sont sortis de son bureau enthousiasmés et pleins d'ardeur. »

36. La salle n'était pas pleine, et pour cause : la publicité insérée dans *Le Devoir* dans les jours précédant le concert le situait à l'hôtel Windsor.

37. « [A]u cours de ce récital conjoint, les auditeurs auront le rare avantage d'écouter au piano M. Jean Beaudet, musicien complet et intelligent pianiste pour qui toutes les époques et tous les genres sont familiers. » Marcel Valois, Programmes de spectacle, PRO M 9. 20, BAnQ, Centre de conservation.

38. «Au piano, M. Jean Beaudet fit applaudir une fois de plus ses qualités de fin musicien et de pianiste d'une très souple précision. Il eut sa part soulignée du triomphe de la soirée.» Marcel Valois, *La Presse*, 15 mars 1947.

39. *Ici Radio-Canada*, 29 mars 1946, p. 5.

1947-1953 – ARTISTE LIBRE ET PROFESSEUR

1. Ces deux œuvres sont gravées sur disque la même année par Radio-Canada International. Marie-Thétèse Lefebvre, *André Mathieu*, collection «Célébrités», Montréal, Lidec, p. 35.

2. «Il fit entendre notamment des œuvres d'Archer, Blackburn, Brott, Champagne, Coulthard, Matton, Mercure, Morel, Papineau-Couture, Pentland, Somers et Weinzweig.» Gilles Potvin, «Beaudet, Jean-Marie», *EMC, op. cit.*, p. 65.

3. *CBC Times,* numéros de la semaine du 2 au 8 juillet à celle du 27 août au 2 septembre 1950, inclusivement.

4. La même formule sera retenue pour la série «Les plus belles mélodies françaises», avec une partie instrumentale réduite. JMB sera au podium de cette série tous les vendredis du 20 avril au 14 septembre 1951. *La Semaine à Radio-Canada*, numéros de la semaine du 15 au 21 avril à celle du 9 septembre au 15 septembre 1951, inclusivement.

5. *CBC Times*, 17 au 23 décembre 1950, p. 4.

6. *CBC Times*, 4 au 10 mars 1951, p. 5, 9 et 10.

7. Entretien de l'auteure avec Jeanne Landry, le 29 avril 2004.

8. En tournée, Raoul Jobin et JMB étaient payés en argent comptant. Ils revenaient parfois après une absence de quelques jours avec de l'argent «partout, jusque dans leurs chaussettes!». Entretien de l'auteure avec Thérèse Jobin, le 10 juin 2003.

9. Voir le texte de Gilles Potvin dans la section Témoignages en Annexe A.

10. Lettre de Jean Beaudet à Arnold Walter, 29 mars 1968, au moment où Walter prend sa retraite: «Il me semble que ce n'est qu'hier que nous collaborions, vous à la Faculté de Musique et moi à Radio-Canada, à l'élaboration d'un projet qui devait aboutir à la création du Canadian Opera Company.» Bibliothèque et Archives Canada, fonds National Arts Center [NAC], RG 149-1, vol 508.

11. Témoignage de Léopold Simoneau et Pierrette Alarie en Annexe A.

12. *"I would like to see still more done about Canadian music, but what I refer to is repeats. A work is so often played once and then forgotten".* Entrevue de Jean Beaudet, Neil Chotem et Roland Leduc, *CBC Times*, 24 août au 30 août 1950, p. 2 et 10.

13. Témoignage en Annexe A.

14. Pianiste, accompagnatrice, répétitrice, professeur, Monik Grenier fut l'élève de JMB et de Jean Dansereau en piano. Mme Grenier a collaboré au travail de recherche de Pierre Beaudet sur JMB comme consultante. Elle s'est également impliquée dans une pétition, que ce dernier avait fait circuler en 1998, réclamant que le studio 12 de Radio-Canada soit nommé «Studio Jean-Marie Beaudet». La proposition n'eut pas de suites.

15. Fonds Radio-Canada, Médiathèque Guy-L.-Côté, Cinémathèque québécoise.

16. *Le Film*, avril 1947, p. 40-41 et 37.

17. *CBC Times*, 24 août au 30 septembre 1950, p. 2 et 10.

18. Témoignage en Annexe A.

19. Témoignage en Annexe A.

20. Dossier RCI, Centre culturel canadien, Paris, consulté le 17 octobre 2008. Il est dit dans la note biographique concernant Pierre Mercure que ce dernier suivit des classes de direction d'orchestre avec JMB au Conservatoire de musique de Montréal en 1944. Le renseignement n'a pas pu être étayé par ailleurs.

21. Alice Duchesnay, *Un Regard sur le chemin*, Québec, *op. cit.*, p. 42.

22. Hélène Côté (1888-1985). Professeure, compositrice. Elle suit des études musicales dès l'âge de 5 ans et, en 1908, fait son entrée chez les Sœurs des Saints Noms de Jésus et de Marie où elle prend le nom de Sœur Marie-Stéphane. Elle est nommée directrice musicale de sa congrégation en 1920. En 1932, elle fonde l'École supérieure de Musique d'Outremont qui devient plus tard l'École Vincent-d'Indy.

23. Archives des Sœurs des Saints Noms de Jésus et de Marie (SNJM).

24. L'École supérieure de musique d'Outremont, fondée par Sœur Marie Stéphane en 1932, fut d'abord abritée sur les hauteurs du Mont-Royal au 1420 boulevard Mont-Royal. Elle prit en 1951 le nom d'École Vincent d'Indy et est maintenant relocalisée au 628 chemin de la Côte Sainte-Catherine.

25. Lettre de Jean-Marie Beaudet à Sœur Marie-Stéphane, le 5 février 1953, archives SNJM.

26. Rodolphe Mathieu (1890-1962). Pianiste, compositeur, professeur. Il est le père du pianiste prodige André Mathieu.

27. Entretien de l'auteure avec Michel Dussault, le 20 août 2008.

28. Georges Nicholson, *André Mathieu*, Québec/Amérique, Montréal, 2010.

1953-1961 – RADIO-CANADA, UNE DEUXIÈME FOIS

1. Lettre de JMB à J. Alphonse Ouimet, 6 avril 1953. APJB.
   Sauf indication contraire, les renseignements concernant l'embauche et le travail de JMB à la CBC/Radio-Canada entre 1953 et 1961 proviennent des archives de l'institution et font partie des références désignées sous l'acronyme APJB.

2. *Ibid.*

3. En français : « directeur de la production et de l'élaboration des programmes ».

4. Charles Jennings (1908-1973) fut un anonceur très connu à la radio d'État avant de faire une carrière d'administrateur à la CBC. Il fut superviseur des programmes, assistant-directeur puis directeur des programmes et directeur général de l'institution. En 1964 il occupa le poste de vice-président jusqu'à sa retraite en 1971.

5. Bushnell, qui sera forcé de quitter Radio-Canada en 1959, mettra sur pied deux ans plus tard une chaîne télé concurrentielle à Ottawa, CJOH-TV, et sa compagnie, Bushnell Communications, deviendra une incontournable des ondes canadiennes.

6. *"I was one of a few experimenters who tried to get television established in Montreal in 1923 – we went bankrupt in 1933 – and I also remember that in 1936 I wrote a report for the newly-formed CBC urging that we start work in development of a national television system."* Alphonse Ouimet, *CBC Times*, 29 juin au 5 juillet 1958.

7. Rapport Annuel, Société Radio-Canada, 1953-54, p. 5. C'est moi qui souligne.

8. Ces rapports ont été aimablement mis à ma disposition par M. Peter Hull, gestionnaire, Accès à l'information et protection des renseignements personnels, CBC/Radio-Canada, Ottawa. À noter : les catégories énumérées plus loin sont tirées du document rédigé en anglais.

9. Compositeur, poète, conseiller artistique, professeur. Né en 1935, ce musicien est formé au Québec et à Paris. Il est au service de la SRC dans des séries d'émissions musicales télévisées, notamment « L'Heure du concert ». « Chez Charpentier tous les arts d'interprétation se retrouvent. Il partage sa production musicale en trois blocs : musique vocale et instrumentale, musique-théâtre et musique pour le théâtre. [...] dans *Orphée 1*, commandé pour l'ouverture du CNA (1969) et *Orpheus 11*, commandé par le Festival de Stratford, Ont. (1972), il unissait voix et instruments à douze comédiens ». France Malouin, « Gabriel Charpentier », *EMC*.

10. Entretien de l'auteure avec Gabriel Charpentier, le 27 juin 2011.

11. Né en Australie en 1930, John Roberts émigre au Canada en 1955. Il occupe plusieurs postes importants à la CBC en lien avec la musique. Il s'intéresse particulièrement à la musique canadienne et est président du Conseil canadien de la Musique à deux reprises. « Travailleur acharné et promoteur articulé et efficace de la musique, il a réussi à procurer des avantages importants aux compositeurs et interprètes canadiens, tant au pays qu'à l'étranger, grâce à ses postes de dirigeant et à son talent d'organisateur. » Linda Litwak, « John Roberts », *EMC*.
Roberts dira de JMB : *"He was a very good musician and a good administrator. But more important, he was a visionnay."* Conversation téléphonique avec l'auteure le 6 juin 2011.

12. John P.L. Roberts, "Canadian Broadcast Policy and the Development of Concert Music", *A Celebration of Canada's Arts 1930-1970*, Canadian Scholar's Press inc., Toronto, 1996.

13. *Canadian Music in War Times*, dans le cadre de *Music of the New World* de NBC.

14. *Transit through Fire* et *Deirdre of the Sorrows* de Healy Willan.

15. Paul Rutherford, *When television was young: Prime Time Canada 1952-1967*, Toronto, University of Toronto Press, 1990.

16. Soit février 1954 pour ce qui est de « L'Heure du concert » à CBFT, et juin 1954 pour ce qui est de "The Concert Hour" sur CBMT.

17. Kraemer était impressionné par l'audace et la débrouillardise des producteurs francophones. « Il nous prenait pour des extra-terrestres », racontera Gabriel Charpentier au cours d'un entretien avec l'auteure de ce livre le 27 juin 2011.

18. Jean Vallerand, « Reflet de l'Homme au jeu », *Semaine à Radio-Canada*, 1er octobre au 7 octobre 1960, p. 9 à 13.

19. John Doyle, "Why does the CBC ignore the arts?", *The Globe and Mail*, 17 août 2011, p. 13.

20. Jean Vallerand, « Les Variétés Lyriques présentent *Madame Butterfly* de Puccini », *Le Devoir*, samedi 26 septembre 1953, p. 6.

21. Glenn Gould (1932-1982). Pianiste, diffuseur, compositeur, chef d'orchestre canadien, dont la renommée lui conférera le statut de star internationale.

22. *CBC Times*, 20 au 26 décembre 1953.
Un disque sous étiquette CBC records/Les disques SRC (Perspective) a été réédité en 1995. Outre l'enregistrement original du concerto de Schoenberg avec Gould au piano et l'orchestre de Radio-Canada sous la direction de JMB, ce disque comporte des pièces de Berg et Webern également exécutées au piano par Glenn Gould.

23. *CBC Times*, 7 au 13 février 1954, p. 11.

24. *Semaine à Radio-Canada*, 21 au 27 juillet 1956, p. 3.

25. Tommy Tweed était l'hôte anglophone et Jan Doat, l'hôte francophone. *CBC Times*, semaine du 6 au 12 février 1955.

26. «... à la suite de la présentation du *Roi David*, Radio-Canada a reçu 177 appels téléphoniques de commentaires. De ce nombre, 144 étaient favorables, soit plus de 81 %. Au moment où nous allons sous presse, les lettres continuent d'affluer au sujet de ce spectacle.» *Semaine à Radio-Canada*, 24 au 30 octobre 1959.

27. *CBC Times*, 11 au 17 mars 1956, p. 10.
    «Le concert de musique Canadienne présenté par la Ligue canadienne de Compositeurs, sous la direction de Jean Beaudet, vient de démontrer qu'il y a maintenant un public qui s'intéresse à la musique actuelle et tout particulièrement à la musique écrite par des compositeurs canadiens. Il faut espérer que l'enthousiasme du public incitera les directeurs des grandes Sociétés de concerts à présenter régulièrement des œuvres de nos compositeurs.» *Journal musical canadien*, (journal des Jeunesses musicales du Canada) février 1956, vol. 2 – n° 4. La première page contient des articles dithyrambiques à propos de ce concert. APJB

28. En septembre de la même année (1956), JMB dirige à nouveau à la radio, dans le cadre de *Concerts Canadiens*, l'œuvre de Mercure-Charpentier avec la même vedette. *Semaine à Radio-Canada*, 8 au 14 sept. 1956, p. 7.
    Un enregistrement sur disque existe sous l'étiquette *Les disques Fonovox, distribution Fusion III*. Lavergne tient le rôle-titre, l'orchestre et les chœurs de Radio-Canada sont sous la direction de JMB. APJB

29. En 1952, on comptait au Canada 200 000 téléviseurs, puis le double à la fin de 1953. À la fin de 1955 il y en avait 2 000 000 et en avril 1957, 2 729 617. Ces chiffres impressionnants proviennent de *La Semaine à Radio-Canada*, 31 août au 6 septembre 1957. Le journaliste écrit: «L'évolution de la télévision au Canada a été jugée la plus rapide au monde, malgré les difficultés qu'elle avait à surmonter».

30. *Semaine à Radio-Canada*, 31 août au 6 septembre 1957.

1955 – INTERMÈDE CONJUGAL

1. Bertrand Guay a étudié au Conservatoire de Montréal ainsi qu'à l'Université Laval où il a obtenu une maîtrise en musicologie. Il s'est par la suite perfectionné en musique médiévale à l'Université de Paris-Sorbonne (Paris IV). Rédacteur en chef du magazine *La Marque* pour l'Orchestre symphonique de Québec (OSQ), il a fait paraître un ouvrage sur les 100 ans de l'OSQ intitulé *Un siècle de symphonie à Québec*, aux éditions du Septentrion en 2002. Il est également professeur, critique musical et rédacteur pour l'Opéra de Québec, les Violons du Roy, les concerts classiques du Palais Montcalm, le *Dictionnaire des interprètes* (Robert Laffont), l'*Encyclopédie de la musique au Canada*, etc.

2. Claire Martin fut recrutée par JMB à Québec, pour Radio-Canada à Montréal. Après ses années de journalisme à R.-C., elle devint romancière. Un de ses succès importants intitulé *Dans un gant de fer*, fut publié en 1965. Lors d'un entretien avec l'auteure, le 16 juin 2009, Claire Martin a raconté que c'est elle, au grand dam de ses collègues masculins, qui avait eu le plaisir et l'honneur d'annoncer la fin de la Seconde Guerre mondiale à la radio d'État. À propos de sa complicité avec JMB, voir son témoignage en Annexe A.

3. Il tint parole. Mais la juridiction de JMB avait des limites. Quand Claire Martin épouse son fiancé revenu de guerre, elle apprend de la bouche du même patron qu'elle ne peut plus être employée permanente de l'institution. On peut encore l'engager à contrat, sans plus. Tel est alors le règlement de la Société.

4. Journaliste, auteure, fille de Charles Jennings, grand administrateur à CBC, et sœur de Peter Jennings, animateur radio et télé très prisé en son temps au Canada anglais.

5. Selon Claire Martin, témoignage en Annexe A.

6. Pierre Gravelle, avocat, fut secrétaire et conseiller juridique du CNA à ses débuts entre 1969 et 1972. Il servit d'exécuteur testamentaire pour JMB et pour sa femme Denise.

1957-1959 – PREMIER REPRÉSENTANT DE RADIO-CANADA À PARIS

1. *Invitation à la musique*, vraisemblablement septembre 1969. Entrevue à la radio du directeur musical de l'OCNA par Pauline Sincennes, réalisatrice. APJB.

2. Médiathèque et Archives de Radio-Canada.

3. Selon la même note de service, JMB avait proposé pour ce poste M. Bruno Cyr, diplômé en droit de l'Université McGill, étudiant à l'École des Sciences Politiques à Paris.

4. Entretien de l'auteure avec Claire Saint-Georges, le 25 novembre 2011.

5. Il succède à Benoît Lafleur.

6. Dans le mémoire précité, intitulé «LIAISON PARIS-MONTRÉAL, Représentant de Radio-Canada à Paris», il était également écrit : «M. Beaudet a pris note aussi de certains autres points sur lesquels il attirera l'attention de la RTF : nécessité d'indiquer dans chaque envoi un minutage précis, les droits d'auteur et toute autre information utile pour nous.» Médiathèque et Archives de Radio-Canada.

7. D'origine arménienne, Maryvonne Kendergi (1915-2011) naît en Turquie. Après quelques années passées à Paris, où elle étudie le piano auprès de Nadia Boulanger et Alfred Cortot et donne plusieurs concerts, Maryvonne Kendergi émigre en Saskatchewan au Canada en 1952. Spécialiste de musique actuelle, elle réalise plus de deux cents entrevues pour la série *Festivals européens*. Professeure à l'Université de Montréal, elle est fondatrice-organisatrice de la Société de la musique contemporaine du Québec, présidente du Conseil canadien de la musique, vice-présidente de la Conférence canadienne des arts, présidente de la Société québécoise de recherche en musique et membre du Conseil des arts de la communauté urbaine de Montréal.

8. En 1955, à la CBC/Radio-Canada, JMB était président du comité «musique et ballet» chargé d'organiser la participation du Canada à la future Expo universelle et internationale de Bruxelles, prévue en 1958.

9. Le service des transcriptions de Radio-Canada a été mis sur pied en 1945 par RCI alors que JMB était directeur du réseau français et directeur musical pancanadien. Ce service permet l'enregistrement sur disques de musique créée par des compositeurs canadiens. En 1958, c'est un ami de toujours de JMB, Roy Royal, successeur du pionnier Gérard Arthur, qui en est le responsable.

10. «Depuis son arrivée à Paris, il s'est beaucoup intéressé à ses jeunes confrères. Il a fréquenté toutes les réunions organisées à la Maison Canadienne et encouragé les concertistes en leur donnant de précieux conseils. Sa réalisation la plus salutaire a été la formation d'un orchestre d'une vingtaine d'instrumentistes au sein de la jeunesse étudiante.» Article de journal non identifié et non daté [vraisemblablement 1952 ou 1953]. APJB.

1959-1961 – PREMIER SECRÉTAIRE DU CENTRE DE MUSIQUE CANADIENNE (CMC)

1. « Le poste d'administrateur (remplacé par le poste de directeur en 1978 et par celui de directeur général vers 1981) est occupé par Jean-Marie Beaudet (1959-1961) ». Patricia Shand, Emma Jenkins, « Centre de Musique canadienne », *EMC*, consulté le 25 juin 2012.

2. D'après les écrits de Madame Kieser, ce Centre est né et a survécu grâce à la générosité de ses secrétaires généraux, puis de ses directeurs qui, les uns et les autres, disposèrent, dans les débuts du moins, de budgets et de salaires personnels minimaux. Karen Kieser, « Le Centre de musique canadienne et son histoire », *Celebration, (Aspects de la musique canadienne : essais publiés à l'occasion du vingt-cinquième anniversaire du Centre de musique canadienne)*, Canadian Music Center/ Centre de musique canadienne, Toronto, 1984.

3. On peut lire dans une lettre de JMB adressée à Charles Jennings, devenu *controller of broadcasting*, avec qui il négocie son départ de la CBC/Radio-Canada, lettre en date du 25 août 1958 : "[...] *after a query to Geoff Waddington because I could not get hold of anybody else, I learned last Friday that my appointment with the Canadian Music Council was official and had been since July 18th which I did not know.*" APJB.

4. Deux disques furent co-produits : l'un de musique pour orchestre d'Adaskin, Papineau-Couture et Somers avec l'orchestre symphonique de Radio-Canda sous la direction de Walter Susskind et l'autre de quatuors à cordes de Pentland, Pépin, Vallerand et Weinzweig avec un quatuor de musiciens de Toronto dont Albert Pratz tenait le premier violon.

5. Karen Kieser, « Le Centre de musique canadienne et son histoire », *Celebration, (Aspects de la musique canadienne : essais publiés à l'occasion du vingt-cinquième anniversaire du Centre de musique canadienne), op. cit.*

6. APJB.

7. Bibliothèque et Archives Canada, fonds Centre de musique canadienne, MUS 144.

8. Quelques années plus tard JMB dira au cours d'une entrevue : « J'avais et j'ai encore pour principe de dire aux compositeurs : « Donnez-moi de la musique et je vais la jouer ». « Jean Beaudet, un témoin et un animateur de la musique au Canada », *Le Soleil*, Québec, 11 novembre 1967.

9. Lettre du 16 novembre 1960 de Gabriel Charpentier à Jean-Marie Beaudet, Bibliothèque et Archives Canada, fonds Centre de musique canadienne, MUS 144, boîte 24,10.

10. Lettre du 19 novembre 1960 de Jean-Marie Beaudet à Gabriel Charpentier, *ibid.*

11. Bibliothèque et Archives Canada, fonds Centre de musique canadienne, MUS 144, boîte 24, 22.

12. Diffusion sur le réseau francophone le 4 décembre. Difusion sur le réseau anglophone le 27 du même mois. *CBC Times*, 27 décembre 1958 au 2 janvier 1959, p. 6.

13. *Semaine à Radio-Canada*, 27 juin 1959 au 3 juillet 1959, p. 11.

14. Jean Vallerand, « "Barbe-Bleue" de Jacques Offenbach, oasis d'humour bienvenue aux Festivals », *Le Devoir*, 12 août 1959.

15. Il s'agit de l'œuvre musicale, *Le Roi Nu* (1935).

16. Une copie est disponible pour visionnement à la Cinémathèque québécoise, Médiathèque Guy-L.-Côté, fonds Radio-Canada.

17. Bibliothèque et Archives Canada, fonds Centre de musique canadienne, Mus 144, boîte 34.

18. Bibliothèque et Archives Canada, fonds Centre de musique canadienne, MUS 144, boîte 34.

19. Pour la petite histoire, Clermont Pépin enverra sa musique au Centre le 31 janvier, dernier jour de présence de JMB sur les lieux.

1961-1969 – RADIO-CANADA, UNE TROISIÈME FOIS

1. Selon John P.L. Roberts, "Canadian Broadcast Policy and the Development of Concert Music", *A Celebration of Canada's Arts 1930-1970, op. cit.*, p. 185 et 186.

2. Entretien de l'auteure avec Sarah Jennings le 13 août 2008.

3. Chef du parti progressiste-conservateur, il fut premier ministre du Canada de 1957 à 1963.

4. À moins d'indication contraire, tous les renseignements concernant les conditions d'embauche de JMB à la CBC/Radio-Canada de 1961 à 1967 et ce qui concerne les concerts diffusés sur les ondes radio ou télé entre 1961 et 1969, proviennent des archives de Radio-Canada déjà dépouillées par Pierre Beaudet. APJB.

5. «Vice-président délégué à la programmation» en serait la traduction française.

6. Il s'agit de la première audition dans la version orchestrée de l'opéra *Le Magicien*. Le mois suivant, l'émission est diffusée en France, Suisse et Belgique. *Semaine à Radio-Canada*, 26 mai au 1er juin 1962.

7. *La Semaine à Radio-Canada*, 5 au 11 janvier 1963, p. 2.

8. Les critiques des jounaux francophones, *Le Devoir* et *La Presse* du 7 janvier 1963, passent sous silence l'absence de JMB et son remplacement par Francoys Bernier. *The Montreal Star* félicite François Bernier qui a su relayer à la dernière minute Jean Beaudet, incapable d'assumer sa tâche en raison de maladie.

9. Archives SNJM.

10. C'est à la demande de John Roberts, alors à l'emploi de la CBC/Radio-Canada, que JMB est au pupitre de la *Turangalîla Symphonie*. Voir témoignage de John Roberts en Annexe A.

11. Ce n'est ni la première ni la dernière fois qu'ils s'exécutent ensemble. Voir la chronologie des concerts en Annexe B.

12. Gordon Hamilton Southam, (1916-2008) naît dans une famille ontarienne, propriétaire de différents journaux. Il sert dans la Seconde Guerre mondiale comme officier dans l'artillerie. Premier diplomate canadien en Pologne après la guerre, il deviendra chef de la division de l'information au sein des Affaires extérieures du Canada à son retour au pays en 1962. Très intéressé par les arts, il sera le coordonnateur responsable de la création du Centre national des Arts à Ottawa.

13. Sarah Jennings documente abondamment la création du Centre national des Arts d'Ottawa dans l'ouvrage *Arts and Politics the History of the National Arts Center*, Toronto, Dundurn Press, 2009.

14. Louis Applebaum (1918-2000) est compositeur, chef d'orchestre, administrateur, responsable de la création du festival de musique de Stratford. Grâce à sa grande connaissance du monde politique et des arts, il joue un rôle important dans le développement culturel de l'Ontario au cours des années 1970.

15. Le projet de création du Centre national des Arts d'Ottawa est lié au centenaire de la Confédération canadienne.

16. L'énumération des membres de ce comité est tirée d'un texte de Hamilton Southam, paru dans le journal *Prélude*, une publication du CNA, vol. 2, n° 1,

septembre-octobre 1979 : «Genèse d'un orchestre». Archives du Centre national des Arts, 53 rue Elgin, Ottawa. (Une partie des archives du CNA est conservée dans leur propre service d'archives, rue Elgin, quoique la majorité des documents concernant les débuts du Centre soient déposés à Bibliothèque et Archives Canada, fonds NAC.) Le comité se réunira neuf fois entre le 13 mars 1964 et le 30 août 1965. Ibid.

17. Sauf indication contraire, les renseignements concernant l'embauche et le travail de JMB pour le Centre national des Arts proviennent de Bibliothèque et Archives Canada, fonds NAC, RG 149-1, vol. 508.

18. Jean-Marie Beaudet, [*Draft*] "Progress Report on a Feasibility Study Regarding the Creation of a Resident Symphony Orchestra within the National Arts Center", p. 2, document dactylographié, non daté, vraisemblablement juin 1967, Bibliothèque et Archives Canada, fonds NAC, RG 149-1, vol. 508.

19. "[…] *be ready to perform before that fatidic date of July 1st 1967.*" Lettre de JMB à G.H Southam, coordinator, National Centre for the Performing Arts, le 8 mars 1965. Bibliothèque et Archives Canada, fonds NAC, RG 149-1 vol. 508.

20. Jean-Marie Beaudet, [*Draft*] , "Progress Report on a Feasibility Study Regarding the Creation of a Resident Symphony Orchestra within the National Arts Center", *op. cit.*, p. 1.

21. Lettre de G.H. Southam à J.A. Ouimet, 29 avril 1966. Bibliothèque et Archives Canada, fonds NAC, RG 149-1 vol. 508.

22. Jean-Marie Beaudet, [*Draft*] "Progress Report on a Feasibility Study Regarding the Creation of a Resident Symphony Orchestra within the National Arts Center", *op. cit.*, Appendice A.

23. Pendant un certain temps Southam fut tenté par l'aventure de «l'orchestre national» : "*Although Mr. Applebaum had proposed a concert orchestra of no more than forty-five musicians, there is no doubt that these requirements could be achieved equally well, indeed better, by the creation of a symphony orchestra under CBC auspices.*" Lettre de G.H. Southam, *coordinator*, à J.A Ouimet, *president* CBC, 29 avril 1966.

24. Une étude téléphonique (*survey*) a été commandée au cours de l'été 1967 : *for measuring public support for a national symphony orchestra.* Bibliothèque et Archives Canada, fonds NAC, RG 149-1, vol. 508.

25. "*Toronto musician Louis Applebaum, the Center's musical advisor who urged the 45-piece size, sees the orchestra as unique in our country…*", *Performing Arts in Canada*, vol. 5, n°s 3, 4, p. 8.

26. La version finale du rapport de faisabilité présenté au conseil d'administration par Southam, le 2 octobre 1967, propose un orchestre de 45 musiciens. Hamilton Southam, «Genèse d'un orchestre», *Prélude, op. cit.*

27. Il est intéressant de noter que l'OCNA d'Ottawa compte maintenant (2012) plus de soixante musiciens.

28. La lettre de démission officielle de JMB fut adressée le 18 mars 1969 à Marcel Ouimet, alors vice-président aux programmes. Le 31 du même mois, Ouimet écrit à JMB : «[…] Nous nous doutions un peu que vous en viendriez à accepter la Direction de la musique au Centre national des Arts. Votre décision cependant n'est pas sans nous causer un certain chagrin même si nous savons que l'entreprise ne saurait être entre de meilleures mains.» APJB.

29. Archives du Centre national des Arts, Press Clips 1970-1971, 53 rue Elgin, Ottawa.

30. Malgré la foi, JMB qualifiera sa dernière aventure de « terrible ». Entrevue de JMB à la radio par Pauline Sincennes, « Invitation à la musique », vraisemblablement en septembre 1969. APJB.

31. Dans l'optique où le concert d'ouverture aurait lieu en novembre 1968.

32. Pour seconder JMB, au sein de ce comité de sélection des musiciens au Canada, on retrouvera Mario Bernardi, Roland Leduc, Léa Foli qui, pendant un certain temps, fut pressenti pour devenir le *concert-master* de l'orchestre, Lorand Fenyves et, à l'occasion, Wilfrid Pelletier.

33. *Performing Arts in Canada*, vol. 5, n°s 3, 4.

34. « Il est difficile de concilier les fonctions d'administrateur et de chef d'orchestre. Comme j'aurai à traiter avec d'autres chefs, il me serait moins aisé d'aborder et de discuter certaines questions si je remplis le même rôle qu'eux. Cela ne veut pas dire que je ne dirigerai pas de concerts mais j'en laisserai probablement la direction permanente à un autre musicien. » Entrevue de JMB par Marc Samson, *Le Soleil*, Québec, 11 novembre 1967.

    Par ailleurs, dans une lettre à Mario Bernardi (voir note 44), lettre datée du 27 février 1969, JMB ébauche une programmation pour 1969-1970 où il figure en tant que chef d'orchestre, le 24 février 1970. Bibliothèque et Archives Canada, fonds Mario Bernardi, MG31, D134, vol. 1, National Art Center Correspondence, Memoranda 1968-1969.

35. C'est sur l'invitation de JMB que Monique Leyrac et Gordon Lightfoot seront entendus lors du concert d'ouverture du CNA, le 2 juin 1969.

36. Selon le rapport annuel du CNA, 1969-1970, 35 concerts, tous programmés par JMB en collaboration avec Bernardi, furent exécutés par l'OCNA ou par des orchestres invités dès la première année. Archives CNA, 53 rue Elgin, Ottawa.

37. L'agence avait fermé ses portes et ne fut donc d'aucune utilité pour la recherche de JMB.

38. En effet, en plus d'un voyage à New York, JMB fit à cette époque deux séjours en Europe l'un en décembre 1967 et l'autre en février 1968. Les villes visitées furent : Paris, Londres, Belfast, Prague, Vienne, Amsterdam, Munich et Genève. D'après un rapport non daté, intitulé : *"The search for a conductor"*, Bibliothèque et Archives Canada, fonds NAC, RG 149-1, vol. 508.

39. JMB est alors le chef attitré de l'orchestre de Radio-Canada pour ces concerts donnés gratuitement à la salle Claude-Champagne. Il en sera de même en 1968. D'autres chefs participent également au programme.

40. La lettre recommandant Blackburn commence ainsi : « Je connais le candidat depuis plus d'années que l'un ou l'autre n'a le souci de le révéler. » Bibliothèque et Archives Canada, fonds NAC, RG 149-1, vol. 508.

41. Protections auditives en mousse qui permettent d'atténuer les bruits trop forts.

42. L'absence d'un piano dans la dernière résidence d'Ottawa est peut-être liée à cet accident.

43. Dans son testament, Denise Beaudet offrit au Conseil des Arts du Canada une somme de 10 000$ « pour qu'elle soit utilisée aux fins de la publication de la biographie de mon époux, Jean M. Beaudet. Si les autorités compétentes du Conseil des Arts du Canada le préfèrent, la somme de Dix Mille Dollars (10 000$) peut être utilisée pour octroyer des bourses destinées à aider de jeunes chefs d'orchestre dans leur formation ». Une source laisse entendre que Denise remit d'abord des documents personnels au rédacteur pressenti qui, finalement, se désista. La trace des documents fut alors perdue. Trois ans plus tard, en 1988, le Conseil des Arts

du Canada décida de consacrer cette somme à la création du Prix Jean-Marie Beaudet destiné à la formation de jeunes chefs d'orchestre. On peut trouver la liste des récipiendaires sur le site internet du Conseil des Arts. Par ailleurs, dès 1971, le département de musique de l'université d'Ottawa mit sur pied le fonds Jean-Marie Beaudet afin de venir en aide aux jeunes musiciens.

44. Mario Bernardi (1930-2013) naît à Kirkland en Ontario de parents italiens. À l'âge de 6 ans il part en Italie avec ses parents et y fait l'apprentissange du piano, de l'orgue et de la composition. Jeune diplômé, il revient au Canada en 1947 et se consacre à la musique : il sera répétiteur, pianiste de concert, accompagnateur et chef d'orchestre. En 1963, il est engagé à Londres comme répétiteur et chef d'orchestre adjoint du Sadler's Well. Il deviendra directeur musical d'une des deux compagnies de cette institution en 1966. Premier chef de l'OCNA, il dirigera cet ensemble jusqu'en 1982 et se retrouvera par la suite à la tête de l'orchestre de la SRC à Vancouver et, à compter de 1984, directeur musical de l'Orchestre philarmonique de Calgary. « La direction de Bernardi révèle un raffinement dans le style qui met en relief les éléments purement musicaux de tout ce qu'il choisit d'interpréter », selon Fred Foran et Betty Nygaard King, « Mario Bernardi », *EMC*.

45. Madame Greenberg, harpiste et pianiste, avait joué souvent sous la direction de JMB, alors qu'il dirigeait le « CBC studio orchestra » à Ottawa, en 1966.

46. Entretien de l'auteure avec Evelyn Greenberg, le 13 août 2008.

47. Lors de l'entretien de l'auteure avec Mario Bernardi, le 18 novembre 2008, Bernardi prévint d'emblée que sa mémoire était défaillante. Elle l'était déjà dans le témoignage qu'il écrivit pour Pierre Beaudet, le 15 juin 1993. Dans ce témoignage, si on ne peut douter des expériences vécues ou des sentiments éprouvés, il y a lieu parfois de s'interroger sur les dates.

48. Il s'agissait d'une démarche informelle, qu'on appelle « repérage » au cinéma, et qui suscita quelque jalousie, comme en témoigne la correspondance de JMB. Ce dernier dut se justifier auprès d'un aspirant frustré qui n'avait pas eu droit à une telle invitation.

49. Propos rapportés par Evelyn Greenberg, lors d'un entretien avec l'auteure, le 13 août 2008.

50. Témoignage de Mario Bernardi en Annexe A.

51. Bibliothèque et Archives Canada, fonds NAC, RG 149-1, vol. 508.

52. Faute de fonds financiers adéquats, et malgré certaines démarches entreprises par JMB, le CNA ne fit pas l'acquisition d'un orgue au cours de cette période, mais deux orgues furent plus tard offerts par la communauté canado-hollandaise en remerciement pour l'aide apportée par le Canada lors de la libération des Pays-Bas.

53. Le 1er juin 1968, Mario Bernardi signe un premier contrat avec le Centre National des Arts. Il est engagé en tant que chef d'orchestre à compter du début de septembre 1969. Cependant, dès juin 1968, « [...] *the Conductor shall be available at all mutually convenient times for consultation with the Director of Music of the Centre*. » Bibliothèque et Archives Canada, fonds Mario Bernardi, MG31 D134, vol. 1.

54. Dans le contrat signé par Mario Bernardi, en juin 1968, il est stipulé : « *[T]hese auditons under the chairmanship of the director of Music shall take place during the late summer or early fall*[...] » (c'est moi qui souligne). Pour éviter de payer trop d'impôt, Mario Bernardi, suivant le conseil de ses aviseurs légaux à Londres, demande au CNA des modifications qui lui sont accordées. Dans un second contrat proposé quelques mois plus tard, peu de chose a changé : "Mister", devient "Maestro" et les termes désignant l'emploi renvoient à un travail à la pige (" *free*

lance"). Du coup, il n'est plus question de "*salary*", mais de "*fees*", "*employment*" devient "*contract*", et la durée du premier contrat, qui était de trois ans, est réduite à quelques mois. Cependant les clauses, en tant que telles, restent les mêmes. Bibliothèque et Archives Canada, fonds Mario Bernardi, MG31 D134, vol. 1.

55. Traduction libre. Bernardi se souvenait de ce faux bond avec quelque remords : "*It was because of work in London...*" Il s'agit d'une série d'auditions qui devaient avoir lieu le 4 décembre 1968 à Toronto, le 5 à Ottawa, le 6 et le 7 à Montréal, selon une lettre que JMB adresse à Bernardi le 17 octobre. Cet horaire fut légèrement modifié d'après la lettre adressée à Lorand Fenyves par JMB, le 20 novembre de cette même année. Bibliothèque et Archives Canada, fonds NAC, RG 149-1, vol. 508.

56. *Art and Politics the History of the National Arts Centre*, *op. cit.*, p. 67.

57. Ce violon fut au centre de diverses péripéties dont les versions diffèrent. Selon ce qu'a raconté Prystawski, on lui avait promis que, en tout temps, il pourrait racheter l'instrument procuré par le CNA au prix initial d'environ 12 000$. Quand il voulut se prévaloir de cette promesse, l'instrument avait acquis une grande valeur et on ne voulait plus le lui laisser au prix de départ. Il y eut des négociations, le prix demandé fut diminué, et finalement, pour apaiser les esprits, Southam, conciliant, assuma une partie des frais d'acquisition.

58. Entretien de l'auteure avec Walter Prystawski, le 9 juin 2008.

59. http://artsalive.ca/collections/nacmusicbox/chronologique-timeline/index.php/en/ activites-activities/balados-podcasts/transcription-transcript-01 NAC musicbox TIMELINE > Activities and Resources > Podcasts : Eric Friesen Presents the NAC Orchestra > Transcript 01- An Orchestra is born : The Bernardi Years. Consulté le 26 janvier 2012.

60. À la rubrique : "*Personal Duties of the Conductor*", dans le contrat de Mario Bernardi, il n'est nullement question du recrutement des musiciens. Par contre, à la rubrique : "*Joint Responsabilities*", il est écrit : "*It is hereby recognised that the Director of Music of the Centre is the official spokesman for the Center in all matters pertaining to the orchestra and that the Conductor undertake to use his best endeavours to collaborate with him in the fulfilment of his duties. [...] Consequently, the Conductor, in cooperation with the Director of Music, shall : (a) recruit the musiciens of the orchestra ; [...].*" Bibliothèque et Archives Canada, fonds Mario Bernardi, MG31 D134, vol 1.

61. Une inscription identique existe en anglais sous la même photo. C'est moi qui souligne.

62. Le critique Gilles Potvin écrit : «Jean Beaudet, chef d'expérience et de goût, [et chef titulaire de cette saison musicale] sait tirer le maximum de ses effectifs et passe d'un style à l'autre avec la plus grande aisance. Connaissant bien ses musiciens Jean Beaudet a réussi cette saison à faire exécuter un bon nombre d'œuvres que les programmes affichent rarement.» In : «Moura Lympany et une œuvre de Guy Robart», *La Presse*, 4 mars 1968.

À l'automne 1967, JMB avait annoncé ses intentions : «J'y présenterai des œures rarement jouées comme *La Tragédie de Salomé* de Florent Schmitt, des symphonies du compositeur suédois Blomdahl, de Martinu, de Dutilleux, un festival Ravel, un autre consacré à Debussy, de même qu'un programme de musique canadienne au cours duquel j'ai inscrit deux œuvres nouvelles dont une du jeune compositeur québécois Alain Gagnon. Je ne dirigerai pas tous les concerts mais la plupart d'entre eux, ce qui devrait donner une certaine permanence à cet orchestre.» *Le Soleil*, Québec, 11 novembre 1967.

63. Chaque été, la CBC offre des concerts en plein air dans un grand parc situé à quelques kilomètres d'Ottawa, ce qui favorise des échanges entre le public et les musiciens. JMB appréciait les rencontres avec le public : une dame, épouse d'un collaborateur à la télévison, lui écrit un jour pour le féliciter. Elle n'a pas osé lui parler en personne en raison des quatre enfants qui l'accompagnaient. JMB lui répond qu'elle aurait dû quand même venir le voir : « Je n'ai pas peur des enfants et je ne les effraie point. » Bibliothèque et Archives Canada, fonds Jean-Marie Beaudet, MG 31-D50, vol. 1, boîte 04193.

64. Dans les faits, Jean-Guy Sabourin, le directeur du théâtre français, fut remercié par la direction quelques mois plus tard.

65. Gaston Roussy, gestionnaire des salles au CNA, a raconté qu'au chapitre des difficultés, il y eut même le soir de l'ouverture officielle, en juin, un orage terrible qui priva les lieux d'électricité pendant un certain temps ! Entretien de l'auteure avec Gaston Roussy, le 30 mai 2008.

66. Témoignage de Charles Jennings lors du décès de JMB, journal d'Ottawa non identifié. Archives du CNA, 53 rue Elgin, Ottawa, Press Clips, 1970-1971.

67. Entretien de l'auteure avec Ken Murphy, le 7 avril 2009.

68. *"The National Art Center orchestra will begin a tour of four north-westerns Quebec towns starting this week. It was announced by the center's musical director, Jean-Marie Beaudet."* *The Montreal Star*, 21 octobre 1969, p. 50.
Il s'agit de Val d'Or, Amos, La Sarre et Rouyn.
Les tournées contribuent à lier les musiciens. Ils doivent s'adapter car il leur arrive de vivre des situations difficiles. C'est le cas de ce concert donné en jeans à Saint-Petersburg, Floride, parce que les valises n'ont pas suivi les passagers, ou de cet autre donné sans répétition parce que le bateau est resté coincé dans les glaces à Terre-Neuve et que les instrumentistes ont atteint le lieu du concert une demi-heure seulement avant le public, ou encore de cet hôtel au Mexique qu'il a fallu quitter parce que le commerce qui s'y faisait nuit et jour ne relevait pas du domaine artistique...

69. Archives du CNA, 53 rue Elgin, Ottawa, Press Clips 1969-1970.

70. « Au 31 mars 1969, deux séries de dix concerts chacune avaient été arrêtées par le directeur musical en collaboration avec le chef d'orchestre. On prévoyait également des concerts de musique de chambre, des concerts pour étudiants et quelques visites dans certaines municipalités de l'Ontario et du Québec. » Rapport annuel du CNA 1968-1969, Archives du CNA, 53 rue Elgin, Ottawa.

71. Selon une lettre de JMB adressée à Murray Schafer, sa pièce *Toi/Loving* fut pressentie pour faire partie du concert inaugural. Le projet ne se concrétisa pas.

72. Devenu directeur musical à son tour, Bernardi poursuivra la politique qui encourageait la création et l'exécution d'œuvres canadiennes. Ce ne fut pas le cas de tous ceux qui lui ont succédé ; quelques chefs venus par la suite ont montré une aversion notoire pour la musique d'ici, selon certains musiciens de l'OCNA consultés.

73. En 1970, lors de la fête célébrant le premier anniversaire de l'orchestre, Southam attribue cette fois à JMB la paternité de l'orchestre. On notera surtout l'intention du fondateur du CNA de reconnaître le rôle joué par JMB dans la mise au monde de l'orchestre.

74. Le 23 décembre 1969, il adresse un mot de remerciement à son directeur qui lui a fait parvenir des fleurs à l'hôpital. Il écrit alors qu'en tant que « père nourricier », il s'inquiète de son « orchestre bébé » et qu'il a hâte de pouvoir retourner au travail.

75. Ken Murphy, gérant de l'orchestre, décline l'invitation le 8 décembre 1969. Sorti de l'hôpital la veille, JMB n'est pas encore assez remis pour participer à la rencontre. Bibliothèque et Archives Canada, fonds NAC, R-149, vol. 508.

76. Lettre de Jean-Marie Beaudet à Josée Beaudet, le 17 janvier 1970. APJB.

77. Cette phrase est intégralement tirée de la communication faite par JMB le 21 mars 1969 devant le Conseil canadien de la musique. Enregistrement sonore APJB.

78. *Ibid.*

79. *Ibid.*

80. Texte en langue anglaise de la même allocution faite par JMB aux membres du Conseil canadien de la musique, le 21 mars 1969, Bibliothèque et Archives Canada, fonds NAC, RG 149-1, vol. 508.

POSTFACE

1. *"Music Education for our changing Times", Address by Jean-Marie Beaudet, Director of Music, National Arts Centre, Ottawa, to Ottawa Alumni of the Royal Conservatory of Music of Toronto, May 21, 1969.* Bibliothèque et Archives Canada, fonds NAC, RG 149-1, vol. 508, dossier causeries.

LISTE DES ABRÉVIATIONS

APJB : Archives recueillies par Pierre Beaudet ou Josée Beaudet
BAnQ : Bibliothèque et Archives nationales du Québec
BBC : British Broadcasting Corporation
BBG : Board of Broadcasting Governors
CBC : Canadian Broadcasting Corporation
CBF : Canadian Broadcasting French
CBFT : Canadian Broadcasting French Television
CBM : Canadian Broadcasting Montreal
CBMT : Canadian Broadcasting Montreal Television
CBOT : Canadian Broadcasting Ottawa Television
CCR : Commission canadienne de Radiodiffusion
CMC : Centre musical canadien devenu le Centre de Musique canadienne
CNA : Centre national des Arts
CRBC : Canadian Radio Broadcasting Corporation
CRTC : Canadian Radio-television and Telecommunications Commission
EMC : *Encyclopédie de la musique au Canada*, devenue *Encyclopédie canadienne de la musique*
JMB : Jean-Marie Beaudet
JMC : Jeunesses musicales du Canada
NAC : National Art Center
NBC : National Broadcasting Corporation
OCNA : Orchestre du Centre national des Arts
SNJM : (Sœurs des) Saints Noms de Jésus et de Marie
SRC : Société Radio-Canada

BIBLIOGRAPHIE

ARCHIVES

Archives de l'Opéra Garnier, Paris

Archives des Sœurs des Saints Noms de Jésus et de Marie

Archives du Centre national des Arts, 53 Elgin, Ottawa

Bibliothèque du Conservatoire de musique de Québec

Bibliothèque et Archives Canada, Fonds Jean-Marie Beaudet, MG 31-D50, vol. 1, boîte 04193

Bibliothèque et Archives Canada, Fonds Centre national des Arts, RG 149

Bibliothèque et Archives Canada, Fonds Mario Bernardi, MG31 D134

Bibliothèque et Archives Canada, Fonds Centre de musique canadienne MUS. 144

Bibliothèque et Archives nationales du Québec, Division des Archives de l'Université Laval

Bibliothèque et Archives nationales du Québec/Centre de conservation (Montréal)

Centre d'archives de Québec de BAnQ. Fonds Raoul Jobin P357

Centre d'archives de Québec de BAnQ. Prix d'Europe P 379

Centre de référence de l'Amérique française. Musée de la Civilisation, Québec

Collection musique, DSQ CBC Radio-Canada ; Collection programmes de spectacle

Centre de musique canadienne. Banque de données et enregistrements d'archives

Médiathèque et Archives de Radio-Canada

Médiathèque Guy-L.-Côté, Cinémathèque québécoise, Fonds Radio-Canada et périodiques

ARTICLES DE PÉRIODIQUES, MÉMOIRES ET RAPPORTS INSTITUTIONNELS

Annual Report/Rapport Annuel, CBC/Radio-Canada, 1952-1953 à 1967-1968

Beaudet, Pierre. «Aperçu de la carrière du musicien Jean-Marie Beaudet», *Bulletin de l'Association des études sur la radio-télévision canadienne*, n° 47, mars 1996, p. 1-7

Kieser, Karen «Le Centre de musique canadienne et son histoire», *Celebration, (Aspects de la musique canadienne: essais publiés à l'occasion du vingt-cinquième anniversaire du Centre de musique canadienne)*, Canadian Music Center/Centre de musique canadienne, Toronto, 1984

Performing Arts in Canada, vol. 5, n°ˢ 3, 4

Roberts, John P.L., "Canadian Broadcast Policy and the Development of Concert Music", *A Celebration of Canada's Arts 1930-1970*, Canadian Scholar's Press inc., Toronto, 1996.

Sœur M. Hélène-Andrée [Marie-Paule Morel], «Une œuvre d'éducation artistique; l'École Vincent-d'Indy», mémoire de B.Péd. inéd. (Institut de pédagogie familiale 1966)

Southam, Gordon H., «Genèse d'un orchestre», *Prélude* vol. 2, n° 1, septembre-octobre 1979, Centre national des Arts

MONOGRAPHIES

Adams, Cléophas. *Thetford-Mines Historique et Biographies*, Le «Mégantic», Thetford-Mines, 1929

Caron, Claudine. *Léo-Pol Morin en concert*, Leméac, Montréal, 2013

Désaulniers, Jean-Pierre. *La télévision en vrac: essai sur le triste spectacle*, Éditions coopératives Albert Saint-Martin, Montréal, 1982

Duchesnay, Alice. *Un regard sur le chemin*, Québec, ministère des Affaires culturelles, Conservatoire de musique et d'art dramatique, 1980

Fascicules du CMC sur Claude Champagne, 1979; Roger Matton, 1975; Pierre Mercure, 1976

Guay, Bertrand. *Un siècle de Symphonie à Québec*, Sillery: Septentrion, 2002

Jennings, Sarah. *Art and Politics The History of the National Arts Centre*, Dundurn Press, Toronto, 2009

Kallmann, Helmut, Potvin, Gilles, Winters, Kennet. *Encyclopédie de la musique au Canada*, Fides, Montréal, 1983

Hallman Eugene S. et Hindley H. *Broadcasting in Canada*, General Publishing Company, 1977

Landry, Yves. *Les Filles du Roy au XVIIᵉ siècle*. Leméac, Montréal, 1992

Lebel, Gérard. *Nos Ancêtres tome 18*, Revue Sainte-Anne de Beaupré, Québec, 1990

Lefebvre, Marie-Thérèse Ph.D. *Jean Vallerand et la vie musicale du Québec 1915-1994*, Méridien, Montréal, 1996

Maheu, Renée. *Arthur Leblanc. Le poète acadien du violon.* Boréal, Montréal, 2004

Maheu, Renée. *Pierrette Alarie, Léopold Simoneau: deux voix, un art.* Éditions Libre expression, Montréal, 1988

Maheu, Renée. *Raoul Jobin*, Belfond, Paris, 1983

Nicholson, Georges. *André Mathieu*, Québec-Amérique, Montréal, 2010

Pagé, Pierre. *Histoire de la Radio au Québec.* Fides, Montréal, 2007

Paradis, Louis L., *Les Annales de Lotbinière 1672-1933*, La société Patrimoine et histoire des seigneuries de Lotbinière, Québec, 2009

Pelletier Wilfrid, *Une Symphonie inachevée*, collection «vies et mémoires» Leméac, Montréal, 1972

Poulin Jean-Charles, *La Cité de l'Or blanc*, Jean-Charles Poulin éditeur, Thetford-Mines, 1975

Rutherford, Paul. *When television was young: Prime Time Canada 1952-1967.* University of Toronto Press, Toronto, 1990

JOURNAUX ET PÉRIODIQUES CONSULTÉS

CBC Times

Ici Radio-Canada

Journal de Québec

L'Action catholique

La Patrie

La Presse

La Revue populaire

La Scena Musicale

La Semaine à Radio-Canada

Le Canada

Le Film

Le Soleil

L'Événement

Radio

RadioMonde et TéléMonde

The Gazette

The Globe and Mail

SITES INTERNET CONSULTÉS

Bibliothèque Gaston Miron, *collection SRC*, http://www.criq.umontreal.ca

www.collection.canada.gc.ca/gramophone

TV archive.ca

http://id.erudit.org/iderudit/005348ar

orgues-normandie.com/orgue.../PDF/Orgue_Normand_10_0516.pdf.

http://id.erudit.org/iderudit/800393ar

http://artsalive.ca/collections/nacmusicbox/chronologique-timeline/index.
php/en/activites-activities/balados-podcasts/transcription-transcript-01
NAC musicbox TIMELINE > Activities and Resources > Podcasts : Eric
Friesen Presents the NAC Orchestra > Transcript 01- An Orchestra is
born : The Bernardi Years

Dernier mouvement/Colombie britannique-Yukon/Radio-Canada.ca

Centre de Musique canadienne

Encyclopédie de la musique au Canada

REMERCIEMENTS

Je voudrais dédier ce livre à Yvette, sœur aînée de Jean-Marie Beaudet, décédée en 2010, à l'âge de cent six ans. Yvette Beaudet-Roberge avait un grand amour de la famille et était douée d'une mémoire phénoménale qui ne faiblit que peu de temps avant sa mort. J'ai eu l'occasion à maintes reprises d'échanger avec elle au cours des années.

Mes remerciements vont d'abord à Claudine Caron, musicologue, pour son patient travail de mise en forme de la chronologie musicale, pour ses judicieux conseils et ses révisions.

Merci aussi aux autres musicologues qui m'ont soutenue, Pascal Blanchet, Bertrand Guay et Lyse Richer.

Merci à mes réviseur(e)s, particulièrement à Diane Beaudry au jugement éclairé, à Jacinthe Beaudet et Brigitte Lecours qui m'ont posé des questions pertinentes, soulevées par une génération plus jeune que la mienne.

Je suis reconnaissante envers toutes les personnes qui m'ont accordé des entrevues, notamment les musiciens Gabriel Charpentier et Michel Dussault. J'ai eu des conversations téléphoniques avec John Roberts, Pierre Pagé et quelques autres ; ma gratitude s'adresse à tous ceux et celles avec qui j'ai échangé, quel que soit le moyen utilisé, téléphone, courriel, rencontre.

Les archivistes du Centre national des Arts à Ottawa, Gerry Grace et Jose Hernandez ont été d'une disponibilité et d'une gentillesse exceptionnelles malgré leurs nombreuses activités. Ainsi en est-il du directeur du Centre, Christopher Deacon, du personnel et des musiciens, actifs ou à la retraite, qui m'ont généreusement donné de leur temps. Qu'ils en soient tous remerciés.

Aux Archives de l'Université Laval, au Centre d'Archives de la Bibliothèque nationale du Québec, au Centre de référence de l'Amérique française, au Conservatoire de Musique de Québec, au service de la gestion de documents et archives de l'Université de Montréal, à la maison de Radio-Canada à Montréal et à Paris, à la Phonothèque québécoise, au Centre de musique canadienne, à la Médiathèque de la Cinémathèque québécoise, à Bibliothèque et Archives Canada, chez les religieuses des Saints Noms de Jésus et de Marie, au Centre culturel canadien, à la Maison des Étudiants canadiens à Paris et à la Bibliothèque nationale de France, j'ai été en contact avec des personnes compétentes dont l'aide m'a été utile.

Je remercie ma famille, particulièrement Jacques Beaudet et Martine Rousseau, qui m'a encouragée et nourrie de ses questions et de ses souvenirs.

Enfin, j'espère que Pierre Beaudet, à qui une biographie de son frère Jean-Marie tenait tant à cœur, est satisfait de notre collaboration posthume dans la réalisation de ce livre.

TABLE DES MATIÈRES

Ce livre a été imprimé au Québec en février 2014
sur les presses de Marquis imprimeur.